Amar, verbo intransitivo

To Love, intransitive verb

Other Books in New London Librarium's
Brazil Series

Ex Cathedra: Stories by machado de Assis

Miss Dollar: Stories by Machado de Assis

Trio in A-Minor: Five Stories by Machado de Assis

Good Days!: The Bons Dias! *Chronicles of Machado de Assis (1888-1889)*

Vertiginous Life (João do Rio)

Religions in Rio (João do Rio)

Quilombo dos Palmares: Brazil's Lost Nation of Fugitive Slaves

Journey on the Estrada Real

The Best Chronicles of Rubem Alves

Tender Returns (Rubem Alves)

Law of the Jungle: Environmental Anarchy and the Tenharim People of Amazonia

Promised Land: A Nun's Struggle against Landlessness, Lawlessness, Slavery, Poverty, Corruption, and Environmental Devastation in Amazonia

Amar, verbo intransitivo

To Love, intransitive verb

Mário de Andrade

a bilingual edition
translated by
Ana Lessa-Schmidt

New London Librarium

To Love, intransitive verb
a translation of
Amar, verbo intransitivo
by Mário de Andrade

Translated by Ana Lessa-Schmidt

Published by
New London Librarium
Hanover, CT 06350
NLLibrarium.com

ISBNs
Hardcover: 978-1-947074-27-9
Paperback: 978-1-947074-28-6
eBook: 978-1-947074-29-3

Obra publicada com o apoio do Ministério da Cultura do Brasil/Fundação Biblioteca Nacional.

Work published with the support of the Ministry of Culture of Brazil/National Library Foundation.

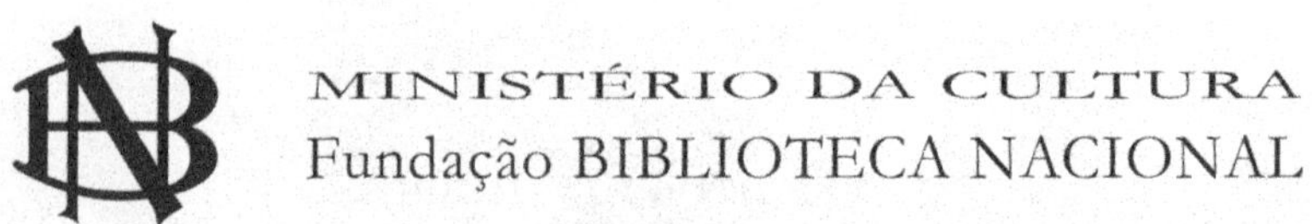

A tradutora dedica este work à todos aqueles que apreciam e compreendem o valor do trabalho de Mário de Andrade, o Decano do Modernismo, para a Literatura Brasileira, e quiçá para a literatura mundial.

The translator dedicates this work to all of those who appreciate and understand the value of the work of Mário de Andrade, the Doyen of Modernism, for Brazilian Literature, and perhaps for world literature.

Contents

Prefácio

Mário de Andrade foi um dos mais importantes intelectuais do modernismo brasileiro. Ele não foi apenas um romancista talentoso, mas também um musicólogo produtivo, historiador de arte, crítico e fotógrafo. Nascido e criado em São Paulo, ele foi uma criança prodígio: aos quatorze anos, ele era um excepcional pianista e talentoso escritor. Depois de deixar a música por causa da depressão, dedicou-se ao estudo da música, da arte e da literatura brasileiras, tornando-se o primeiro estudioso a escrever um compêndio do folclore brasileiro. Interessado em renovar a literatura elitista e tradicionalista do período, usou seu conhecimento linguístico para revolucionar a poesia e a ficção. Da mesma forma que James Joyce reproduziu os neologismos e a gramática irlandesa, Mário de Andrade seguiu a sintaxe e a semântica paulista para escrever suas obras, uma atitude que causou indignação entre os círculos intelectuais conservadores.

Foreword

Mário de Andrade was one of the most important intellectuals in Brazilian Modernism. He was not only an accomplished novelist but also a productive musicologist, art historian, critic, and photographer. Born and raised in São Paulo, he was a child prodigy: at fourteen, he was an exceptional pianist and talented writer. After leaving music because of depression, he devoted himself to the study of Brazilian music, art, and literature, becoming the first scholar to write a compendium of Brazilian folklore. Interested in renewing the elitist and traditionalist literature of the period, he used his linguistic knowledge to revolutionize poetry and fiction. In the same way that James Joyce reproduced Irish neologisms and grammar, Mário de Andrade followed the *paulista* syntax and semantics to write his works, an attitude which caused outrage among conservative intellectual circles.

Para Mário de Andrade, esse choque era infundado e precisava ser combatido. Em um dos mais ousados prefácios da Literatura Brasileira, *Prefácio Interessantíssimo*, Andrade afirma que "está fundado o desvairismo". O neologismo *desvairismo*, que decorre do adjetivo *desvairado*, não está relacionado apenas ao título de seu volume de poemas, *Paulicéia Desvairada* (1922), mas também a uma forma completamente nova de literatura. Dado que o *ismo* é o sufixo usado para nomear escolas de pensamento e movimentos literários — por exemplo, positivismo, realismo, modernismo, futurismo — pode-se inferir que a idéia de Andrade era criar uma nova tradição literária. No entanto, em vez de adotar uma das modernas vanguardas européias e americanas (*-ismos*), ele decidiu conceber a sua própria: uma que usa a loucura e o frenesi como parte de um tropo criativo. Esse movimento baseado em frenesi também estava intimamente ligado a uma onda nacionalista para absorver a cultura européia e transformá-la em um movimento artístico brasileiro. Essa busca pela inovação não foi apenas de Mário de Andrade, mas dos muitos artistas, pintores, músicos e escritores que, no início dos anos 20, desejavam libertar a cultura brasileira das "repressões históricas, sociais e étnicas" (Cândido 42). O clímax desse movimento foi o evento de cinco dias, a Semana de Arte Moderna de 1922, que inaugurou o modernismo

For Mário de Andrade that shock was unfounded and needed to be fought. In one of the boldest prefaces of Brazilian Literature *Prefácio Interessantíssimo* [Extremely Interesting Preface]– Andrade asserts that "está fundado o desvairismo" [franticism has been founded]. The neologism *desvairismo*, which stems from the adjective *desvairado* (frantic, insane), is not only related to the title of his volume of poems, *Paulicéia Desvairada* [*Hallucinated City*] (1922), but also to a thoroughly new form of literature. Given that *-ism* is the suffix used to name schools of thought and literary movements—for example, Positivism, Realism, Modernism, Futurism—it can be inferred that Andrade's idea was to create a new literary tradition. However, instead of adopting one of the fashionable European and American avant-garde(*-isms*), he decided to conceive his own: one that uses madness and frenzy as part of a creative trope. This frenzy-based movement was also intimately connected to a nationalistic surge to absorb European culture and transform it into a Brazilian artistic movement. This search for innovation was not Mário de Andrade's alone, but one of many artists, painters, musicians and writers who, at the beginning of the nineteen-twenties, wished to liberate Brazilian culture from "historical, social and ethnic repressions" (Cândido 42). The climax of this movement was the five-day event *Semana de Arte Moderna de 1922* (Modern Art Week 1922), which inaugurated

brasileiro com leituras de poesia, exposições de arte visual e concertos.

A Semana de Arte Moderna foi concebida pelo grupo que mais tarde se chamaria Grupo dos Cinco: os escritores Mário de Andrade, Oswald de Andrade e Menotti del Picchia, e as artistas Tarsila do Amaral e Anita Malfatti. Esta última era particularmente entusiasmada pelo expressionismo, que ela aprendeu durante sua formação em Berlim, antes da Primeira Guerra Mundial. A Semana da Arte Moderna aconteceu no Teatro Municipal de São Paulo em setembro, quando o país celebrava cem anos de independência de Portugal. Impulsionado por uma energia confiante para reinterpretar a vanguarda européia, foi divisiva desde o início: por exemplo, o poema "Os Sapos", de Manuel Bandeira, foi vaiado por causa de sua sintaxe simples e vocabulário repetitivo — características inspiradas pelo imagismo de Ezra Pound. O compositor Heitor Villa-Lobos foi atacado por causa da introdução em sua orquestra de instrumentos musicais populares. São apenas alguns episódios que levam o escritor Monteiro Lobato a chamar o movimento de "paranoia" (Ivan 5). A imprensa e os críticos de arte atacaram fortemente as novas escolhas e ideias formais dos artistas, com

Brazilian Modernism with poetry readings, visual art exhibitions and concerts.

Modern Art Week was conceived by the group that later was called *Grupo dos Cinco* [the Group of Five]: the writers Mário de Andrade, Oswald de Andrade, and Menotti del Picchia, and the artists Tarsila do Amaral and Anita Malfatti. The latter was particularly enthusiastic about expressionism, which she learned during her training in Berlin, before the First World War. Modern Art Week took place in the Municipal Theatre of São Paulo in September, when the country was celebrating a hundred years of independence from Portugal. Driven by a confident energy to re-interpret the European avant-garde, it was divisive from the start: for example, the poem "Os Sapos" [The Frogs] by Manuel Bandeira was booed because of its simple syntax and repetitive vocabulary—characteristics inspired by Ezra Pound's Imagism. The composer Heitor Villa-Lobos was pelted because of the introduction of popular music instruments in his orchestra. These are only a few episodes that lead the writer Monteiro Lobato to call the movement "paranoia" (Ivan 5). The press and art critics strongly attacked the artists' new formal choices and ideas with

exceção do jornal *Correio da Manhã*, que elogiou suas inovações criativas.

A Semana de Arte Moderna representou o início de uma nova consciência cultural que reconheceu que a identidade brasileira tinha suas raízes nas práticas vivas dos povos nativos, escravos africanos e subalternos europeus. O modernismo brasileiro também abraçou o que Octavio Paz mais tarde chamou de "tradição da ruptura", o que significa que os modernistas não apenas propuseram uma revisão radical da cultura brasileira, mas também questionaram seus próprios paradigmas à luz das transformações sociais e históricas. Além de refletir criticamente sobre a literatura, eles desafiaram as crenças conservadoras das classes mais altas, enquanto se conciliavam com as mudanças tecnológicas e sociais do século XX. Mudando permanentemente a paisagem artística do país, os artistas modernistas inauguraram revistas e manifestos literários que se tornaram um guia definitivo para os artistas se posicionarem.

Os manifestos mais importantes do período foram: 1) *Manifesto Pau Brasil* (Oswald de Andrade, 1924); 2) *Nhengaçu Verde-Amarelo — Manifesto do Verde-Amarelismo* (Cassiano Ricardo, Menotti Del Picchia,

the exception of the newspaper *Correio da Manhã* [Morning News], which praised its creative innovations.

Modern Art Week represented the beginning of a new cultural consciousness which recognized that Brazilian identity had its roots in the living practices of native peoples, African slaves, and European subalterns. Brazilian Modernism also embraced what Octavio Paz later called the "tradition of rupture," which meant that not only did Modernists want to propose a radical revision of Brazilian culture, but also questioned its own paradigms in the light of social and historical transformations. In addition to critically reflecting on literature, they challenged the conservative beliefs of the higher classes, while coming to terms with the technological and social changes of the twentieth century. Permanently changing the artistic landscape of the country, Modernist artists inaugurated literary magazines and manifestos which became a definitive guide for artists to position themselves.

The most important manifestos of the period were: 1) Manifesto Pau Brasil (Oswald de Andrade, 1924.); 2) *Nhengaçu Verde-Amarelo - Manifesto do Verde-Amarelismo* (Cassiano Ricardo, Menotti Del Picchia, 1929); 3) *Manifesto Antropofágico* (Tarsila do Amaral and Oswald de Andrade, 1928). The latter was one of the most well accomplished *-isms*, since it was "a Brazilian attitude of ritually devouring European values in order to overcome patriarchal and

1929); 3) *Manifesto Antropofágico* (Tarsila do Amaral e Oswald de Andrade, 1928). Este último foi um dos mais bem consumados, pois era "uma atitude brasileira de devoração ritual dos valores europeus, a fim de superar a civilização patriarcal e capitalista, com suas normas rígidas no plano social e suas recalques impostos no plano psicológico". (Tufano 35). O livro *Amar, verbo intransitivo*, publicado em 1927, parece antecipar a antropofagia de Oswald de Andrade e Tarsila do Amaral, retratando sarcasticamente o choque de valores históricos e culturais europeus e brasileiros.

Inspirado por sua própria professora de alemão, Kaethe Meichen-Blose — que Mário de Andrade amou platonicamente entre os anos de 1922 e 1928 (Ivan 13) — o romance conta a história da governanta alemã Fräulein Elza. Ela é especialmente contratada pelo nouveau riche Sousa Costa para ser a tutora de suas filhas e para iniciar sexualmente seu filho, Carlos, nas artes do amor. Na medida em que o título do livro afirma que o amor é um verbo intransitivo, o menino seria ensinado a amar de verdade e na prática, independentemente da mulher com quem ele decidisse se casar. O subtítulo, um idílio, é significativo porque revela as escolhas formais de Mário de Andrade. Seguindo o idílio poético, que é um poema livre sobre o amor bucólico, a estrutura do romance é aberta: não há divisão de capítulos ou seções. A linguagem é coloquial e simples, os pensamentos preenchidos por uma

capitalist civilization, with its rigid norms in the social plane and its imposed repressions, psychologically" (Candido 43). The book *Amar, verbo intransitivo*, published in 1927, seems to be anticipating the anthropophagy of Oswald de Andrade and Tarsila do Amaral by sarcastically depicting the clash of European and Brazilian historical and cultural values.

Inspired by his own German teacher, Kaethe Meichen-Blose—whom Mário de Andrade platonically loved between the years 1922 and 1928 (Ivan 13)—the novel tells the story of the German governess Fräulein Elza. Here she is specially hired by the *nouveau riche* Sousa Costa to be his children's tutor and to sexually initiate his son, Carlos, in the arts of love. Inasmuch as the title of the book asserts that love is an intransitive verb, the boy would be taught how to truly and practically love, independently of the woman he decides to marry. The subtitle, *an idyll*, is significant because it reveals Mário de Andrade's formal choices. Following the poetic idyll, which is a free poem about bucolic love, the structure of the novel is open: there is no division of chapters or sections. The language is colloquial and simple, the thoughts filled by a series of suspension points. The reader is presented with a series of flashbacks, followed by interior monologues, a device which seems to have been inspired by the recently invented photography and cinema. Patching these scenes together, the narrator comments, intervenes, digresses—sometimes

série de reticências. O leitor é apresentado com uma série de flashbacks, seguido por monólogos interiores, um dispositivo que parece ter sido inspirado pela fotografia e pelo cinema recentemente inventados. Reunindo essas cenas, o narrador comenta, intervém, divagações — às vezes liricamente, às vezes ironicamente — e faz observações sobre os hábitos hipócritas das classes mais altas e as crenças ingênuas de Fräulein e Carlos.

O narrador critica a aristocracia de São Paulo ao revelar suas crenças pretensiosas. Por exemplo, a biblioteca da casa dos Costa é cheia de livros que não foram lidos por nenhum dos membros da família, servindo de mero entretenimento para as crianças em dias chuvosos. A voz narrativa parece desprezar a instituição burguesa do casamento: Dona Laura, mãe de Carlos, sabia que seu marido costumava passar noites com prostitutas no bairro do Anhangabaú, e aceitava isso. No entanto, ela ficou completamente chocada quando descobriu que Fräulein havia sido contratada para seduzir Carlos. Ela também era ambígua sobre a educação que seus filhos estavam tendo: enquanto ela estava feliz que Maria Luísa estava aprendendo piano (tocando Mozart muito bem), e Laurita e Carlos falavam alemão fluentemente, mas ela estava insatisfeita com os altos preços das mensalidades que eles tinham que pagar. Dona Laura é infantil, inocente e sem malícia, incapaz de compreender as sutilezas dos relacionamentos e da arte.

lyrically, sometimes ironically—and makes observations about the hypocritical habits of higher classes and the naïve beliefs of Fräulein and Carlos.

The narrator criticizes the aristocracy of São Paulo by revealing its pretentious beliefs. For instance, the Costa's house library is full of books that had not been read by any of the family members, serving as mere entertainment for the kids on rainy days. The narrative voice appears to despise the bourgeois institution of marriage: Dona Laura, Carlos' mother, knew that her husband used to spend nights with prostitutes in the Anhangabaú district, and she accepted that. However, she was utterly shocked when she discovered that Fräulein had been actually hired to seduce Carlos. She was also ambiguous about the education her children were having: while she was happy that Maria Luísa was learning the piano (playing Mozart quite well), and Laurita and Carlos were speaking German fluently, but she was dissatisfied with the high monthly fees they had to pay. Dona Laura is child-like, innocent, and guileless, unable to understand the subtleties of relationships and art.

The narrator also delves into racial tensions and prejudices. The head of the family, Sousa Costa, is embarrassed about origin. He is proud to be a successful businessman (a *paulista* version of the self-made man), but at the same time he is also ashamed of being of mixed race. He uses grease on his

O narrador também investiga tensões e preconceitos raciais. O chefe da família, Sousa Costa, é envergonhado por sua origem. Ele tem orgulho de ser um empresário de sucesso (uma versão paulista do empreededor, *self-made man*), mas ao mesmo tempo também se envergonha de ser mestiço. Ele usa brilhantina no bigode para disfarçar o cabelo encaracolado que revela seu passado africano. A semi-empregada, filha semi-adotiva Marina, que é uma adolescente negra que trabalha e vive com a família, é uma lembrança constante do passado da escravidão e da tentativa fracassada da aristocracia de repará-la com atos de falsa piedade. Ironicamente, ela é a única a lembrar o nome da estação na qual a família deveria partir em sua jornada caótica de volta do Rio de Janeiro.

Além de criar um retrato impressionista, mas realista, da sociedade dos anos 1920, o narrador é igualmente crítico sobre Fräulein Elza, sua "heroína" extraordinariamente complexa e memorável. Fisicamente, Elza não é bonita: ela é uma mulher grande e alta, mas ainda atraente. Psicologicamente, ela é contraditória: ela é racional e prática, mas tem momentos românticos. Ela costuma sonhar com sua cidade natal e com um futuro próximo em que seria casada com um alemão e teria filhos. O narrador também faz uma conexão sutil entre Elza e a personagem imortal de Wagner em sua ópera *Lohengrin*. Da mesma forma que Elza perde seu amado Lohengrin, Fräulein perde Carlos, a quem ela deveria apenas ensinar, e não se

mustache to disguise the curly hair that reveals his African background. The half-servant, half-adopted daughter Marina, who is a black teenager who works with and lives with the family, is a constant reminder of the past of slavery and the failed attempt by the aristocracy to mend it with acts of false piety. Ironically enough, she is the only one to remember the name of the station the family is supposed to depart from in their chaotic journey back from Rio de Janeiro.

In addition to creating an impressionistic yet realistic portrayal of the society of the nineteen-twenties, the narrator is equally critical of Fräulein Elza, his strikingly complex and memorable "heroine". Physically, Elza is not beautiful: she is a large, tall woman, but still attractive. Psychologically, she is contradictory: she is rational and practical but has romantic moments. She often daydreams about her hometown and a near future in which she would be married to a German man and having children. The narrator also makes a subtle connection between Elza and the immortal character by Wagner in his opera *Lohengrin.* In the same way that Elza loses her beloved Lohengrin, Fräulein loses Carlos, who she was just supposed to teach, not get unusually sentimental about. Because Mário de Andrade was inspired by Freudian theories about sexuality, it is interesting that the readers are unsure if Fräulein falls in love with Carlos, given that she gets jealous when she discovers he lost his virginity with a prostitute. The reader is

sentir incomodamente sentimental. Como Mário de Andrade foi inspirado pelas teorias freudianas sobre sexualidade, é interessante que os leitores não tenham certeza se Fräulein se apaixona por Carlos, dado que fica com ciúmes quando descobre que ele perdeu a virgindade com uma prostituta. O leitor também não tem certeza se seu apego ao menino é um subproduto de sua saudade e solidão.

Embora Elza seja uma alemã nacionalista, desprezando homens, mães e cultura brasileiros, pouco a pouco ela é envolvida por seu ambiente. Ela chora quando Dona Laura quer despedi-la, admira a figura de Carlos e se apega a suas irmãs. Gradualmente, o próprio ambiente que ela despreza devora sua personalidade e hábitos, até se tornar essencial para o funcionamento dessa nova classe média. O ponto culminante de sua absorção é a viagem da família ao Rio de Janeiro, quando ela se surpreende com a beleza natural. Em uma mistura de sublime romântico e expressionismo alemão, Elza fica impressionada ao ponto de gritar.

> Fraulein estacara devorando pela moldura das arcadas do mar. A tarde caía rápida. A exaltação acre da maresia, o cheiro da vegetação... Oprimem a gente. E os mistérios frios da gruta... Tanta sensação forte e ignorada, a imponência dos céus imensos... o apelo dos horizontes invisíveis... Abriu os braços. Enervada, ainda pretendeu sorrir. Não pode mais. O corpo arrebentou. Fraulein deu um grito. (Andrade 95)

also unsure whether her attachment to the boy is a byproduct of her homesickness and loneliness.

Even though Elza is a nationalistic German, scorning Brazilian men, mothers, and culture, little by little she is engulfed by her surroundings. She cries when Dona Laura wants to fire her, she admires Carlos' figure, and she gets attached to his sisters. Gradually, the very environment she scorns devours her personality and habits, until she becomes essential to the functioning of this new middle-class. The culminating point of her absorption is the family's trip to Rio de Janeiro, when she is amazed by the natural beauty. In a mixture of Romantic sublime and German Expressionism, Elza is overwhelmed to the point of screaming.

> Fräulein stood still devouring the sea through the frame of the arches. The afternoon was falling fast. The acrid exhalation of the sea, the smell of the vegetation. They weight on us. And the cold mysteries of the cave... So much strong sensations ignored, the magnificence of the immense heavens... the appeal of the invisible horizons... She opened her arms. Unnerved, she still wanted to smile. She couldn't anymore. Her body burst. Fräulein screamed.

In a portrait that resembles Munch's *Scream*, Elza is fragmented in a series of antinomies: joy and pain, pleasure and anguish, nature and city, youth and maturity. When she finally leaves the house, the narrator expresses a certain ambiguity

Em um retrato que lembra o *Grito* de Munch, Elza é fragmentada em uma série de antinomias: alegria e dor, prazer e angústia, natureza e cidade, juventude e maturidade. Quando ela finalmente sai de casa, o narrador expressa certa ambiguidade em relação a Carlos. Ela ainda anseia por ele? O livro termina com um enorme "FIM", mas continua, na forma de um epílogo, quando Elza se torna a governanta de Luís, um menino de quem ela não gosta tanto. Mais tarde, no meio de uma festa de carnaval, ela tem uma epifania: todos os meninos que ela ensinou vão se tornar maridos respeitosos e amorosos, casando-se de acordo com sua riqueza e classe social. Ela tornou-se assim um elemento essencial desse tecido social.

Cheio de ressonâncias modernas e tons idílicos, *Amar, verbo intransitivo* ainda conta muito sobre a sociedade brasileira: a hipocrisia, o racismo e a repressão sexual em uma sociedade aparentemente progressista. Ele também oferece um retrato intrincado de uma mulher que tem sonhos e desejos, mas é obrigada a deixar sua terra natal e começar de novo em um país estrangeiro. Devorando a arte européia e a vanguarda, Mário de Andrade produziu uma obra de arte antropofágica de longa duração que merece ser lida e relida.

Dra. Viviane Carvalho da Annunciação
Universidade de Cambridge

in relation to Carlos. Does she still long for him? The book ends with a huge "THE END," but it continues, in the form of an epilogue, when Elza becomes the governess of Luís, a boy whom she is not so fond of. Later on, in the middle of a carnival party, she has an epiphany: all the boys she taught are going to become respectful and loving husbands, marrying according to their wealth and social class. She thus became an essential element of this social fabric.

Filled with Modern resonances and idyllic tones, *Amar, verbo intransitivo* still tells much about Brazilian society: hypocrisy, racism and sexual repression in an apparently progressive society. It also offers an intricate portrait of a woman who has dreams and desires but is obliged to leave her homeland and start over in a foreign country. Devouring European art and the avant-garde, Mário de Andrade produced an ever-lasting antropophagus work of art that deserves to be read and re-read.

Dr. Viviane Carvalho da Annunciação
University of Cambridge

Foreword References and Further Readings

AMARAL, Aracy & HASTINGS, Kim Mrazek. "Stages in the Formation of Brazil's Cultural Profile." *Journal of Decorative and Propaganda Arts.* 21 (1995), 8–25.

ANDRADE, Mário. Amar, verbo intransitivo. www.videoclip.com.br (17th. Sep. 2018)

ANDRADE, Oswald de. Manifesto Antropófago. In: *A Utopia Antropofágica.* São Paulo: Globo, 1990.

BASTAZIN, Vera (Org.). A semana de arte moderna: desdobramentos (1922-1992). São Paulo: EDUC, 1992.

BATISTA, Marta Rosetti. Anita Malfatti: *No Tempo e no Espaço.* São Paulo: IBM Brasil, 1985.

CANDIDO, Antonio. *Literatura e sociedade.* São Paulo: Nacional, 1985.

DIAS, Rosália de Almeida. "Amar, Verbo Intransitivo: Um Romance Experimental". *Revista*

Travessia. e-revista.unioeste.br/index.php/travessias/article/download/5793/4418. (Sept. 19, 2018).

IVAN, Maria Eloísa de Sousa et. al. "Um Mosaico de Reflexões: A semana de Arte Moderna, O Modernismo e Amar, Verbo Intransitivo—Idílio de Mário de Andrade". *Revista Eletrônica de Letras*. Edição 6 (Janeiro-Dezembro 2013).

LOPEZ, Telé P. Ancona. "Uma difícil conjugação". In: ANDRADE, *Mário de. Amar, verbo intransitivo.* 11. ed. Belo Horizonte: Itatiaia, 1984. p. 9-44.

PAZ, Octávio. "A Tradição da Ruptura". In: *Os filhos do barro*. Tradução Olga Savary, Rio de Janeiro: Nova Fronteira, 1984.

TUFANO, Douglas. Modernismo, Literatura Brasileira (1922-1945). São Paulo: Paulus, 2003.

Introdução

Além de um sonho e um prazer, traduzir o trabalho de Mário de Andrade foi uma verdadeira honra. Sinto-me honrada como leitora, escritora e linguista, pois uma tradução de *Amar, verbo intransitivo* requer um esforço estilístico e linguístico único. O trabalho apresenta uma maneira notável de "introduzir", nas palavras do próprio Andrade, uma "melodia nova [que] não quer dizer feia", uma obra de ficção que traz "o sabor inédito que esse linguajar traz pro livro".

Em seu Posfácio do original, Andrade explica e justifica suas escolhas únicas de estilo e palavras. E ele o faz novamente em uma carta publicada em um jornal de São Paulo, o *Diário Nacional*, em 1927. (A carta é transcrita no final desta edição.) Talvez ele tivesse que justificar tais escolhas para educar críticos e leitores que não estavam preparados para as palavras novas e distorções da sintaxe. Até certo ponto, eles ainda não estão preparados. Sua escrita se desdobra em uma densidade

Introduction

Besides being a dream and a pleasure, translating Mário de Andrade's work has been a real honor. I am honored as reader, writer, and linguist, because a translation of *To Love, intransitive verb* requires a unique stylistic and linguistic effort. The work presents a remarkable way of "introducing," in Andrade's own words, a "new melody [that] doesn't mean ugly," a work of fiction that bears "the unprecedented flavor that this language brings to the book."

In his Postface to the original, Andrade goes on to explain and justify his unique style and word choices. He does so again in a letter published in a São Paulo newspaper *Diário Nacional* in 1927. (The letter is transcribed at the end of this edition.) Maybe he had to justify such choices in order to educate critics and readers who were not ready for new words and twists of syntax. To some extent they still aren't. His writing unfolds in

de narrativa sem precedentes e inigualável, com lacunas deixadas a serem preenchidas pela imaginação de seus leitores, e as muitas questões pessoais, coletivas, nacionais e estrangeiras que ele aborda.

Amar é um projeto estilístico e linguístico. Suas complexidades re-geograficam e de-geograficam (como ele diria) as línguas portuguesa e brasileira. O resultado é uma obra única de ficção Modernista/Expressionista. Uma das características mais marcantes do livro é a fusão da língua brasileira no estilo de Andrade por meio de uma variedade de processos.

Esses processos de de-geograficalização apresentam desafios especiais para o tradutor. O uso de brasilianismos e regionalismos de Andrade desempenha um papel enorme na narrativa. O uso de certos termos nem sempre tem equivalentes anglófonos, daí a necessidade de notas de rodapé em um esforço de tornar essas referências mais claras para o leitor. Alguns dos exemplos são palavras da língua indígena tupi-guarani da América do Sul, palavras que foram assimiladas ao português brasileiro, como açu, que significa grande ou maior, são algumas vezes usadas para contrastar referências sutis ao 'civilizado' e 'não civilizado' na estória. Ou o uso de palavras que já perderam o seu uso, como nhampans (nhampãs)=bobos. Gírias e coloquialismos (tiririca/cutuba=zangado/forte) são frequentes, e a duplicação de verbos (brincabrincando) 'duplica' a ação e cria neologismos. Palavras escritas de

an unprecedented and unparalleled density of narrative, with gaps left to be filled by the imagination of his readers, and the many personal, collective, national, and foreign issues he touches on.

To Love is a stylistic and linguistic project. Its intricacies re-geographicalize and de-geographicalize (as he would call it) the Portuguese and Brazilian languages. The result is a unique Modernist/Expressionist work of fiction. One of the most striking characteristics of the book is the merging of the Brazilian language into the frame of Andrade's style through a variety of processes.

These processes of de-geographicalization present special challenges to the translator. Andrade's use of Brazilianisms and regionalisms plays an enormous role in the narrative. The use of certain terms do not always have Anglophone equivalents, hence the need for footnotes in an effort to make those references clearer to the reader. Some of the examples are words in South American indigenous language Tupi-Guarani, words which have been assimilated into Brazilian Portuguese, such as *açu*, meaning large or great, are sometimes used to contrast subtle references to the 'civilized' and 'uncivilized' in the story. Or the use of words that have already lost their use, such as nhampans (nhampãs)=clownish. Slang and colloquialisms (*tiririca/cutuba*=angry/strong) are frequent, and verb-doubling (*brincabrincando*=playplaying) 'duplicates' the action and

maneira 'errada' (xicra/chacra/trigres=xícara/chácara/tigres), refletem 'o jeito das pessoas' falarem. Muitas vezes é impossível imitar a mesma variação coloquial em inglês. A modernidade e a transgressão do uso de algarismos arábicos (51, 35), em vez de números escritos (cinquenta e um, trinta e cinco), violam as regras literárias e obscurecem o reconhecimento do gênero feminino ou masculino em português. A excessiva ausência de possessivos e a exclusão dos sujeitos nas sentenças nos faz refletir sobre de quem o narrador está falando. Às vezes, não temos certeza se é a voz de um personagem ou se outra voz está se referindo a outro personagem. Às vezes, o autor usa letras minúsculas, em geral maiúsculas, principalmente ao iniciar uma frase. O narrador onisciente de Andrade muitas vezes usa diminutivos de maneira humilhante (quartinho de pensão), como se para nos dar o escopo do desespero de Fräulein sobre a mesquinhez de certos personagens e situações em certas cenas. Mesmo seus superlativos têm uma conotação negativa (envergonhadíssimo).

Outra característica do estilo da escrita de Andrade é a ausência de números ou divisões de capítulos. Ele deixa apenas um espaço maior para separar uma cena da outra. Os capítulos não designados lembram os cortes entre as cenas de um filme. Sua 'câmera' se afasta em muitas cenas, como a cena da biblioteca, onde o foco muda de Fräulein e Carlos para os poetas e seus livros, já que se diz que os livros não foram lidos, eram virgens, em uma metáfora da condição de Carlos. Os

creates neologisms. Words spelled a "wrong" way (*xicra/ chacra/trigres*=cup/cottage/tigers), reflect "the people's way" of speaking. It is often impossible to emulate the same colloquial variation in English. The modernity and transgression of the use of digital Arabic numerals (51, 35) instead of written-out numbers (fifty-one, thirty-five), breaks literary rules and blurs the recognition of gender in Portuguese. The excessive absence of possessives and the exclusion of the subjects from sentences makes us reflect on whom the narrator is talking about. Sometimes we are unsure whether it's one character's voice or another voice is referring to another character. Sometimes the writer uses lower-case letters where they're generally upper-case, mainly when initiating a sentence. Andrade's omniscient narrator often uses diminutives in a demeaning way (*quartinho de pensão*/little boarding house room), as if to give us the scope of Fräulein's despair over the pettiness of certain characters and situations in certain scenes. Even his superlatives have a negative connotation (*envergonhadíssimo*/very ashamed).

Another feature of Andrade's writing style is the absence of chapter numbers or divisions. He leaves only a larger space to separate one scene from another. The undesignated shifts resemble the cuts between scenes of a movie. His "camera" turns away in many scenes, like the one in the library, where the focus changes from Fräulein and Carlos to the poets and their books as the books are said to be unread, virgin, a

livros e poetas são, então, testemunhas da ação subsequente, que só podemos reproduzir em nossa própria imaginação.

Andrade também se interessava por música, e esse interesse se manifesta na musicalidade de várias vozes onomatopaicas que ele dá a alguns personagens, sons ressoando a sonoridade dos instrumentos musicais e animais.

A falta de possessivos no português obrigou-nos a acrescentar possessivos à tradução para o inglês para que não perdesse o sentido. Mas parece que Andrade fez isso de propósito, como se quisesse mostrar que os personagens não têm 'posse' ou conexão uns com os outros, como se eles estivessem dispersos e desapegados. Eles agem com suas próprias idéias e princípios, sem se relacionarem com os sentimentos e necessidades do outro. Andrade até nos faz ler o texto de um jeito errado, pontuando interrogações com pontos de exclamação ao invés de pontos de interrogação. Foi isso erro de digitação, ou ele queria que nós relêssemos certas passagens para termos certeza de que entendemos a pergunta?

O título em si está intimamente ligado ao seu aspecto linguístico. Apresenta um verbo infinitivo, uma indicação não apenas de definição, mas de uso gramatical. Chama atenção não apenas para a definição da palavra, mas como a palavra - como o ato de *amar* - é usada. Andrade quase nos faz questionar o significado de *amar* antes mesmo de começarmos a ler seu idílio. O próprio verbo sugeriria um *amor* profundo, simples e puro, vivenciado em um ambiente idílico, charmoso

metaphor of Carlos' condition. The books and poets are then witnesses of the subsequent action, which we can only replay in our own imagination.

Andrade was also interested in music, and that interest is manifested in the musicality of a number of onomatopoeic voices he gives some characters, sounds resonating the sonority of musical instruments and animals.

The lack of possessives in the Portuguese (*Porém lhe doía a dor do [seu] filho*/But the pain of his son pained him) forced us to add possessives to the English translation so that it didn't lose meaning. But it seems that Andrade did that on purpose, as if to show that the characters don't actually hold "possession" or connection over one another, as if they are dispersed and detached. They act on their own ideas and principles, without relating to each other's feelings and needs. Andrade even makes us read the text the wrong way, punctuating interrogatives with exclamation marks instead of question marks. Were they typos, or did he want us to re-read certain passages to make sure we understood the question? The title itself is very closely connected to its linguistic aspect. It presents an infinitive verb, an indication of not just definition but grammatical usage. It calls attention to not only the definition of the word but how the word—how the act of loving—is used. Andrade almost makes us question the meaning of *amar* even before we start reading his idyll. The verb itself would

e rústico. Sua intransitividade, entretanto, prenuncia o leitor de um caso amoroso breve, inconsequente e impessoal. Neste idílio não encontramos heróis, na melhor das hipóteses um anti-herói no personagem de Fräulein, cujo nome real, Elza, mal aparece no livro. Elza é a mulher, Fräulein, a professora. "Elza" aparece 19 vezes no livro; "Fräulein" (que, aliás, era o título original intencionado por Andrade para o livro) aparece 372 vezes, reforçando a noção de que a história é menos sobre a mulher, e mais sobre a profissional, a professora. Ela ensina lições de *amor*, transformadas em profissão, sem idílio. O *amor* aqui é pago, forçando-o na direção de uma transgressão moral mostrada em cenas em que o erotismo tinha que ser abafado - não que o escritor não tivesse palavras para isso, mas essas palavras, essas descrições, não podiam ser declaradas naquela sociedade naquela época. Assim, o narrador as deixa na forma de sentenças inacabadas terminadas por um ponto sem ser final ou em outra forma de reticência gramatical, dependendo das conotações sexuais que elas carregam. Esse *amor* é uma transação comercial entre Fräulein e o pai de Carlos, Sousa Costa, e está associada a uma São Paulo cada vez mais industrializada e capitalista, produto do homem-da-vida e não do homem-dos-sonhos como o leitor virá a entender.

O idílio aparece na história como um contraste irônico com a artificialidade e a commercialidade desse *amor* intransitivo produzido como uma espécie de mercadoria emocional em

suggest a deep, simple and pure love experienced in an idyllic, charming and rustic environment. Its intransitivity, however, forewarns the reader of a brief, inconsequential, impersonal love affair. In this idyll we find no heroes, at best an anti-hero in the character of Fräulein, whose real name, Elza, is barely present in the book. Elza is the woman, Fräulein the teacher. "Elza" appears 19 times in the book; "Fräulein" (which, by the way, was Andrade's original intended title of the book) appears 372 times, reinforcing the notion that the story is less about the woman, more about the professional, the teacher. She's teaches lessons of *love*, transformed into a profession, without idyll. *Love* here is paid for, pushing it into the direction of a moral transgression shown in scenes where eroticism had to be muffled—not that the writer didn't have words for it, but those words, those descriptions, could not be uttered in that society at that time. So the narrator leaves them in the form of unfinished sentences ended by a period without and end or other form of grammatical reticence, depending on the sexual connotations they carry. This *love* it is a commercial transaction between Fräulein and Carlos's father, Sousa Costa, and it is associated to an increasingly industrialized and capitalist São Paulo, the product of the man-of-life and not of the man-of-dreams as the reader will come to understand.

The idyll appears in the story as an ironic contrast to the artificiality and commerciality of this intransitive *love*

cenas em que o *amor* transitivo - duradouro e intenso - parece fora de lugar e tem vida curta.

Mário de Andrade quer que acreditemos que a história é apenas o produto de uma fantasia e uma descrição imaginativa de um caso de *amor*. Por isso, é o não dito na escrita de Andrade, que diz mais e traz mais significado para o que você está prestes a ler.

Do ponto de vista linguístico, a proposta do título também abre questões sobre o que está por vir na narrativa. *Amar* pressupõe uma pletora de significados e usos. O verbo *amar* é usado no título na forma infinitiva ao invés de uma forma flexionada, sugerindo que ele é tratado em sua estrutura básica, sem inflexões vinculando-a a qualquer sujeito, objeto ou tempo em particular. Sua conjugação, que identificaria a voz, o estado, o tempo, o número, e as pessoas envolvidas no significado e no alcance do verbo, não se desdobra de maneira facilmente identificável. Andrade é específico com a escolha que faz: neste livro, o verbo é intransitivo. Isso faz a diferença na história em que o leitor está prestes a penetrar.

Segundo os dicionários de português e inglês, *amar*, o verbo, pode ser transitivo ou intransitivo, ou seja, ter ou não um objeto para complementar um sujeito. E em ambas as línguas o verbo significa coisas ligeiramente diferentes, dependendo de sua classificação e uso. Como um verbo transitivo, ele se relaciona com um objeto - um substantivo, um pronome ou uma frase - que se refere à pessoa ou pessoas, a coisa ou coisas

produced as a kind of emotional commodity in scenes where transitive *love*—enduring and intense—seems out of place and is short-lived.

Mário de Andrade would have us believe that the story is just the product of a fantasy and an imaginative description of a love affair. Hence, it is the unsaid in Andrade's writing which says more and brings more meaning to what you are about to read.

From a linguistic point of view, the proposition of the title also opens questions about what is about to come within the narrative. *Amar* (to love) presupposes a plethora of meanings and uses. The verb *amar* is used in the title the infinitive form instead of an inflected form, suggesting that it is dealt with in its basic structure, without inflections binding it to any particular subject, object, or tense. Its conjugation, which would identify the voice, mood, tense, number, and persons involved in the meaning and scope of the verb is not unfolded in any easily identified way. Andrade is specific with the choice he makes: in this book, the verb is intransitive. That makes a difference in the story the reader is about to dive into.

According to Portuguese and English dictionaries, *to love,* the verb, can be either transitive or intransitive, that is, having or not having an object to complement a subject. And in both languages the verb means slightly different things depending on its classification and use. As a transitive verb it relates to an

afetadas pela ação do verbo. Daí uma frase como "Ele ama animais". Com a segunda parte do título, verbo intransitivo, Andrade questiona o significado que o *amar* carrega como um verbo intransitivo. Para ser intransitivo, o *amar* precisa carregar o significado em si mesmo, como na famosa citação de Alfred Lord Tennyson: "É melhor ter amado e perdido do que nunca ter amado". Caso contrário, ele simplesmente significará um tipo diferente de *amor*, um que é cheio de paixão e entusiasmo. Em português "estar apaixonado", é um estado emocional que não necessariamente sustenta a profundidade do *amor* idílico e intransitivo. Pode-se argumentar facilmente que sua escolha não é acidental; pelo contrário, sua escolha é feita com um controle estrito da linguagem e de seu significado. É um título carregado de significado, embora a palavra 'intransitivo' apareça apenas uma vez em toda a história, no final do livro, enquanto o narrador discute as ações de Carlos.

O uso supremo e mais pungente do verbo intransitivo por Andrade acontece quando ele descreve o desânimo de Fräulein em sua condição de professora. A verdade é que "Ela era, verbo ser", com um sujeito oculto (o que não acontece no inglês), sem um objeto direto para complementar

object— a noun, a pronoun, or a phrase—which refers to the person or persons, the thing or things affected by the action of the verb. Hence a sentence such as "He loves animals." With the second part of the title, *verbo intransitivo,* Andrade brings to question the meaning that *amar* carries as an intransitive verb. To be intransitive, *amar* has to carry meaning in its own right, as in Alfred Lord Tennyson's famous quote: "Tis better to have loved and lost than never to have loved at all." Otherwise it will simply mean a different kind of love, one that is filled with passion and enthusiasm. In Portuguese *estar apaixonado,* is translated as "to be in love," an emotional state which doesn't necessarily hold the depth of the idyllic and intransitive *love.* One can easily argue that his choice is no accident; on the contrary, his choice is one made with a strict control of the language and its meaning. It is a title laden with meaning, though the word "intransitive" appears only once throughout the whole story, at the very end of the book as the narrator discusses Carlos's actions.

Andrade's ultimate and more poignant use of the intransitive verb happens when describing Fräulein's dismay at her condition as a teacher. The truth is that "She was, verb to be," with a hidden subject (which doesn't happen in English), without a direct object to complement its meaning, where the action is complete, and in this case is quite definite. Fräulein indeed 'is' just a teacher, of music, manners and verbs: mainly

seu significado, onde a ação é completa e, nesse caso, bastante definida. Fräulein de fato "é" apenas uma professora, de música, maneiras e verbos: principalmente do verbo *amar*, em sua forma intransitiva, e por disso "ela queria, exigia sujeito, verbo e complemento".

Com esse título arremessando o leitor em direção das aventuras amorosas da nossa 'heroína', Andrade, nosso professor e contador de histórias, nos dá uma visão especial sobre como e quem *amar* e não *amar*.

Dra. Ana Lessa-Schmidt
Leipzig, Alemanha

of the verb *to love*, in its intransitive form, and because of that "she wanted, demanded subject, verb and complement."

With that title launching the reader into the amorous adventures of our heroine, Andrade, our teacher and storyteller, gives us special insight into how and whom to love and not love.

Dr. Ana Lessa-Schmidt
Leipzig, Germany

Amar, verbo intransitivo

To Love, intransitive verb

Amar, verbo intransitivo

Idílio

A meu Irmão

A porta do quarto se abriu e eles saíram no corredor. Calçando as luvas Sousa Costa largou por despedida:

— Está frio.

Ela muito correta e simples:

— Estes fins de inverno são perigosos em São Paulo.

Lembrando mais uma coisa reteve a mão de adeus que o outro lhe estendia.

— E, senhor... sua esposa? está avisada?

— Não! A senhorita compreende... ela é mãe. Esta nossa educação brasileira... Além do mais com três meninas em casa!...

— Peço-lhe que avise sua esposa, senhor. Não posso compreender tantos mistérios. Se é para bem do rapaz.

— Mas senhorita...

— Desculpe insistir. É preciso avisá-la. Não me agradaria ser tomada por aventureira, sou séria. e tenho 35 anos, senhor. Certamente não irei se sua esposa não souber o que vou fazer

To Love, intransitive verb

Idyll

To my Brother

The bedroom door was open, and they went into the hallway. Putting his gloves on, Sousa Costa said in farewell:

"It's cold."

She, very correct and simple:

"These ends of winter are dangerous in São Paulo."

Remembering one more thing, she held on to the goodbye hand that the other put out for her.

"And, sir… your wife? Has she been advised?"

"No! You understand, Miss… she's the mother. Our Brazilian up-bringing… Besides, with three girls at home!…"

"I ask you to inform your wife, sir. I cannot understand why so much mystery. If it's for the good of the young man."

"But Miss…"

"Sorry to insist. We must inform her. I wouldn't like to be taken for an adventuress; I'm serious. And I'm 35 years old, sir. I certainly won't go if your wife doesn't know what I'm go-

lá. Tenho a profissão que uma fraqueza me permitiu exercer, nada mais nada menos. É uma profissão.

Falava com a voz mais natural desse mundo, mesmo com certo orgulho que Sousa Costa percebeu sem compreender. Olhou pra ela admirado e, jurando não falar nada à mulher, prometeu.

Elza viu ele abrir a porta da pensão. Pâam... Entrou de novo no quartinho ainda agitado pela presença do estranho. Lhe deu um olhar de confiança. Tudo foi sossegando pouco a pouco. Penca de livros sobre a escrivaninha, um piano. O retrato de Wagner. O retrato de Bismarck.

Terça-feira o táxi parou no portão da vila laura. Elza apeou ajeitando o casaco, toda de pardo, enquanto o motorista botava as duas malas, as caixas e embrulhos no chão.

Era esperada. Já carregavam as malas pra dentro. Uns olhos de 12 anos em que uma gaforinha americana enroscava a galharia negro-azul apareceu na porta. E no silêncio pomposo do casão o xilofone tiniu:

— A governanta está aí! Mamãe! a governanta está aí!

— Já sei, menina! Não grite assim!

Elza discutia o preço da corrida.

— ... e com tantas malas, a senhora...

— É muito. Aqui estão cinco. Passe bem. Ah, a gorjeta...

Deitou quinhentos réis na mão do motorista. Atravessou as roseiras festivas do jardim.

Dia primeiro ou dois de setembro, não lembro mais. Porém é fácil de saber por causa da terça-feira.

ing to do there. I have the profession that a weakness allowed me to exercise, nothing more, nothing less. It's a profession."

She spoke with the most natural voice in this world, even with some pride that Sousa Costa noticed without understanding. He looked at her, amazed, and, vowing not to say anything to his wife, promised.

Elza saw him open the door of the boarding house. Slam... She went back into the little room, which was still shaken by the presence of the stranger. It gave her a look of confidence. Everything started gently quieting down. A bunch of books on the desk, a piano. The portrait of Wagner. The portrait of Bismarck.

On Tuesday the taxi stopped at the gate of Villa Laura. Elza, all in brown, got off, arranging her coat while the driver put the two suitcases, boxes and packages on the floor.

She was expected. They were already carrying the suitcases inside. Some 12-year-old eyes, with a kinky American hair curled up over the black-blue thicket, appeared at the door. And in the pompous silence of the big house a xylophone clanked:

"The governess is there! Mom! The governess is there!"

"I know, girl! Don't shout like that!"

Elza was discussing the taxi fare.

"... and with so many suitcases, the lady..."

"It's too much. Here you have five hundred *réis*.[1] Take care. Ah, the tip..."

She put five hundred *réis* in the driver's hand. She walked through the festive rosebushes of the garden.

Bem diferente dos quartinhos de pensão... Alegre, espaçoso. Pelas duas janelas escancaradas entrava a serenidade rica dos jardins. O olhar torcendo para a esquerda seguia a disciplinada carreira das árvores na avenida. Em Higienópolis os bondes passam com bulha quase grave soberbosa, macaqueando o bem-estar dos autos particulares. É o mimetismo arisco e irônico das coisas ditas inanimadas. são bondes que nem badalam. Procedem como o rico-de-repente que no chá da senhora Tal, família campineira de sangue, adquire na epiderme do fraque a macieza dos tradicionais e cruza as mãos nas costas — que importância! — pra que a gente não repare na grossura dos dedos, no quadrado das unhas chatas. Neto de Borbas me secunda desdenhoso que badalo e mãos ásperas nem por isso deixam de existir, ora! o badalo pode não tocar e mãos se enluvam.

Elza trouxe de novo os olhos de fora. O criado japonês botara as malas bem no meio do vazio. Estúpidas assim. As caixas, os embrulhos perturbavam as retas legítimas.

A moça depois das cortesias trocadas com a senhora Sousa Costa e um naco de conversa indiferente, subira apenas pra tirar o chapéu. Logo o criado viria chamá-la pro almoço... Acalmava depois aquilo, agora tinha de se arranjar. Alisou os cabelos, deu à gola da blusa, às pregas do casaco uma rijeza militar. Nenhuma faceirice por enquanto. No princípio tinha de ser simples. Simples e insexual. O amor nasce das excelências interiores. Espirituais, pensava. O desejo depois.

It was the first or second of September, I can't remember anymore. But it's easy to know because it was a Tuesday.

Very different from the little rooms of the boarding house... Cheerful, spacious. The rich serenity of the gardens came in through the two wide-open windows. The gaze shifting to the left followed the disciplined row of trees on the avenue. In Higienópolis[2] the streetcars passed by with a noise almost superbly grave, mimicking the comfort of the private cars. It's the skittish and ironic mimicry of so-called inanimate things. They are streetcars which don't even ring bells. They proceed like a nouveau riche who, at So-and-so's ladies' tea party, family blood from Campinas,[3] acquires the softness of tradition from the epidermis of the coat-tail and cross their hands behind their backs – such importance! – so that we don't notice the thickness of their fingers, the squareness of the flat nails. Being a grandson of the Borbas,[4] he disdainfully assures me that bells and rough hands still exist, why! The bells might not ring, and hands can be gloved.

Elza brought her gaze back from the outside. The Japanese servant had put the suitcases right in the middle of the void. They looked stupid. The boxes, the packages unsettled the legitimate straight lines.

The young lady, after the courtesies exchanged with Dona Sousa Costa and a bit of indifferent conversation, had gone up just to take her hat off. Soon the servant would come to call her for lunch... She would calm down after that, now she had to smarten up. She straightened her hair, gave the collar of

Quando pronta, esperou imaginando, encostada no lavatório. Ganhava mais oito contos... Se o estado da Alemanha melhorasse, mais um ou dois serviços e podia partir. E a casinha sossegada... Rendimento certo, casava... O vulto ideal, esculpido com o pensamento de anos, atravessou devagarinho a memória dela. Comprido magro... Apenas curvado pelo prolongamento dos estudos... Científicos. Muito alvo, quase transparente... E a mancha irregular do sangue nas maçãs... Óculos sem aro...

Se impacientou. Quis pensar prático, e o almoço? Porque o criado não chegava? A senhora Sousa Costa avisara que o almoço era já. Devia de ser já. No entanto esperava fazia bem uns quinze minutos, que irregularidade. Olhou o relógio-pulseira. Marcava aluado como sempre, ponhamos seis horas. Ou dezoito, à escolha. Havia de acertá-lo outra vez quando chegasse em baixo no hol. Dez vezes, cem vezes. Inútil mandá-lo mais ao relojoeiro, mal sem cura. Em todo o caso sempre era relógio. Porém não teriam hora certa de almoçar naquela casa? Olhou pro céu. Ficou assim.

O pequeno corredor de que o quarto dela era a última porta, dava pra sala central. De lá vinham as flautas e os tico-ticos. Parava a música. A bulha dos passinhos arranhava o corredor. De repente fogefugia assustado sem motivo colibri. Plequeleque, pleque... pleque...

Causava aqueles atropelos... Nem sorriu. As crianças desta casa são curiosas. Pensou em sair do quarto, indagar. Não que tivesse fome, porém era hora do almoço, a senhora Sousa Costa afirmara que o almoço era já. Mãozinha tamborilando

the blouse and the folds of the jacket a military stiffness. No coquettishness for now. At the beginning she had to be simple. Simple and unsexual. Love is born from inner excellences. Spiritual, she thought. Desire comes later.

When ready, she waited, wondering, leaning against the sink. She was earning eight *contos* more... If the state of things in Germany improved, one or two jobs and she could leave. And the quiet little house... Regular income, getting married... The ideal male figure, carved with years of thought, slowly crossed her memory. Tall and slim... Only hunched by his prolonged studies... Scientific. Very white, almost transparent... And the irregular blood blush in his cheeks... Rimless glasses...

She grew impatient. She wanted to think practically, what about lunch? Why wouldn't the servant come? Dona Sousa Costa had said that lunch would be soon. It should be now. However she had been waiting for a good fifteen minutes, what irregularity. She looked at her wrist watch. It was crazed as always, let's say it showed six o'clock. Or eighteen hours, you choose. She had to set it again when she got down in the hall. Ten times, a hundred times. It was useless to send it to the watchmaker again, incurable pain. In all cases it was always a watch. However, wouldn't they have a set time for lunch in that house? She looked at the sky. She stood so.

The small hallway, of which her bedroom was the last door, led into the living room. From there came the flutes and the trifling. The music stopped. The noise of the tiny steps scratched

no mármore. Depois olhou as unhas. Repuxava uma pele mais saliente.

— Mamãe! Mamãe! olhe Carlos!

O menino agarrara a irmã na boca do corredor. Brincalhão, bem disposto como sempre. E machucador. Porém não fazia de propósito, ia brincar e machucava. Cingia Maria Luísa com os braços fortes, empurrava-a com o peito, cantarolando bamboleado no picadinho. Ela se debatia, danando por se ver tão mais fraca. Empurrada sacudida revirada. "Tatu subiu no pau"...

— Mamãe! Me largue, Carlos! Me laargue!

Sacudida revirada, tiririca, socos.

— ... *'lagarto lagartixa*

isso sim é que pode ser'.

Empurrada sacudida.

— Mamãe!...

A carne rija dele recebia os socos, deliciada. Só protegia a cara erguendo-a pro alto, de lado. Podia bater até no estômago se quisesse! Já praticava boxe. *"Tatu sub..."*

Dona Laura em baixo:

— Que é isso, meninos! Carlos! ôh Carlos! Desça já!

— Não estou fazendo nada, mamãe! Também não posso dançar um poucadinho!

— É! Me sacudiu toda!... Bruto!

— Estava ensinando o shimmy pra ela, mamãe! Você não viu a Bêbê Daniels?

across the hallway. A hummingbird suddenly fleesfled,[5] scared for no reason. Flaplap, flap… flap…

It caused that bustling… It didn't even smile. The children of this house are odd. She thought of leaving the bedroom to ask. Not that she was hungry, but it was lunchtime, Dona Sousa Costa had said that lunch would be soon. The little hand drumming on the marble. Then she looked at her nails. She pulled a more salient cuticle.

"Mommy! Mommy! Look what Carlos is doing!"

The boy had grabbed his sister at the beginning of the corridor. A prankster, in high spirits as always. And a hurter. But he didn't do it on purpose, he would play and then hurt. He girded Maria Luísa with his strong arms, pushed her with his chest, humming and teasing. She struggled, annoyed by seeing herself so much weaker. Pushed, shaken, turned around. "'Armadillo went up the stick…'"[6]

"Mommy! Let me go, Carlos! Let me goooo!"

Shaken, spun around, infuriated, punches.

"*… Lizard gecko, yes that's what it can be.*'"

Pushed, shaken.

"Mommy!…"

His stiff flesh received the punches, delighted. He protected his face by just lifting it up, sideways. She could hit him even in the stomach if she wanted to! He was already practicing boxing. *ô*

Dona Laura from below:

"What is this, children! Carlos! Oh, Carlos! Get down now!"

"I'm not doing anything, Mommy! I can't even dance a little bit!"

"Yeah! He shook me all up!... Brute!"

— Mas eu não sou Bêbê Daniels!

— Mas eu quero que seja!

— Não sou e não sou, pronto! Mamãe!

— *"Tatu sub..."*

— Me largue! Bruto bruto!

Elza desembocara na sala. Carlos vendo a desconhecida, largou Maria Luísa e encabulou. Pra disfarçar carregou a irmãzinha menor. Machucou. Flautim:

— Mamãe! Mamãe!

Se rindo do chuvisco dos tapinhas, carregando a irmã no braço esquerdo Carlos ofereceu a mão livre à moça. Voz paulista, certa de chegar no fim da frase. Olhos francos investigando.

— Bom dia. A senhora é a governanta, é? Ela sorriu, escondendo a irritação.

— Sou.

Mas Aldinha achando de jeito a mão que Carlos trouxera pra resguardo do rosto, mordeu.

— Viu só! Mamãe! Aldinha me deu uma dentada!

— Meu deus! inda enlouqueço com essas crianças!

— Tirou sangue! Olhe aí o que você fez, sua gatinha!

— Carlos, você não me ouve! Olhem que eu subo!

Dona Laura nunca subiria a escada outra vez.

— Mamãe... foi ele que me machucou! já chorosa.

— Vocês não ouvem sua mãe chamar! Desçam já!

"I was teaching her the shimmy, Mommy! You didn't see Bebe Daniels?[7]

"But I'm not Bebe Daniels!"

"But I want you to be!"

"I'm not and I'm not, there you go! Mommy!"

"*"Armadillo went up...*""

"Let me go! Brute, brute!"

Elza had emerged in the living room. Carlos, seeing the stranger, dropped Maria Luísa and became sheepish. To dissimulate he carried the younger sister. It did hurt. Piccoloing:[8]

"Mommy! Mommy!"

Laughing at the drizzling of the slaps, carrying his sister on his left arm, Carlos offered his free hand to the young lady. A *Paulista*[9] voice, sure of reaching the end of the sentence. Candid eyes investigating.

"Good Morning. Mrs., you are the governess, aren't you?" She smiled, hiding the irritation.

"I am."

But Aldinha, finding the hand that Carlos brought to guard his face, bit it.

"Did you see that! Mommy! Aldinha bit me!"

"My God! I'll still go crazy with these children!"

"She drew blood! Look what you've done, you little cat!"

"Carlos, you don't listen to me! Look, I'll get up there!"

Dona Laura would never climb the stairs again.

"Mommy... he was the one who hurt me!" all ready weeping.

"You don't hear your mother call! Come downstairs, now!"

Era a clave de fá de Sousa Costa. Barítono enfarado, de quem não gosta de se amolar nem passar pitos.

Elza consolava a pecurrucha, com meiguice emprestada. Não sabia ter meiguice. Mais questão de temperamento que de raça, não me venham dizer que os alemães são ríspidos. Tolice! conheci.

Carlos descia a escada rindo. Se explicava. Limpava o sangue na outra mão, esfregando a mordida. Era exagero só pra evitar pito maior. Elza viu ele descer equilibrado, brincando com os degraus. Aquele "a senhora é a governanta..." percebeu que o menino era um forte.

Machucador apenas.

Ali pela boca da noite o viver da casa já estava reorganizado e velho, mesma coisa de antes resvalando para a mesma coisa de em seguida. Isto não sei se é bem se é mal, mas a culpa é toda de Elza. Isto sei e afirmo. Se não fosse a moça, dona Laura levaria um dilúvio de manhãs pra se acomodar com a situação nova. Sousa Costa inda por vinte jantas teria a surpresa desagradável duma intrometida lhe roubando as anedotas de família. Elza porém desde o primeiro instante se apresentara tão conhecida, tão trilhada e de ontem! O desembaraço era premeditado não tem dúvida, mas lhe saía natural e discreto. Isto se descontaria dentre as facilidades das raças superiores... Porém tal razão é assuntar

That was Sousa Costa's key of F. An annoyed baritone, who doesn't like to be pestered or scolding.

Elza consoled the little one, with borrowed tenderness. She didn't know tenderness. It was more a matter of temperament than race; don't tell me that the Germans are stern Nonsense! I know.

Carlos came down the stairs laughing. He explained himself. He wiped his blood onto the other hand, rubbing the bite. It was exaggeration just to avoid further scolding. Elza saw him coming downstairs poised, playing with the steps. With that "you are the governess..." she realized that the boy was strong.

Just a hurter.

By around nightfall the life of the house was already reorganized and old, the same thing as before slipping into the same thing as the next. I don't know if this is good or if it's bad, but the fault is all Elza's. This I know and affirm. If it weren't for the young lady, it would take Dona Laura a deluge of mornings to get accommodated to the new situation. Sousa Costa would still have the unpleasant surprise of a nosy woman stealing the family anecdotes for twenty dinners. Elza on the other hand, from the first moment presented herself so familiar, so well-known and of yesterday! The easiness was premeditated have no doubt, but it came out of her natural and discreet. This readiness could be found in the superior races... However such reasoning only reflects upon the epidermis of the expe-

apenas a epiderme da experiência. Antes, estou disposto a reconhecer nela essa faculdade prática de adaptação dos alemães em terra estranha.

Imediatamente se apossara dos deveres próprios e se colocara na posição exata. O começo dela é de quem recomeça. Você repare no filho, na mulher que voltam dos quinze dias de fazenda ou Caxambu. Abraços, forrobodó festivo, admiração premeditada. "Você está bem mais gordo!" Alegrias. Depois a gente troca as novidades. Depois a mesma coisa recomeça, o polvo readquire o tentáculo que faltava. Com a mesma naturalidade quotidiana pratica o destino dele: prover e vogar. Sobe à tona da vida ou desce porta a dentro, na profundeza marinha. Profundeza eminentemente respeitável e secreta. Quanto à tona da vida, já se conhece bem a fotografia: A mãe está sentada com a família menorzinha no colo. O pai de pé descansa protetoramente no ombro dela a mão honrada. Em torno se arranjaram os barrigudinhos. A disposição pode variar, mas o conceito continua o mesmo. Vária disposição demonstra unicamente o progresso que nestes tempos de agora fizeram os fotógrafos norte-americanos.

Elza é filho chegando do sítio ou mãe que volta de Caxambu. Membro que faltava e de novo cresce. Começara como quem recomeça e a tranquilidade aplainou logo a existência dos Sousa Costas, extraindo as últimas lascas da desordem, polindo os engruvinhamentos do imprevisto.

Mesmo para as meninas, três: Maria Luísa com doze anos, Laurita com sete, Aldinha com cinco, Elza já dera completo conhecimento de si estrangulando a curiosidade delas. Já

rience. Rather, I am willing to recognize in her this practical faculty of adaptation of the Germans in a foreign land.

She immediately took possession of her duties and placed herself in the exact position. Her start is of someone who restarts. Notice the son and the wife who return from fifteen days at the farm or at Caxambu.[10] Hugs, festive shindig, premeditated admiration. "You're much fatter!" Joys. Then they exchange the news. Then the same thing restarts, the octopus reacquires the missing tentacle. With the same everyday naturalness they practice its purpose: to provide and to drift. It rises to the surface of life or falls inside, into the deep sea. Eminently respectable and secret depth. As for the surface of life, the picture is already known: The mother is sitting with the family, the little one in her lap. The father stands, resting protectively his honored hand on her shoulder. Around them are arranged the little potbellies. The arrangement may vary, but the concept remains the same. Such varied arrangement only demonstrates the progress that the American photographers have made in these times.

Elza is a son arriving from the ranch or a mother who comes back from Caxambu. The missing limb that grows back. She started as someone who restarts and tranquility soon smoothed the existence of the Sousa Costas, extracting the last shards of disorder, smoothing the puckering of the unforeseen.

Even to the girls, three of them: Maria Luísa twelve years old, Laurita seven, Aldinha five, Elza had given full understanding of herself, strangling their curiosity. She had already determined the lesson schedule for Maria Luísa and Carlos.

determinara as horas de lição de Maria Luísa e Carlos. Já dispusera os vestidos, os chapéus e os sapatos na guarda-roupa. No jardim, fizera as meninas pronunciarem muitas vezes Fräulein. Assim deviam lhe chamar.

"Fräulein" era pras pequenas a definição daquela moça... antipática? Não. Nem antipática nem simpática: elemento. Mecanismo novo da casa. Mal imaginam por enquanto que será o ponteiro do relógio familiar.

Fräulein... nome esquisito! nunca vi! Que bonitas assombrações havia de gerar na imaginação das crianças! Era só deixar ele descansar um pouco na ramaria baralhada, mesmo inda com poucas folhas, das associações infantis, que nem semente que dorme os primeiros tempos e espera. Então espigaria em brotos fantásticos, floradas maravilhosas como nunca ninguém viu. Porém as crianças nada mais enxergariam entre as asas daquela mosca azul... Elza lhes fizera repetir muitas vezes, vezes por demais a palavra! Metodicamente a dissecara. "Fräulein" significava só isto e não outra coisa. E elas perderam todo gosto com a repetição. A mosca sucumbira, rota, nojenta, vil. E baça.

Tal qual o substantivo, Elza se mostrara no seu eu visível e possível. No seu eu passível de entendimento infantil. Que infantil! humano universal devo escrever. Malvada! Cerceara os galopes da criação imaginativa, iluminara de sol cru as sombras do mistério. Quedê os elfos da Floresta Negra? As ondinas sonorosas do Vater Rhein? A gente percebia muito bem as cordas que elevavam a protagonista no ar. O público não aplaudiu.

She had already laid out the dresses, hats and shoes in the wardrobe. In the garden, she had made the girls pronounce Fräulein many times. That's how they should call her.

"Fräulein" was the definition of that young woman for the little girls... unfriendly? No. Not unfriendly or friendly: an element. A new device in the house. They can barely imagine for now that she will be the hand of the family clock.

Fräulein... weird name! I've never seen it! What beautiful wraiths it would generate in the imagination of the children! It was just letting the name get some rest on the shuffled boughs of children's digressions, even if still with few leaves, like a seed which sleeps through the early days and waits. Then they would shoot up in fantastic sprouts, wonderful blossoms as no one had ever seen. However, the children would see nothing else between the wings of that blue fly...[11] Elza had them repeat the word too many times, so too often! She methodically dissected it. "Fräulein" meant only this and nothing else. And they lost all their taste for it with every repetition. The fly had succumbed, ragged, disgusting, vile. And tarnished.

Like the noun, Elza had shown herself in her visible and possible self. In her susceptible to childish understanding self. How childish! Universally human I might write. Wicked! She retrenched the gallops of the imaginative creation, illuminated the shadows of mystery with raw sun. Where are the elves of the Black Forest? The sonorous Undines[12] of Vater Rhein?[13] People could realize very well the ropes that lifted the protagonist in the air. The audience didn't applaud.

As crianças lhe chamariam sempre Fräulein... Fräulein queria dizer moça? Qual moça nem virgem! Fräulein era Elza. Elza era a governanta Professora. Regrava passeios sempre curtos, batia as horas das lições sempre compridas. Como é que o público podia se interessar por uma fita dessas! Não aplaudiu. Com outras palavras mais bonitas, assim pensou mais tarde Maria Luísa Sousa Costa, herdeira de fazendas, grave.

— Como ela está ficando parecida com a senhora, dona Laura!

— Acha!...

Mas não tem dúvida: isto da vida continuar igualzinha, embora nova e diversa, é um mal. Mal de alemães. O alemão não tem escapadas nem imprevistos. A surpresa, o inédito da vida é pra ele uma continuidade a continuar. Diante da natureza não é assim. Diante da vida é assim. Decisão. Viajaremos hoje. O latino falará: Viajaremos hoje! O alemão fala: Viajaremos hoje. Ponto final. Pontos-de-exclamação... É preciso exclamar pra que a realidade não canse...

Sousa Costa usava bigodes onde a brilhantina indiscreta suava negrores nítidos. Aliás todo ele era um cuité de brilhantinas simbólicas, uma graxa mônada sensitiva e cuidadoso de sua pessoa. Não esquecia nunca o cheiro no lenço. Vinha de portugueses. Perfeitamente. E de Camões herdara ser femeeiro irredutível.

Em tempos de calorão surgiam nos cabelos negros de dona Laura umas ondulações suspeitas. Usava penteadores e vestidos de seda muito largos. Apenas um gesto e aqueles

The children would always call her Fräulein... Did Fräulein mean maiden? What maiden or virgin! Fräulein was Elza. Elza was the Teacher governess. she kept the walks always short, struck the hours of lessons always long. How could the audience be interested in such a flick! They didn't applaud. In other more beautiful words, that's how Maria Luísa Sousa Costa, heir of the farms, grave, thought later:

"How she's becoming so like you, Dona Laura!"

"Do you think!..."

But have no doubt: this thing about life continuing to go on the same way, although new and diverse, is a problem. A German problem. The Germans don't have escapades or pitfalls. The surprise, the unprecedented in life, is for them a continuity to be continued. In the face of nature it's not so. In the face of life it is so. Decision. We will travel today. The Latin people will say: We will travel today! The Germans say: We will travel today. Full stop. Exclamation marks... We need to exclaim so that reality doesn't bore...

Sousa Costa wore mustaches where the indiscreet brilliantine sweated sharp blackness. In fact his whole self was a gourd of symbolic brilliantine, a sensitive and careful monad grease of his own being. He never forgot the scent on the handkerchief. He came from the Portuguese. Perfectly. And from Camões[14] he inherited being an irreducible womanizer.

In times of a heat wave, suspicious curling appeared in Dona Laura's black hair. She wore dressing gowns and very wide silk dresses. A simple gesture and those fabrics and laces and glass beads plummeted to one side, afflicting everybody.

panos e rendas e vidrilhos despencavam pra uma banda afligindo a gente. Meia mal-acabada. Era maior que o marido, era. Lhe permitira aumentar as fábricas de tecidos no Brás e se dedicar por desfastio à criação do gado caracu.

Nas noites espaçadas em que Sousa Costa se aproximava da mulher, ele tomava sempre o cuidado de não mostrar jeitos e sabenças adquiridos lá em baixo no vale. No vale do Anhangabaú? É. Dona Laura comprazia com prazer o marido. Com prazer? Cansada. Entre ambos se firmara tacitamente e bem cedo uma convenção honesta: nunca jamais ele trouxera do vale um fio louro no paletó nem aromas que já não fossem pessoais. Ou então aromas cívicos. Dona Laura por sua vez fingia ignorar as navegações do Pedro Álvares Cabral. Convenção honesta se quiserem... Não seria talvez a precisão interior de sossego?... Parece que sim. Afirmo que não. Ah! ninguém o saberá jamais!...

E quem diria que Sousa Costa não era bom marido? Era sim. Fora tão nu de preconceitos até casar sem por reparo nas ondas suspeitas dos cabelos da noiva. E bem me lembro que ficaram noivos em tempo de calorão... Dona Laura retribuía a confiança do marido, esquecendo por sua vez que bigodes abastosos e brilhantinados são suspeitos também. Sentia agora eles trepadeirando pelo braço gelatinoso dela e, meia dormindo, se ajeitando:

— Vendeu o touro?

— Resolvi não vender. É muito bom reprodutor.

Dormiam.

She was a bit badly shaped. Larger than her husband, she was. It helped her to multiply the fabric factories in Brás,[15] and, because of her appetite, to dedicate herself to the breeding of Caracu cattle.[16]

In the interspaced nights when Sousa Costa approached his wife, he always took care not to show ways and wisdoms acquired down there in the valley. In the valley of Anhangabaú?[17] Yes. Dona Laura pleased her husband with pleasure. With pleasure? Tired. Between the two of them tacitly and very early an honest convention was established: he had never ever brought from the valley a strand of blond hair on his jacket, or scents which weren't already familiar. Or civilian smells. Dona Laura in return pretended to ignore the navigations of that Pedro Álvares Cabral.[18] Honest convent if you wish… wouldn't it be perhaps the inner need for peace?… Apparently. I say no. Ah! No one will ever know!…

And who would say that Souza Costa wasn't a good husband? He was indeed. He was so naked of prejudices until getting married, never noticing the suspicious waves of his bride's hair. And I well remember that they got engaged in the time of a heat wave… Dona Laura reciprocated the trust of her husband, forgetting in turn that swanky and brilliantined whiskers are suspicious as well. She now felt them bindweeding around her gelatinous arm and, half asleep, accommodating herself, asked:

"Have you sold the bull?"

"I've decided not to sell it. It's a very good breeder."

They slept.

Quando Carlos nasceu batizaram-no, pois não. As meninas iam nas missas de domingo, se era manhã de sol, o passeio até fazia bem... Com nove anos mais ou menos recebiam a primeira comunhão. Dona Laura mandava lhes ensinar o catecismo por uma parenta pobre, muito religiosa, coitada! catequista em Santa Cecília. Dona Laura usava uma cruz de brilhantes que o marido dera pra ela no primeiro aniversário de casamento. Era uma família católica. Nas festas principais da casa vinha Monsenhor.

Carlos abaixou o rosto, brincabrincando com a página:

— Não sei... Papai quer que eu estude Direito...

— E você não gosta de Direito?

— Não gosto nem desgosto, mas pra quê? Ele já falou uma vez que quando eu fizer vinte e um anos me dá uma fazenda pra mim... Então pra que Direito!

— Quantos anos você tem?

—... fazer dezesseis.

— *Ich bin sechzehn Iahre alt.*

Carlos repetiu encabulado.

— Não. Pronuncie melhor. Não abra assim as vogais. É sechzehn.

— *Sechzehn.*

— Isso. Repita agora a frase inteira.

— Em inglês eu sei bem! I'm sixteen years old!

Fräulein escondeu o movimento de impaciência. Não conseguia prender a atenção do menino. O inglês e o francês eram familiares já pra ele. Principalmente o inglês de que

When Carlos was born they christened him, of course. The girls went to the Sunday church masses, if it was a sunny morning, the stroll did them well… At more or less nine years of age they received the first communion. Dona Laura sent them to be taught catechism by a penniless relative, very religious, poor thing! a catechist in Santa Cecília.[19] Dona Laura wore a diamantine cross that her husband had given her on their first wedding anniversary. They were a Catholic family. The Monsignor[20] would come to the house for their major parties.

Carlos lowered his face, playplaying with the page:

"I don't know… Dad wants me to study Law…"

"And you don't like Law?"

"I don't like or dislike it, but for what? He has said once that when I am twenty-one he gives me a farm for me [*sic*]… So what's Law for!"

"How old are you?"

"… be sixteen."

"*Ich bin sechzehn Jahre alt.*"

Carlos repeated sheepishly.

"No. Pronounce it better. Not so open vowels. It's *sechzehn*.

"*Sechzehn*."

"That's it. Now repeat the entire sentence."

"In English I know it well! I'm sixteen years old!

Fräulein hid her movement of impatience. She couldn't hold the boy's attention. English and French were familiar to him already. Mainly English, of which he'd had daily classes

tinha aulas diárias desde nove anos. Mas alemão... Já cinco lições e não decorara uma palavrinha só, burrice? Nesta aula que acabava Fräulein já fora obrigada a repetir três vezes que irmã era Schwester. Carlos aluado. As palavras alemãs lhe fugiam da memória, assustadiças, num tilintar de consoantes agrupadas. Pra salvar a vaidade respondia em inglês. Machucava a professora, lhe dando uns ciúmes inconscientes. Porém Fräulein se esconde num sorriso:

— Não faça assim. Ich bin sechzehn Iahre alt, repita. Só mais uma vez.

Carlos repetiu molemente. A hora acabava. Se livrar daquela biblioteca!...

Encontraram Maria Luísa no hall. Carlos parou pernas fincadas, peitaria ressaltada, impedindo a passagem da irmã.

— Mamãe! venha ver Carlos!

Fräulein puxava-o pela mão.

— Carlos, já começa...

Segurava-o com doçura, se rindo. Ele deu aquele risinho curto. Desapontava sempre. Ao menos desenhava no jeito a aparência do desapontamento. Nenhuma timidez porém, muito menos ainda a desconfiança de si mesmo. Desapontava no sorriso horizontal, mostrando a fímbria dos dentes grandalhões irregulares. Desapontava no olhar, pondo olheiras na face com a sombra larga das pestanas. Agora estava muito encafifado por causa da munheca presa entre as mãos da moça. Se desvencilhava aos poucos. Ela forcejou.

— Você não é mais forte que eu!

since the age of nine. But German… It was already five lessons and he hadn't memorized a single little word, stupidity? In this class she was finishing, Fräulein had already been obliged to repeat three times that sister was *Schwester*. Carlos daydreamed. The German words fled from his memory, skittish, in a tinkling of grouped consonants. To save his vanity he answered in English. He'd hurt the teacher, provoking an unconscious jealousy in her. But Fräulein hides in a smile:

"Don't do that. *Ich bin sechzehn Jahre alt*, repeat it. Just one more time."

Carlos repeated floppily. The hour was ending. Getting free from that library!…

They met Maria Luísa in the hall. Carlos stopped with stiff legs, wide-chested, preventing his sister from passing.

"Mom! Come and see Carlos!"

Fräulein pulled him by the hand.

"Carlos, you're starting again…"

She held him gently, laughing. He gave that short laugh. He always disappointed. At least he drew in his manners the look of disappointment. No shyness however, even less any distrust of himself. He disappointed in the horizontal smile, showing the hem of his enormous irregular teeth. He disappointed in the gaze, putting dark circles on his face with the broad shadow of the eyelashes. Now he was very embarrassed because of the wrist caught between the hands of the young woman. He disengaged gradually. She struggled.

"You're not stronger than me!"

— Sooooou! um minuto durou o indicativo presente. E foi um brinquedinho se livrar. Sem aspereza. Subiu a escada pulando de quatro em quatro degraus.

Fräulein ficou imóvel. Deliciosamente batida.

Não vejo razão pra me chamarem vaidoso se imagino que o meu livro tem neste momento cinquenta leitores. Comigo 51. Ninguém duvide: esse um que lê com mais compreensão e entusiasmo um escrito é autor dele. Quem cria, vê sempre uma Lindóia na criatura, embora as índias sejam pançudas e ramelentas.

Volto a afirmar que o meu livro tem 50 leitores. Comigo 51. Não é muito não. Cinquenta exemplares distribuí com dedicatórias gentilíssimas. Ora dentre cinquenta presenteados, não tem exagero algum supor que ao menos 5 hão de ler o livro. Cinco leitores. Tenho, salvo omissão, 45 inimigos. Esses lerão meu livro, juro. E a lotação do bonde se completa. Pois toquemos para avenida Higienópolis!

Se este livro conta 51 leitores sucede que neste lugar da leitura já existem 51 Elzas. É bem desagradável, mas logo depois da primeira cena cada um tinha a Fräulein dele na imaginação. Contra isso não posso nada e teria sido indiscreto se antes de qualquer familiaridade com a moça, a minuciasse em todos os seus pormenores físicos, não faço isso. Outro mal apareceu: cada um criou Fräulein segundo a própria fantasia, e temos atualmente 51 heroínas pra um só idílio.

"I ammmmm!" The present tense lasted one minute. And it was a plaything to get away from her. Without harshness. He climbed the stairs, skipping four steps.

Fräulein stood still. Delightfully beaten.

I see no reason for people to call me vain if I imagine that my book has fifty readers right now. With myself 51. No one doubts it: the one who reads a written work with the most understanding and enthusiasm is its author. He who creates always sees a Lindóia[21] in the creature, although the native Indian women are potbellied and rheum-eyed.

I reaffirm that my book has 50 readers. With myself 51. It's not much, no. Fifty copies that I distributed with very kind dedications. Now, among the fifty gifted, there's no exaggeration to assume that at least 5 will read the book. Five readers. I have, omission excepted, 45 enemies. These will read my book, I swear. And the capacity of the streetcar is reached. Well then, let's go to Avenida Higienópolis![22]

If this book has 51 readers, it happens that in this reading place there are already 51 Elzas. It's very unpleasant, but soon after the first scene each man had his Fräulein in his imagination. I can do nothing against this, and it would have been indiscreet if, before any familiarity with the young woman, I particularized her in all her physical details, I don't do that. Another problem appeared: each one created Fräulein according to his own fantasy, and we currently have 51 heroines for a single idyll.

51, com a minha, que também vale. Vale, porém não tenho a mínima intenção de exigir dos leitores o abandono de suas Elzas e impor a minha como única de existência real. O leitor continuará com a dele. Apenas por curiosidade, vamos cotejá-las agora. Pra isso mostro a minha nos 35 atuais janeiros dela.

Se não fosse a luz excessiva, diríamos a Betsabê, de Rembrandt. Não a do banho que traz bracelete e colar, a outra, a da Toilette, mais magrinha, traços mais regulares.

Não é clássico nem perfeito o corpo da minha Fräulein. Pouco maior que a média dos corpos de mulher. E cheio nas suas partes. Isso o torna pesado e bastante sensual. Longe porém daquele peso divino dos nus renascentes italianos ou daquela sensualidade das figuras de Scopas e Leucipo. Isso: Rembrandt quase Cranach. Nenhuma espiritualidade. Indiferente burguesice. Casasse com ela mais cedo, o marido veria no fim da vida a terra e os cobres repartidos entre vinte e um generaizinhos infelizes. Disse 21 porque me lembrei agora da filharada de João Sebastião Bach. Generaizinhos porque me lembrei do fim de Alexandre Magno. E infelizes! Ora porque qualifiquei os 21 generaizinhos de infelizes! ... pessimismo! amargura! ah...

Isso do corpo de Fräulein não ser perfeito, em nada enfraquece a história. Lhe dá mesmo certa honestidade espiritual e não provoca sonhos. E aliás, se renascente e perfeito, o idílio seria o mesmo.

Fräulein não é bonita, não. Porém traços muito regulares, coloridos de cor real. E agora que se veste, a gente pode olhar

51, including mine, which also counts. It counts, but I have no intention of demanding that the readers abandon their Elzas and impose mine as the only one with real existence. The reader will keep his own. Just out of curiosity, let's compare them now. To this end I show mine in her 35 current Januaries.

If it wasn't for the excessive light, we would say she was like Rembrandt's *Bathsheba*.[22] Not the bath one, who wears bracelet and necklace,[23] but the other, the one in *Toilet*,[25] skinnier, with more regular features.

The body of my Fräulein is not classic or perfect. Slightly bigger than the average woman's body. And full in its parts. This makes it weighty and rather sensual. Far, however, from that divine weight of the Italian renascent nudes, or that sensuality of Scopas and Leucippus figures.[26] That's it: Rembrandt, almost Cranach.[27] No spirituality. Indifferent bourgeoisie. Marrying her earlier, her husband would see at the end of life the land and the coppers distributed among the 21 unhappy little generals. I said 21 because I now remembered Johann Sebastian Bach's gang of children. Little generals because I remembered the end of Alexander the Great. And unhappy! Now why I've qualified the 21 little generals as unhappy!... pessimism! bitterness! ah...

This thing of Fräulein's body not being perfect in no way weakens the story. It even gives it a certain spiritual honesty and doesn't evoke dreams. And by the way, if renascent and perfect, the idyll would be the same.

Fräulein is not pretty, no. But she has very regular features, colored with real color. And now that she is dressed,

com mais franqueza isso que fica de fora e ao mundo pertence, agrada, não, não agrada? Não se pinta, quase nem usa pó-de-arroz. A pele estica, discretamente polida com os arrancos da carne sã. O embate é cruento. Resiste a pele, o sangue se alastra pelo interior e Fräulein toda se roseia agradavelmente.

O que mais atrai nela são os beiços, curtos, bastante largos, sempre encarnados. E inda bem que sabem rir: entremostram apenas os dentinhos dum amarelo sadio mas sem frescor. Olhos castanhos, pouco fundos. Se abrem grandes, muito claros, verdadeiramente sem expressão. Por isso duma calma quase religiosa, puros. Que cabelos mudáveis! ora louros, ora sombrios, dum pardo em fogo interior. Ela tem esse jeito de os arranjar, que estão sempre pedindo arranjo outra vez. As vezes as madeixas de Fräulein se apresentam embaraçadas, soltas de forma tal, que as luzes penetram nelas e se cruzam, como numa plantação nova de eucaliptos. Ora é a mecha mais loura que Fräulein prende e cem vezes torna a cair...

O menino aluado como sempre. Fixava com insistência um pouco de viés... Seria a orelha dela? Mais pro lado, fora dela, atrás. Fräulein se volta. Não vê nada. Apenas o batalhão dos livros, na ordem de sempre. Então era nela, talvez a nuca. Não se desagradou do culto. Porém Carlos com o movimento da professora viu que ela percebera a insistência do olhar dele. Carecia explicar. Criou coragem mas encabulou, encafifado de estar penetrando intimidades femininas. Não foi sem comoção, que venceu a própria castidade e avisou:

we can look more frankly to what is outside and belongs to the world, it pleases, no, doesn't it? She doesn't wear make-up, hardly even uses face powder. The skin stretches, discretely polished with the lugging of the healthy skin. The clash is ferocious. The skin resists, the blood spreads through the interior and Fräulein turns all pleasantly rosy.

What's most attractive in her are her lips, thin, quite broad, always scarlet. And thank goodness they know how to laugh: only faintly showing the little teeth of a healthy yellow but without freshness. Brown shoal eyes. They open widely, very clear, truly expressionless. Hence, they're of a quasi-religious calm, pure. What changeable hair! Sometimes blonde, sometimes dark, of a dun color on fire within. She has this way of arranging it, it's always demanding to be fixed again. Sometimes Fräulein's tresses are tangled, loose in a certain way, that the light penetrates them and intersects, like a new eucalyptus plantation. Now it's the blond tress that Fräulein pins up and a hundred times falls again…

The boy was daydreaming as always. Stared insistently a little askance… Could it be her ear? More to the side, out of it, behind. Fräulein turns round. She doesn't see anything. Only the battalion of books, in the same order as ever. So it was at her, perhaps the nape of the neck. She was not displeased with the worship. But Carlos, through the movement of the teacher, saw that she realized the insistence of his gaze. He needed to explain. He gathered courage but became shy, ashamed to be penetrating female intimacies. It wasn't without stirred emotion that he overcame his own chastity and warned:

— Fräulein, seu grampo cai.

O gesto dela foi natural porque o despeito se disfarçou. Porém Fräulein se fecha duma vez. Quinze dias já e nem mostras do mais leve interesse, arre!

Será que não consegue nada!... Isso lhe parece impossível, estava trabalhando bem... Que nem das outras vezes. Até melhor, porque o menino lhe interessava, era muito... muito... simpatia? A inocência verdadeiramente esportiva? Talvez a ingenuidade... A serena força... Und so einfach, nem vaidades nem complicações... atraente. Fräulein principiara com mais entusiasmo que das outras vezes. E nada. Veremos, ganhava pra isso e paciência não falta a alemão. Agora porém está fechada por despeito, dentro dela não penetra mais ninguém.

Fräulein se sentiu logo perfeitamente bem dentro daquela família imóvel mas feliz. Apenas a saúde de Maria Luísa perturbava um tanto o cansaço de dona Laura e a calma prudencial de Sousa Costa. Servia de assunto possível nos dias em que, depois da janta, Sousa Costa queimava o charuto no hall, como que tradicionalmente revivendo a cerimônia tupi. Depois se escovava, pigarreando circunspecto. Vinha dar o beijo na mulher.

— Adeus papai!

— Até logo.

— Até logo papai!

— Boa noite.

"Fräulein, your hair clip is falling."

Her gesture was natural because her contempt was disguised. However, Fräulein closes herself up at once. Fifteen days already and no sign of the slightest interest, dammit!

Can't she get anything!... That seems impossible to her, she was working well... Just like the other times. Even better, because the boy interested her, he was very... very... affectionate? The truly sporting innocence? Perhaps the ingenuity... The quiet strength... *Und so einfach,*[28] no vanities or complications... attractive. Fräulein had begun with more enthusiasm than the other times. And nothing. We will see, she was paid for that, and a German doesn't lack patience. But now she's closed up out of contempt, no one else sees through her anymore.

Fräulein soon felt perfectly well within that steadfast but happy family. Only Maria Luisa's health somewhat disturbed Dona Laura's fatigue, and Sousa Costa's prudential calm. It served as a possible subject in the days when, after dinner, Sousa Costa smoked his cigar in the hall, like traditionally reliving the Tupi[29] ceremony. Then he brushed himself, clearing his throat, circumspect. He came to kiss the wife.

"Goodbye Dad!"

"See you later."

"See you later Dad!"

"Good evening."

Dona Laura ficava ali, mazonza, numa quebreira gostosa, quase deitada na poltrona de vime, balanceando manso uma perna sobre a outra. Isso quando não tinham frisa, segundas e quintas no Cine República. Folheava o jornal. Os olhos dela, descendo pela coluna termométrica dos falecimentos e natalícios, vinham descansar no clima temperado do folhetim. Às vezes ela acordava um romance da biblioteca morta, mas os livros têm tantas páginas... Folhetim a gente acaba sem sentir, nem cansa a vista. Como Fräulein lê!... As crianças foram dormir. Vida pára. Os estralos espaçados dos vimes assombram o cochilar de dona Laura.

Qual! Fräulein não podia se sentir a gosto com aquela gente! Podia porque era bem alemã. Tinha esse poder de adaptação exterior dos alemães, que é mesmo a maior razão do progresso deles.

No filho da Alemanha tem dois seres: o alemão propriamente dito, homem-do-sonho; e o homem-da-vida, espécie prática do homem-do-mundo que Sócrates se dizia.

O alemão propriamente dito é o cujo que sonha, trapalhão, obscuro, nostalgicamente filósofo, religioso, idealista incorrigível, muito sério, agarrado com a pátria, com a família, sincero e 120 quilos. Vestindo o tal, aparece outro sujeito, homem-da-vida, fortemente visível, esperto, hábil e europeiamente bonitão. Em princípio se pode dizer que é matéria sem forma, dútil H^2O se amoldando a todas as quartinhas. Não tem nenhuma hipocrisia nisso, nem máscara.

Dona Laura was there, sluggardly, in a delicious prostration, almost lying down on the wicker armchair, gently rocking one leg over the other. That when they had no box, Mondays and Thursdays, at Cine República.[30] She leafed through the newspaper. Her eyes, going down the thermometric column of deaths and births, came to rest in the temperate climate of the feuilleton. Sometimes she would awaken a novel from the dead library, but books have so many pages... One finishes a feuilleton without noticing, not even tiring our eyes. How much Fräulein reads!... The children went to sleep. Life stops. The spaced crackling of the wickerworks startled Dona Laura's dozing.

What! Fräulein couldn't feel at ease with those people! She could because she was very German. She had this external adaptation power of the Germans, which is indeed the major reason of their progress.

In the son of Germany there are two beings: the German itself, man-of-dreams; and man-of-life, practical type of the man-of-the-world that Socrates[31] said he was.

The German himself is the one who dreams, clumsy, obscure, nostalgically a philosopher, religious, incorrigibly idealistic, very earnest, clung to the homeland, to the family, sincere and weighing 120 kilos. Clothing this one, another individual appears, the man-of-life, highly visible, smart, skilled and Europeanly handsome. At first one can say that he's matter without form, ductile HO adjusting to all jugs. He has no

Se adapta o homem-da-vida, faz muito bem. Eu se pudesse fazia o mesmo, e você, leitor. Porém o homem-do-sonho permanece intacto. Nas horas silenciosas da contemplação, se escuta o suspiro dele, gemido espiritual um pouco doce por demais, que escapa dentre as molas flexíveis do homem-da-vida, que nem o queixume dum deus paciente encarcerado.

O homem-da-vida é que a gente vê. Ele criou no negócio dele artigo tão bom como o do inglês. Cobra caro. Mas não vê que um comprador saiu com as mãos abanando por causa do preço. Adapta-se o homem-da-vida. No dia seguinte o freguês encontra artigo quase igual ao outro, com o mesmo aspecto faceiro e de preço alcançável. Sai com os bolsos vazios e as mãos cheias. O anglo da fábrica vizinha, ali mesmo, só atravessar um estirão de água zangada, não vendeu o artigo dele. Não vendeu nem venderá. E continuará sempre fazendo-o muito bom.

Eu admirava mais o inglês se só este conseguisse manipular a mercadoria excelente, porém o alemão homem-da-vida também melhora as coisas até a excelência. Apenas carece que alguém vá na frente primeiro. Isso o próprio Walter de Rathenau observou, grande homem!... Homem-do-sonho. Os outros que inventem. O alemão pega na descoberta da gente e a desenvolve e melhora. E a piora também, estabelecendo uma tabela de preços a que podem abordar bolsas de todos os calados. Daí, aos poucos, todo o mundo ir preferindo o comerciante alemão.

Os países de exportação industrial viam o fenômeno, de cara feia. O homem-da-vida observava a raiva da vizinhança...

hypocrisy or mask in him at all. The man-of-life adapts, quite rightly. I would be doing the same if I could, and you, reader also. But the man-of-dreams remains intact. In the quiet hours of contemplation, one can hear his sigh, a spiritual groan, a little bit too sweet, which escapes from the flexible springs of the man-of-life, like the grumbling of a patient imprisoned god.

The man-of-life is what we see. He has created products in his trade which are as good as the English. He charges a lot. But you don't see a buyer living empty-handed because of the price. The man-of-life adapts. The next day the customer finds a product almost the same as the other, with the same foppish look and reachable price. He gets out with empty pockets and full hands. The Anglo from the nearby factory, right there, it's just a stretch of huffy water crossing, didn't sell his product. He didn't sell and won't sell. And he will always continue making it very well.

I'd admire the English more if he could manipulate the merchandise to excellence on his own, but the German man-of-life also improves things to excellence. He just needs someone to go ahead first. Walter Rathenau[32] himself noted this, great man!... Man-of-dreams. Let the others invent. The German takes the others' discovery and develops and improves it. And also makes it worse, by establishing a price list that can reach pockets of all sizes. Then, gradually, the whole world starts favoring the German trader.

The industrial exporting countries saw the phenomenon, frowning. The man-of-life watched the anger of the neighborhood... And if there, in the inner darkness, where the familiar

E se lá nas trevas interiores, onde se reúnem as assombrações familiares, o homem-do-sonho também cantava o seu "Home, sweet home" que a nenhuma raça pertence e é desejo universal, o homem-da-vida se adaptava ainda. Construía canhões pelas mãos brandas duma viúva. Armazenava gases asfixiantes, afiava lamparinas pra cortar futuramente os imaginários bracinhos de quanto Haensel e quanta Gretel imaginários e franceses produz o susto razoável de Chantecler. Bárbaro tedesco, infra terno germano infraterno!

Aceitemos mesmo que engordasse a ideia multissecular, universal e secreta, da posse do mundo... Não culpe-se por ela o homem-do-sonho. O da-vida é que se observando vitorioso no mundo concluía que era muito justo lhe caber a posse do tal. Quem que errou forte e incorrigivelmente? Só Bismarck. Alguém chamou esse homem de "último Nibelungo"... Nibelungo, não tem dúvida. Conseguiu Alsácia, ouro do Reno, pela renúncia do amor.

Enquanto isso todos os países da terra, abraçados, se amavam numa promíscua rede comum, não é? Estávamos no primeiro decênio deste século que deu no vinte. Todos os abraçados perdiam terreno. O homem-da-vida ganhava-o. Por adaptação? *É. Será? Vejo Serajevo, apenas como bandeira.* Nas pregas dela brisam invisíveis as ambições comerciais. Pum! Taratá! Clarins gritando, baionetas cintilando, desvairado matar, hecatombes, trincheiras, pestes, cemitérios... Soldados desconhecidos. A culpa era do homem-da-vida, não é? Porém a guerra foi inventada pelos proprietários das fábricas vizinhas, isso não tem que guerê nem pipoca! Não foi.

wraiths gather, the man-of-dreams also sang his *Home, Sweet Home* which belongs to no single race and is a universal desire, the man-of-life still adapted. He built cannons through the soft hands of a widow. Stored asphyxiating gases, sharpened bayonets to, in the future, chop off the imaginary little arms of as many imaginary and French Hansel and Gretel, Chanticleer's[33] reasonable fright. Barbaric Teuton, infra-tender nonfraternal German!

Let's even accept that he fattened the multisecular, universal and secret idea of the possession of the world... Don't blame the man-of-dreams for it. The man-of-life is the one who, observing himself victorious in the world, concluded that it was very fair that its possession falls to him. Who erred heavily and incorrigibly? Only Bismarck. Someone called this man the "last Nibelung"... Nibelung,[34] no doubt. He managed to get Alsace, the Rhine gold, through the renunciation of love.

Meanwhile all countries on Earth embraced, loved each other in a promiscuous common network, right? We were in the first decade of this century which turned into the twentieth. All those embraced were losing ground. The man-of-life gained it. By adaptation? *Yes. Is it? I see Sarajevo*, only as a flag. Commercial ambitions breeze invisible in its folds. Pow! Rat-a-tat-tat! Clarions screaming, bayonets sparkling, frantic killing, hectacombs, trenches, pests, cemeteries... Unknown soldiers. It was the man-of-life's fault, isn't it? But the war was invented by the owners of the neighboring factories, end of story! It was not.

Culpa de um, culpa de outro, tornaram a vida insuportável na Alemanha. Mesmo antes de 14 a existência arrastava difícil lá, Fräulein se adaptou. Veio pro Brasil, Rio de Janeiro. Depois Curitiba onde não teve o que fazer. Rio de Janeiro. São Paulo. Agora tinha que viver com os Sousa Costas. Se adaptou. — … *der Vater… die Mutter… Wie geht es ihnen?…* A pátria em alemão é neutro: *das Vaterland*. Será! Vejo Serajevo apenas como bandeira. Nas pregas dela brisam... etc.

(Aqui o leitor recomeça a ler este fim de capítulo do lugar em que a frase do etc. principia. E assim continuará repetindo o cânone infinito até que se convença do que afirmo. Se não se convencer, ao menos convenha comigo que todos esses europeus foram uns grandessíssimos canalhões.)

— Minhas filhas já falam o alemão muito direitinho. Ontem entrei na Lirial com Maria Luísa… pois imagine que ela falou em alemão com a caixeirinha! Achei uma graça nela!… Fräulein é muito instruída, lê tanto! Gosta muito de Wagner, você foi no Tristão e Isolda? que coisa linda. Gostei muito. Também: quatrocentos mil réis por mês!

E continuava falando que Felisberto não se importava de gastar, contanto que os meninos aprendessem, etc.

Blame one, blame the other, they made life unbearable in Germany. Even before 1914 existence dragged hard there, but Fräulein adapted. She came to Brazil, Rio de Janeiro. Then Curitiba, where she had nothing to do. Rio de Janeiro. So Paulo. Now she had to live with the Sousa Costas. She adapted. – ... *der Vater... die Mutter... Wie geht es Ihnen...*[35] Homeland in German is a neutral word: *das Vaterland. It will be! I see Sarajevo only as a flag. In its folds breeze... etc.*

(Here the reader restarts reading this end of chapter from the place where the etc. phrase begins. And will continue so, repeating the infinite canon, until he's convinced of what I say. If he's not convinced, at least agree with me that all these Europeans were major scoundrels.)

"My daughters already speak German very well. Yesterday I entered Lirial with Maria Luísa... so imagine that she spoke German with the little box office girl! I found it amusing! Fräulein is very well-educated, she reads so much! She likes Wagner a lot, did you go to Tristan and Isolde? what a beautiful thing. I really enjoyed it. No wonder: four hundred thousand *réis* per month!

And she kept saying that Felisberto didn't mind spending, as long as the children learned, and so on.

De repente Carlos começou a estudar o alemão. Em 15 dias fez um progresso danado. Quis propor mesmo um aumento nas horas de estudo, porém, não sabendo bem porque, não propôs. Lhe interessava tudo o que era alemão, comprava revistas de Munique. Andava com elas na rua e depois vinha depressa entregá-las a Fräulein. Soube de cor a população da Alemanha, aspecto geral e clima. Até longitude e latitude, que não sabia bem o que eram. A potamografia alemã lhe era familiar, ah! os castelos do Reno... viver lá!... Seguia com interesse a ocupação da Alemanha pelos franceses. Aplaudia o procedimento da Inglaterra, país às direitas. Um dia afirmou no jantar que Goethe era muito maior que Camões, maior gênio de todos os tempos!

Tivera nesse dia uma cançãozinha de Goethe pra traduzir, história dum pastor que vivia no alto das montanhas. Se entusiasmara, lindíssimo! Decorava-a.

E falou pro pai que estava com vontade de aprender piano também.

Sousa Costa não dava atenção. Corresse o caso bem depressa! desejava. De quando em quando lhe roncavam azedos na ideia uns borborigmos de arrependimento.

Fräulein é que percebeu muito bem a mudança do rapaz, finalmente! Carecia agora se reter um pouco, mesmo voltar pra trás. Avançara por demais porque ele tardava. Devia guardar-se outra vez. As coisas principiam pelo princípio.

— Bom dia, Fräulein!

Suddenly Carlos began to study German. In 15 days he made damn good progress. He wanted to propose even an increase in the hours of study, but, not knowing quite why, he did not propose it. He was interested in all that was German, bought magazines from Munich. He walked with them on the street, and then came quickly to Fräulein. He learned by heart the population of Germany, its general features and climate. Even its longitude and latitude, which he didn't quite know what they were. German potamography[36] was familiar to him, ah! the castles of the Rhine... to live there!... He followed with interest the occupation of Germany by the French. He applauded the procedure of England, an upright country. One day he said at dinner that Goethe was much bigger than Camões, the greatest genius of all times!

On that day there had been a little song by Goethe to translate, the story of a shepherd who lived high in the mountains. He was thrilled, so beautiful! He memorized it.

And he told his father that he wanted to learn piano, too.

Sousa Costa gave it no attention. That the affair happened pretty fast! he wished. From time to time he was annoyed by the roar of rumbling regrets in his mind.

It was Fräulein who noticed the boy's change very well, finally! She would need a moment to restrain herself, even to go backwards. She had gone too far because he was lagging. She should refrain herself again. Things begin at the beginning.

"Good morning, Fräulein!"

— Bom dia, Carlos.

— *Wie geht's Ihnen?*

— *Danke, gut.*

— Fräulein! vamos passear no jardim com as crianças!

— Não posso, Carlos. Estou ocupada.

— Ora, vamos! Maria Luísa também vai, ela precisa! Aldinha! Laurita! Vamos passear no jardim com Fräulein!

— Vamos! Vamos! as crianças apareceram correndo.

— Vamos hein!...

— Carlos, eu já disse que não posso. Vá você.

Levar as crianças no jardim... ora essa! ele não era ama-seca! Mas foi.

É coisa que se ensine o amor? Creio que não. Pode ser que sim. Fräulein tinha um método bem dela. O deus paciente o construíra, talqual os prisioneiros fazem essas catitas cestinhas cheias de flores e de frutas coloridas. Tudo de miolo de pão, tão mimoso!

O amor deve nascer de correspondências, de excelências interiores. Espirituais, pensava. Os dois se sentem bem juntos. A vida se aproxima. Repartem-na, pois quatro ombros podem mais que dois. A gente deve trabalhar... os quatro ombros trabalham igualmente. Deve-se ter filhos... Os quatro ombros carregam os filhos, quantos a fecundidade quiser, assim cresce a Alemanha. De noite uma ópera de Wagner. Brahms. Brahms é grande. Que profundeza, seriedade. Há concertos de órgão também. E a gente pode cantar em coro... Os quatro ombros frequentam a Sociedade Coral. Têm boa voz e cantam. Solistas? Só cantam em coro. *Gesellschaft*. Porém isso é para alemães, e

"Good morning, Carlos."

"Wie gehfs Ihnen?"

"Danke, gut."

"Fräulein! let's go for a walk in the garden with the kids!"

"I cannot, Carlos. I'm busy."

"Oh, come on! Maria Luísa is also going, she needs it! Aldinha! Laurita! Let's take a walk in the garden with Fräulein!"

"Let's go! Let's go!" the children came running.

"Come on, huh!..."

"Carlos, I already said I cannot. You go."

Take the children to the garden... well now! He wasn't a nanny! But he went.

Is love something one can teach? I don't think so. It might be. Fräulein had a method of her own. The patient god had built it, just as the prisoners make these quaint baskets filled with colorful flowers and fruits. All made of core of the bread, so delicate!

Love must be born of correspondences, of inner excellences. Spiritual, she thought. The two feel good together. Life accosts. They share it, for four shoulders can endure more than two. They must work... the four shoulders work equally. One must have children... The four shoulders carry the children, as many as fecundity wants, thus does Germany grow. At night an opera by Wagner. Brahms. Brahms is great. What depth, soberness. There are organ concerts too. And people can sing in chorus... The four shoulders attend the Choral Society. They have a good voice and they sing. Soloists? They only sing in

pros outros? Sim: quase o mesmo... Apenas um pouco mais de verdade prática e menos Wagner. E o serviço dela entende só da formação dos homens. O homem tem de ser apegado ao lar. Dirige o sossego do lar. Manda. Porém sem domínio. Provê. É certo que a mulher o ajudará. O ajudará muito, dando algumas lições de línguas, servindo de acompanhadora pra ensaios na Panzschuele, fazendo a comida, preparando doces, regando as flores, pastoreando os gansos alvos no prado, enfeitando os lindos cabelos com margaridinhas...

Fräulein engole quase um remorso porque se apanha a divagar. Queixumes do deus encarcerado. O homem-da-vida quer apagar tantas nuvens e afirma ríspido que não trata-se de nada disso: a profissão dela se resume a ensinar primeiros passos, a abrir olhos, de modo a prevenir os inexperientes da cilada das mãos rapaces. E evitar as doenças, que tanto infelicitam o casal futuro. Profilaxia. Aqui o homem-do-sonho corcoveia, se revolta contra a aspereza do bom senso e berra: Profilaxia, não! Mas porém deverá parolar, quando mais chegadinho o convívio, sobre essas "meretrizes" que chupam o sangue do corpo sadio. O sangue deve ser puro.

Vejam por exemplo a Alemanha, que-dê raça mais forte? Nenhuma. E justamente porque mais forte e indestrutível neles o conceito da família. Os filhos nascem robustos. As mulheres são grandes e claras. São fecundas. O nobre destino do homem é se conservar sadio e procurar esposa prodigiosamente sadia. De raça superior, como ela, Fräulein. Os negros são de raça inferior. Os índios também. Os portugueses também.

chorus. *Gesellschaft.*[37] But this is for Germans, and for the others? Yes: almost the same... Just a little more practical truth and less Wagner. And her work only knows of the training of men. Man has to be attached to the home. Lead the quietness of the home. Rules. But without domination. Provides. It is certain that the woman will help him. She will help him a lot, giving some lessons on languages, serving as an escort for rehearsals in the Panzschuele,[38] making food, preparing sweets, watering the flowers, shepherding the geese in the meadow, gracing the beautiful hair with daisies...

Fräulein almost swallows the remorse because she finds herself wandering. Grumbling of the imprisoned god. The man-of-life wants to erase so many clouds and harshly says that this is not the question: her profession consists of teaching first steps, opening eyes, in order to prevent the inexperienced from the trap of preying hands. And to avoid diseases, which unhappies the future couple. Prophylaxis. Here the man-of-dreams humps, rises up against the harshness of common sense and shouts: Prophylaxis, no! But he must, however, tattle, even more when the conviviality comes closer, about these "harlots" who suck the blood of the healthy body. The blood must be pure.

Take, for example, Germany, which is a stronger race? None. And precisely because the concept of the family is stronger and more indestructible in them. Children are born strong. Women are big and white. They are fecund. The noble destiny of man is to keep himself healthy and to seek a prodigiously healthy wife. Of superior race, like her, Fräulein.

Mas esta última verdade Fräulein não fala aos alunos. Foi decreto lido a vez em que um trabalho de Reimer lhe passou pelas mãos: afirmava a inferioridade dos latinos. Legítima verdade, pois quem é Reimer? Reimer é um grande sábio alemão. Os portugueses fazem parte duma raça inferior. E então os brasileiros misturados? Também isso Fräulein não podia falar. Por adaptação. Só quando entre amigos de segredo, e alemães. Porém os índios, os negros quem negará sejam raças inferiores?

Como é belo o destino do casal superior. Sossego e trabalho. Os quatro ombros trabalham sossegadamente, ela no lar, o marido fora do lar. Pela boca da noite ele chega da cidade escura... Vai botar os livros na escrivaninha. Depois vem lhe dar o beijo na testa... Beijo calmo... Beijo preceptivo... Todo de preto, com o alfinete de ouro na gravata. Nariz longo, quase diáfano bem raçado... Todo ele é claro, transparente... Tossiria, arranhando o óculos sem aro... Tossia sempre... E a mancha irregular do sangue nas maçãs... Jantariam quase sem dizer nada... Como passara?... Assim, e ele?... Talvez mais três meses e termina o segundo volume de *O Apelo da Natureza na Poesia dos Minnesänger*... Lhe davam o lugar na Universidade... A janta acabava... Ele atirava-se ao estudo... Ela arranja de novo a toalha sobre a mesa... Temos concerto da Filarmônica amanhã. Diga o programa. Abertura de Spohr, a Pastoral de Beethoven, Strauss, *Hino ao Sol* de Mascagni e Wagner. A *Pastoral*? A Pastoral. Que bom. E de Wagner? *Siegfried-Idill* e *Götterdãmmerung*. *Siegfried-Idill*? *Siegfried-Idill*. Ah! podiam dar a *Heróica*... Já ouvimos cinco vezes a

Blacks are of inferior race. The Indians also. The Portuguese also.

But this last truth Fräulein doesn't speak to the students. It was a decree she read at the time when a work of Reimer passed through her hands: he affirmed the inferiority of the Latinos. Legitimate truth, for who is Reimer? Reimer is a great German sage. The Portuguese are part of an inferior race. And then the mixed Brazilians? That, too, Fräulein couldn't speak of. By adaptation. Only when among secret friends, and Germans. But the Indians, the Blacks who will deny that they are inferior races?

How beautiful the fate of the superior couple is. Rest and work. The four shoulders work quietly, she in the home, the husband out of the home. Around nightfall he arrives from the dark city... He'll put the books on the desk. Then come and kiss her on the forehead... A calm kiss... A preceptive kiss... All in black, with the gold pin on his tie. Long nose, almost diaphanous, well bred... He's all white, transparent... He'd cough, scratching his rimless glasses... He always coughed... And the uneven spot of blood on the cheeks... They would eat dinner almost without saying anything... How was she?... So so, what about him?... Maybe three more months and he'd finish the second volume of *The Appeal of Nature in Minnesänger Poetry*... They'd give him his place at the University... Dinner would end... He'd throw himself into his studies... She arranges the tablecloth on the table again... We have a Philharmonic concert tomorrow. Tell me the program. Opening by Spohr, Beethoven's *Pastoral*, Strauss, Mascagni's *Hymn to the Sun*, and Wagner. *Pastoral?* Pastoral. How nice. What about Wagner? *Siegfried-*

Pastoral, este ano... podiam levar a *Heróica*... Mas a *Heróica*... Napoleão... Em todo caso a gente não pode negar: Napoleão foi um grande general... Morreu preso em Santa Helena.

Aqui Fräulein repara que aos poucos o homem-do-sonho se substituíra de novo ao homem-da-vida. É porque este aparece unicamente quando trata-se de viver mover agir. O outro é interior, eu já falei. Ora, pois o pensamento é interior, nem sequer é volição, que participa já do ato. O homem-da-vida age não pensa. Fräulein está pensando. Nem o homem-da-vida, propriamente, lhe disse que ela ensina apenas os primeiros passos do amor, dá a entender isso apenas, pela maneira com que obstinada e mudamente se comporta. Franqueza: o que pratica é isso e apenas isso.

Porém vão falar a um alemão que ele traz consigo tal homem-da-vida... Energicamente negará, nunca morou nesta casa. E com razão. Reconhece o homem-do-sonho porque este pensa e sonha. Ora de verdadeiro, pro idealista só o que é metafísico. As matérias são mudas, as almas pensam e falam. Tratando-se pois de amor-tese, teoria do amor, amorologia, é o prisioneiro paciente quem amassa o miolo de pão, esculpe e colore cestinhas lindas, pra enfeite do apartamento arranjado e limpo que Fräulein tem no pensamento.

A consciência, porém, que não é nem da vida nem do sonho e a Deus pertence, lhe mostra como atuou o homem-da-vida. Unicamente ensinou primeiros passos, abriu olhos. Foi prático. Foi excelente. Porém pra Fräulein tal virtude não basta, e a consequência é um remorso. Porém remorsico vago, muito esgarçado. E ela continuara divagando, divagando,

Idyll and *Götterdämmerung*. Siegfried-Idyll? *Siegfried-Idyll*. Ah! they could play the *Eroica*... We have attended Pastoral five times this year... they could play *Eroica*... But *Eroica*... Napoleon... In any case we cannot deny: Napoleon was a great general... He died in prison in St. Helena.

Here Fräulein realizes that the man-of-dreams will gradually replace the man-of-life once again. It is because this one appears only when it comes to living, moving, taking action. The other is interior, I already told you. Now, because thought is interior, it's not even volition, which already participates in the act. The man-of-life acts, doesn't think. Fräulein is thinking. Not even the man-of-life, has, properly, told her that she teaches only the first steps of love, he only implies it, by the way he stubbornly and mutely behaves. Frankness: what he practices is this and only this.

But go and tell a German that he brings such man-of-life within himself... He will energetically deny it; he has never lived in this house. And rightly so. He recognizes the man-of-dreams because this one thinks and dreams. Well for the idealist only what is metaphysical is true. Matter is dumb, souls think and speak. When dealing with a love-thesis, love theory, loverology, it's the patient prisoner who kneads the core of the bread, sculpts and colors beautiful little baskets, to adorn the clean and neat apartment Fräulein has in her mind.

The conscience, however, which is neither of life nor of the dream and belongs to God, shows her how the man-of-life acted. He only taught first steps, opened eyes. He was practical. He was excellent. But for Fräulein such virtue isn't enough, and the consequence is remorse. But vague little remorse, very frayed. And she

açucaradamente divagando em seu pequeno pensamento. Assim enfeita os gestos do homem-da-vida com o sonho sério severo e simples, pra usar unicamente esses. E sonoro. *Wiegenlied*, de Max Reger, *opus 76*.

Langsam.

... O quartinho é escuro. Maria embala no bercinho pobre o filho recém-nascido. Janelas abertas, dando para a grande noite azulada, facilmente mística. Nascem do chão, saem pelas janelas as duas colunas inclinadas do luar. Verão. Silêncio. Murmúrio em baixo, longe, das águas sagradas do Reno. Respira-se possante, fecundo, imortal, o aroma do ventre de Erda. A canção é para criancinhas. E, como na cisma tudo é mistura e associação, à melodia de Reger vem continuar o *Lied*, de Körner:

"Geht zur Ruh!
Schlisst die müden Augen zu!
Stiller wird es auf den Strassen
Nur den Wächter hört man blasen,
Und die Nacht ruft allen zu:
Geht zur Ruh'!..."

A canção não é pra criancinhas? É. Soa severa, honesta, popular... A consciência de Fräulein adormece.

É coisa que se ensine o amor? Creio que não. Ela crê que sim. Por isso não foi no jardim, deve se guardar. Quer mostrar que o dever supera os prazeres da carne, supera. Carlos desfolha uma rosa. Sob as glicínias da pérgola braceja de tal jeito que o chão todo se pontilha de lilá.

went on digressing, rambling, sweetly rambling in her little thought. Thus she adorns the man-of-life's gestures with a serious, severe and simple dream, to use only these. And sonorous. *Wiegenlied*, by Max Reger, *Opus 76.*

Langsam.[39]

... The little room is dark. Mary rocks the poor new-born baby in the little crib. Open windows, leading to the great bluish night, easily mystical. They are born from the floor, the two moonlit columns rise out of the windows. Summer. Silence. Murmur down below, far, from the sacred waters of the Rhine. Breathing is powerful, fecund, immortal, the aroma of Erda's belly.[40] The song is for little children. And, as in the schism everything is mixture and association, to Reger's melody comes Krner's *Lied*[41] to continue:

Geht zur Ruh!
Schließt die müden Augen zu!
Stiller wird es auf den Straßen
Und den Wächter hört man blasen
Und die Nacht ruft allen zu:
Geht zur Ruh!...[42]

Isn't this song for little children? It is. It sounds stern, honest, popular... Fräulein's consciousness falls asleep.

Is love something that can be taught? I don't think so. She thinks so. So she didn't go in the garden, she should save herself. She wants to show that duty exceeds the pleasures of the flesh, surpasses it. Carlos peels a rose. Under the wisteria of

— Ih! vou contar pra mamãe que você está estragando as plantas!

— Não me amole!

— Amolo, pronto! Mamãe! Mamãe! Me largue! Feio! Mamãe!

— Me dá um beijo!

— Não dou!

— Dá!

— Mamãe! olhe Carlos! ai!...

Aldinha aos berros pela casa.

Ele não fez por mal, quis beijar e machucou. Aldinha chora. A culpa é de quem? De Carlos.

Carlos é um menino mau.

Fräulein fazia Maria Luísa estudar no piano pequenos *Lieder* populares dum livro em quarto com figuras coloridas. Lhe dava também pecinhas de Schubert e alegros de Haydn. Pra divertir, fez ela decorar uma transcrição fácil da *Canção da Estrela*, do *Tanhäuser*. As crianças já cantavam em uníssono o *Tannenbaum* e um cantar-de-estrada mais recente, que pretendia ser alegre mas era pândego. Fräulein fazia a segunda voz. E falava sempre que não deviam cantar maxixes nem foxtrotes. Não entendia aquele sarapintado abuso da síncopa. *Auf Flugeln des Gesanges*... Ritmo embalador e casto. O samba lhe dava uns arrepios de espinha e uma alegria... musical? Desprezível. Só Wagner soubera usar a síncopa no noturno do Tristão.

the pergola he flounces in such a way that the entire ground is dotted with lilac.

"Hey! I'm going to tell Mommy that you're ruining the plants!

"Don't annoy me!"

"I do, so what! Mommy! Mommy! Let me go! Ugly! Mommy!"

"Give me a kiss!"

"I won't!"

"Give!"

"Mommy! look at Car-los! ouch!"

Aldinha went screaming to the house.

He didn't mean it, he wanted to kiss, and hurt her. Aldinha cries. Who's to blame? Carlos.

Carlos is a bad boy.

Fräulein was making Maria Luísa study little popular *Lieder*[43] from a book in the piano in a room with colorful figures. She also gave her little pieces from Schubert and allegros from Haydn. To make it amusing, she made her memorize an easy transcription of the *Song of the Evening Star,* from *Tannhäuser*. The children already sang the *O Tannenbaum*[44] in unison, and also a more recent road-trip song, which was intended to be cheerful but was funny. Fräulein sang the second voice. And she always said that they should not sing *maxixes*[45] nor foxtrots. She didn't understand that mottled abuse of syncope. *Auf Flugeln des Gesanges…* Lulling and chaste rhythm. The samba gave her shivers in the spine and a joy… musical? Despicable. Only Wagner had been able to use the syncope in Tristan's nocturnal.

Carlos também cantava o *Tannenbaum* mas desafinava. Não tinha voz nenhuma. Porém descobrira o perfume das rosas. Perfume sutil e fugitivo, ôh! a boniteza das vistas!... As vezes se surpreendia parado diante das sombras misteriosas. As tardes, o lento cair das tardes... Tristes. Surgia nele esse gosto de andar escoteiro, cismando. Cismando em quê? Cismando, sem mais nada. Devia de ter felicidades quentes além... Estava pertinho do suspiro, sem alegria nem tristeza, suspiro, no silêncio amigo do luar.

— Mamãe! olhe Carlos!

Fräulein tinha poucas relações na colônia, achava-a muito interesseira e inquieta.

Sem elevação. Preferia ficar em casa nos dias de folga relendo Schiller, canções e poemas de Goethe. Porém com as duas ou três professoras a que mais se ligava pela amizade da instrução igual, discutia *Fausto* e *Werther*. Não gostava muito desses livros, embora tivesse a certeza que eram obras-primas.

Também com essas amigas, alguns camaradas, um pintor, professores saía nalgum domingo raro em piqueniques pelo campo. Às vezes também o grupo se reunia na casa de Fräulein Kothen, professora de piano línguas e bordados. Depois do café embaçado com um pingo arisco de leite, a conversa mudava de alegria. Todos sinceros. E de Wagner, de Brahms, de Beethoven se falava.

Carlos also sang the *Tannenbaum*, but he was out of tune. He had no voice at all. But he had discovered the scent of roses. Perfume subtle and fugitive, oh! the beauty of the sight!... Sometimes he was taken by surprise standing before the mysterious shadows. The afternoons, the slow fall of the afternoons... Sad. It appeared in him that taste of walking alone, pondering. Pondering on what? Pondering, without anything else. He might have had warmth beyond... He was close to the sigh, without joy or sorrow, sigh, in the silence friends of the moonlight.

"Mom! look at Carlos!"

Fräulein had few relations in the colony, she found it very self-interested and restless.

Without elevation. She preferred to stay at home on her days off rereading Schiller, Goethe's songs and poems. However, with the two or three teachers, to whom she was most attached through the friendship of the similar education, she discussed *Faust* and *Werther*. She didn't much like these books, though she was sure they were masterpieces.

Also with these friends, some comrades, a male painter, teachers, she would go out on some rare Sunday for picnics in the countryside. Sometimes the group also met at the house of Fräulein Kothen, a teacher of piano, languages, and embroidery. After coffee, blurred with a shy drop of milk, the conversation changed with joy. All sincere. And Wagner, of Brahms, of Beethoven it were spoken of.

Uma frase sobre Mahler associava à conversa a ideia de política e dos destinos do povo alemão, o tom baixava. O mistério penoso das inquietações baritonava aquelas almas, inchadas de amor pela grande Alemanha. Frases curtas. Elipses. Queimava cada lábio, saboroso, um gosto de conspiração. Que conspiram eles? Sossegue, brasileiro, por enquanto não conspiram nada. Mas a França... Tanta parolagem bombástica. Humanidade, Liberdade, Justiça... não sei que mais! e estraçalhar um povo assim... lhe dar morte lenta. Porque não matara duma vez, quando pediu armistício o invencido povo do Reno?... *die Fluten des Rheines.*

Schutzen uns zwar, doch ach! was sind nun Fluten und Berge...

Jenem schrecklichen Volke, das wie ein Gewitter daherzieht!... Versos de Goethe não faltam na ocasião, fremiam de amor. Não conspiravam nada. Desconversava um pouco a sociedade, porém um pouco só, porque alimentava aqueles exilados a confiança do futuro. Por isso criticavam com justeza a figura do Kaiser. Todos republicanos. Porque a Alemanha era republicana. Mas ao concordarem que o Kaiser devia ter morrido, não é que ecoa na voz deles, insopitável, quase soluçante, o pesar por aquele rei amado, rei tão grande, morto em vida e de morte chué!

— Devia morrer!...

— Devia morrer.

Esconde as lágrimas, Fräulein. É verdade que são duas apenas. Os olhos vibram já de veneração e entusiasmo sem

A phrase about Mahler associated the idea of politics and the fates of the German people to the conversation, the tone lowered. The painful mystery of the restlessness baritoned those souls, swollen with love for the great Germany. Short sentences. Ellipses. It burned every lip, tasty, a taste of conspiracy. What do they conspire? Calm down, Brazilian, for now they conspire nothing. But France… So much bombastic prate. Humanity, Freedom, Justice… I don't know what else! and shattering a population in such a way was… to give it slow death. Why hadn't they killed them at once, when they asked for the truce of the people of the Rhine?… *die Fluten des Rheines*

Schützen uns zwar, doch ach! was sind nun Fluten und Berge…

Jenem schrecklichen Volke, das wie ein Gewitter daherzieht!…[46] There are plenty of verses from Goethe on the occasion, they tremble with love. They didn't conspire anything. It was a little disconcerting to society, but only a little, because those exiles fed the confidence of the future. That is why they rightly criticized the figure of the Kaiser. All republicans. Because Germany was republican. But when they agreed that the Kaiser must have died, it's not that it echoes in their voice, insupportable, almost sobbing, their sorrowful for that loved king, such great a king, died in his life and of a paltry death.

"He should die!…"

"He should die."

She hides her tears, Fräulein. It's true that they are only two. The eyes already vibrate of veneration and enthusiasm

crítica: alguém no silêncio fala da vida e obras de Bismarck. Fräulein trouxe a cítara. Pois cantemos em coro as canções da velha Alemanha.

Vibra a sala. O acorde admirável sobe lentamente, se transforma pesadamente, cresce, cresce, morre aos poucos no pianíssimo grave, cheio de unção.

Os homens cantavam melhor que as mulheres.

Levara as meninas à missa. Ao voltar, por desfastio dominical, perturbara o sono egípcio da biblioteca de Sousa Costa, e viera pro jardim sob a pérgola, entender aplicadamente uma elegia de Camões. O sol de dezembro escaldava as sombras curtas. No vestido alvíssimo vinham latejar as frutinhas da luz. O rosal estalava duro, gotejando no ar um cheiro pesado que arrastava.

Carlos descera do bonde e entrava no jardim, vinha do clube. Fräulein viu ele chegar como sem ver, escondida na leitura. Ele hesitou. Enveredou pra pérgola.

— Bom dia, Fräulein!

— Bom dia, Carlos. Nadou muito?

— Assim.

Agora sorria com esse sorriso enjeitado dos que não agem claro e... procedendo mal? porque! Passara a perna esquerda sobre a mesa branca, semi-sentado. Balançava-a num ritmo quase irregular. Quase. E olhava sobre a mesa uma folha

without criticism: someone in the silence speaks of the life and works of Bismarck. Fräulein brought the zither. For we sing in chorus the songs of old Germany.

The room vibrates. The marvelous chord rises slowly, becomes heavily transformed, grows, grows, dies slowly on the grave pianissimo, full of anointing.

The men sang better than the women.

She had taken the girls to church mass. On her return, for Sunday cheerfulness, she had disturbed the Egyptian sleep of Sousa Costa in the library, and had come to the garden under the pergola, to appliedly understand an elegy of Cames. The December sun scaled the short shadows. On the very white dress the little fruits of light appeared quivering. The rosary snapped hard, dripping in the air a heavy scent that dragged around.

Carlos got off the streetcar and entered the garden, he was coming from the club. Fräulein saw him arrive as if she hadn't, hidden in her reading. He hesitated. He headed for the pergola.

"Good morning, Fräulein!"

"Good morning, Carlos. Did you swim a lot?"

"So so."

Now he smiled with that foundling smile of those who don't do right and… doing wrong? because! He had passed his left leg over the white table, semi-seated. He was swinging it at an almost irregular pace. Almost. And he looked at a lost leaf with

perdida com que a mão brincava. Os desapontados se deixam olhar, Fräulein examinou Carlos.

Essa foi, sem que para isso tivesse uma razão mais forte, a imagem dele que conservaria nítida por toda a vida. O rapazinho derrubara o braço desocupado sobre a perna direita retesa. Assim, ao passo que um lado do corpo, rijo, quase reto, dizia a virilidade guapa duma força crescente ainda, o outro, apoiado na mesa, descansando quebrado em curvas de braço e joelho, tinha uma graça e doçura mesmo femínea, jovialidade! De repente entregou os olhos à moça. Trouxe-os de novo para a brincadeira da folha e da mão. Fräulein sabia apreciar tanta meninice pura e tão sadia. Felizes ambos nessa intimidade.

— Vou trocar de roupa!

Na verdade ele fugia. Não tinha ainda a ciência de prolongar as venturas, talvez nem soubesse que estava feliz. Fräulein sorriu pra ele, inclinando de leve a cabeça bruna manchada de sol. Carlos se afastou com passo marinheiro balançando, bem apoiado no chão. A cabeça bem plantada na touceira do suéter. Entrou na casa sem olhar pra trás.

Mas Fräulein o enxerga por muito tempo ainda, se afastando. Vitorioso sereno. Como um jovem Siegfried.

Depois do almoço as crianças foram na matinê do Royal. Estou falando brasileiro. Fräulein acompanhou-as. Carlos acompanhou. Acompanhou quem?

which his hand played the table. The disappointed ones are allowed to be looked at, Fräulein examined Carlos.

This was, without a stronger reason than that, the image of him that she would keep vivid throughout her life. The little young man had dropped his unoccupied arm over his rigid right leg. So, while one side of the body, stiff, almost straight, told of the handsome virility of a still growing force, the other, leaning on the table, arm and knee curves resting exhausted, had an almost feminine grace and sweetness, joviality!

Suddenly he bestowed his eyes to the young woman. He brought them back to the play of the leaf and the hand. Fräulein knew how to appreciate such pure and healthy boyishness. Both happy in this intimacy.

"I'm going to change my clothes!"

In reality he was running away. He still didn't know the science of how to prolong his fortunes, he might not even had known that he was happy. Fräulein smiled at him, tilting her sun-drenched brown head. Carlos stepped away with an energetic stride, well-grounded. His head well planted on the top of the sweater. He went in the house without looking back.

But Fräulein still sees him for a long time, moving away. Serene victorious. As a young Siegfried.

After lunch the kids were in the matinee at the Royal. I'm speaking Brazilian. Fräulein accompanied them. Carlos followed. Followed whom?

— É! Você nunca vinha na matinê e agora vem só pra amolar os outros! Vá pro seu futebol que é melhor! Ninguém carece da sua companhia...

— Que tem, Maria, eu ir também!

— Olhe o automóvel como está! Machuca todo o vestido da gente!

Com efeito o automóvel alugado é pequeno pra cinco pessoas, se apertaram um pouco. E como são juntinhas as cadeiras do Royal!

Carlos não repara que tem entreatos nos quais os rapazotes saem queimar o cigarro, engolir o refresco. Se ele não fuma... Mas não tem rapazote que não goste de passar em revista as meninetas. Carlos não fuma. Se deixa ficar bem sentadinho, pouco mexe. Olha sempre pra diante fixo. Vermelho. Distraído. Isso: quebrado pelos calores de dezembro, nada mais razoável. O espantoso é perceber que ela derrubou o programa, ergue-o com servilidade possante.

— Está gostando, Fräulein?

Ao gesto de calor que ela apenas esboça, faz questão de guardar sobre os joelhos o jérsei verde. Tudo com masculina proteção. Isso a derreia. Como está quente! O certo é que o corpo dela ultrapassa as bordas da cadeira todo o mundo se queixa das cadeiras do Royal. Há, talvez me engane, um contato. Dura pouco? Dura muito? Dura toda a matinê, vida feliz foge tão rápida!... Principalmente quando a gente acompanha uma senhora e três meninas. De repente Carlos quase abraça Fräulein, debruçando pra ver se do outro lado dela as irmãzinhas, portem-se bem, hein!... Compra balas. Ajuda

"Yeah! You never came to the matinee and now you just come to annoy others! Go to your soccer which is for the best! Nobody needs your company..."

"What's the problem, Maria, if I also go?"

"Look at the car how it is! You crush all our dresses!

Indeed the rented car is small for five people, they crowd a little. And how close are the chairs of the Royal!

Carlos doesn't notice that there are intervals in which the teenage boys go out to smoke their cigarettes, to swallow refreshments. If he doesn't smoke... But there is no teenage boy who doesn't like to muster the teenage girls. Carlos doesn't smoke. If you let him sit down, he won't move. Always look straight ahead. Red. Distracted. That: exhausted by the heat of December, nothing more reasonable. The astonishing thing is to realize that she has dropped the program; he fetches it with powerful servility.

"Are you enjoying it, Fräulein?"

To the gesture of heat that she just sketched, he makes sure to keep the green jersey over his knees. All with masculine protection. That tires her out. How hot it is! The truth is that her body goes beyond the edges of the chair, everyone complains about the Royal's chairs. There is, perhaps I'm mistaken, a contact. Is it short? Does it last long? It lasts the whole matinee, happy life flees so fast!... Especially when we accompany a lady and three girls. Suddenly Carlos almost embraces Fräulein, leaning over to see if his little sisters are on her other side, behave well, huh!... He buys candies. Helps the girls get out of the car on the way back, and so fast that he still pays the

as meninas a descer do automóvel na volta, e tão depressa que ainda paga o motorista antes de Fräulein, eu que pago! Subindo a escada, por que arroubos de ternura não sei, abraça de repente Maria Luísa, lhe afunda uns lábios sem beijo nos cabelos.

— Ai, Carlos! Não faça assim! Você me machuca!

Desta vez ele não machucou. Machucou sim. Porém nas epidermes da vaidade, que Maria Luísa se pensa mocinha e se quer tratada com distinção.

Porém o menino já esta longe e agora havemos de segui-lo até o fim, entrou no quarto. Mais se deixou cair, sem escolha, numa cadeira qualquer, a boca movendo numa expressão de angustia divina. Quereria sorrir... Quereria, quem sabe um pouco de pranto, o pranto abandonado faz vários anos, talvez agora lhe fizesse bem. Nada disso. O romancista é que esta complicando o estado de alma do rapaz. Carlos apenas assunta sem ver o quadrado vazio do céu. Uma final sublime, estranha sensação... Que avança, aumenta... Sorri bobo no ar. Pra não estar mais assim esfregando lentamente, fortemente, as palmas das mãos, uma na outra, aperta os braços entre as pernas encolhidas, musculosas. Não pode mais, faltou-lhe o ar. Todo o corpo se retesou numa explosão e pensou que morria. Pra se salvar murmura:

— Fräulein!

Baixam rápidos do Empíreo os anjos do Senhor, asas, muitas asas. Tatalam produzindo brisa fria que refrigera as carnes exasperadas do menino. As massagens das mãos

driver before Fräulein does, "I pay!" Climbing up the stairs, by what fits of tenderness I don't know, he suddenly hugs Maria Luísa, sinks his kissless lips in her hair.

"Ouch, Carlos! Don't do that! You hurt me!"

This time he didn't hurt. Yes, he did. But this time in the epidermis of vanity, that Maria Luísa thinks of herself as a young girl, and wants to be treated with distinction.

But the boy is already far away and now we will follow him to the end, he entered the bedroom. More, he let himself drop, without choice, into any chair, his mouth moving in an expression of divine anguish. He would want to smile... He would, perhaps a little bit of crying, the weeping abandoned several years ago, maybe now it would do him good. None of this. The novelist is the one complicating the young man's state of mind. Carlos only observes without seeing the empty square of the sky. A sublime final and sublime strange sensation... That advances, increases... He smiles silly up in the air. So that he no longer rubs the palms of his hands slowly, strongly, one in the other, he tightens his arms between his shrunken, muscular legs. He cannot do it any more, he ran out of breath. His whole body stiffened in an explosion and he thought he was dying. To save himself he murmurs:

"Fräulein!"

The angels of the Lord, wings, many wings, come down fast from the Empyrean. They whir producing a cool breeze that refreshes the boy's exasperated flesh. The massages of

angélicas pouco a pouco lhe relaxam os músculos espetados, Carlos se larga todo em beata prostração. Os anjos roçam pela epiderme dele esponjas celestiais. Essas esponjas apagam tudo, sensações estranhas, ardências e mesmo qualquerprova de delito. Na alma e no corpo. Ele não faz por mal! são coisas que acontecem. Porém, apesar de sozinho, Carlos encafifou.

Acham muita nisso os anjos, lhe passando nos olhos aquela pomada que deixa seres e vida tal-e-qual a gente quer.

São Rafael nos céus escreve:

Nº 9.877.524.953.407:

Carlos Alberto Sousa Costa.
Nacionalidade: brasileiro.
Estado social: solteiro.
Idade: quinze (15) anos.
Profissão: (um tracinho).
Intenções: (um tracinho).
Observações extraordinárias: (um tracinho).
"REGISTRO DO AMOR SINCERO".

Outro dia Fräulein voltou duma dessas reuniões na casa da amiga, com um maço de revistas e alguns livros. Um médico recém-chegado da Alemanha convicto de Expressionismo, lhe emprestara uma coleção de *Der Sturm* e obra de Schikele, Franz Werfel e Casimiro Edschmid.

Fräulein quase nada sabia do Expressionismo nem de modernistas. Lia; Goethe, sempre Schiller e os poemas de

the angelic hands gradually relax the stiff muscles; Carlos let his whole self go in blissful prostration. The angels brush celestial sponges through his epidermis. These sponges erase everything, strange sensations, ardencies, and even any evidence of crime. In the soul and in the body. He didn't mean it in a bad way! they're things that happen. However, in spite of being alone, Carlos got embarrassed.

The angels laugh about this a lot, putting in his eyes that ointment that leaves beings and life exactly like we want.

Saint Raphael[47] in heaven writes:

N9.877.524.953.40

Carlos Alberto Sousa Costa.

Nationality: Brazilian.

Social status: single.

Age: fifteen (15) years old.

Profession: (a little dash).

Intentions: (a little dash).

Extraordinary observations: (a little dash).

"SINCERE LOVE REGISTRY."

The other day Fräulein returned from one of these meetings at her friend's house, with a pack of magazines and some books. A doctor who had just arrived from Germany committed to Expressionism had lent her a collection of *Der Sturm* and the work of Schikele, Franz Werfel and Casimir Edschmid.

Fräulein knew almost nothing of Expressionism or Modernists. She read; Goethe, always Schiller, and Wagner's

Wagner. Principalmente. Lia também bastante Shakespeare traduzido. Heine. Porém Heine caçoara da Alemanha, lhe desagradava que nem Schopenhauer, só as canções. Preferia Nietzsche mas um pouquinho só, era maluco, diziam. Em todo caso Fräulein acreditava em Nietzsche. Dos franceses, admitia Racine e Romain Rolland. Lidos no original.

Seguiu página por página livros e revistas ignorados. Compreendeu e aceitou o Expressionismo, que nem alemão medíocre aceita primeiro e depois compreende. O que existe deve ser tomado a sério. Porque existe. Aquela procissão de imagens afastadíssimas, e contínuo adejar por alturas filosóficas metafísicas, aquela eterna grandiloquência sentimental... E a síntese, a palavra solta desvirtuando o arrastar natural da linguagem... De repente a mancha realista, ver um bombo pam! de chofre... Eram assim. Leu tudo. E voltou ao seu Goethe e sempre Schiller.

Se lhe dessem nova coleção de algum mensário inovador, mais livros, leria tudo página por página. Aceitaria tudo. Compreenderia tudo? Aceitaria tudo. Para voltar de novo a Goethe. E sempre Schiller.

O caso evolucionava com rapidez. Muita rapidez, pensava Fräulein. Mas Carlos era ardido, tinha pressa. Por outra: não é que tivesse pressa exatamente, porém não sabia somar.

poems. Mainly. She also read a lot of translated Shakespeare. Heine. But Heine had scoffed Germany, it displeased him like Schopenhauer, only the songs. She preferred Nietzsche but only a little, he was crazy, they said. In any case Fräulein believed in Nietzsche. Of the French, she'd acknowledge Racine and Romain Rolland. Read in the original.

She followed unknown books and magazines page by page. She understood and accepted Expressionism, as the mediocre German accepts first and then understands. What exists must be taken seriously. Because it exists. That procession of very distant images, and continuous flutter through metaphysical philosophical heights, that eternal sentimental grandiloquence… And the synthesis, the loose word distorting the natural drag of language… Suddenly the realist stain, to see a big drum bam! suddenly… It was like that. She read it all. And she returned to her Goethe and always Schiller.

If she was given a new collection of some groundbreaking monthly publication, and more books, she would read everything page by page. She would accept everything. Would she understand everything? She would accept everything. To then go back to Goethe again. And always Schiller.

The affair evolved rapidly. Too rapidly, thought Fräulein. But Carlos was bold, he was in a hurry. On the other hand, it wasn't that he was in a hurry exactly, but he didn't know how to add.

A aritmética nunca foi propícia aos brasileiros. Nós não somamos coisa nenhuma. Das quatro operações, unicamente uma nos atrai, a multiplicação, justo a que mais raro frequenta os sucessos deste mundo vagarento.

De resto, nós já sabemos que Carlos estragava tudo. Castigos da multiplicação. Ele compreendeu enfim, devido aquele fato lamentável apagado pela esponja dos arcanjos, que gostava mesmo de Fräulein. Principiou não querendo mais sair de casa. De primeiro era o dia inteirinho na rua, futebol, lições de inglês, de geografia, de não-sei-que-mais e natação, tarde com os camaradas e inda por cima, depois da janta, cinema. Agora? Vive na saia de Fräulein. Sempre desapontado, que dúvida! mas porém na saia de Fräulein. Sorri aquele sorriso enjeitado, geralmente de olhos baixos, cheio de mãos. De repente fixa a moça na cara destemido pedindo. Pedindo o quê? Vencendo. Fräulein se irrita: sem-vergonha!

Mas na verdade Carlos nem sabia bem o que queria. Fräulein é que sentia-se quebrar. Tinha angústias desnecessárias, calores, fraqueza. Em vão o homem-do-sonho trabalhava teses e teorias. Em vão o homem-da-vida pedia vagares e método, que estas coisas devem seguir normalmente até o cume do Itatiaia.

— Fräulein largue disso. Venha tocar um pouco pra mim!...

Voz queixosa. Voz cantante. Voz molenga.

— Não posso, Carlos. Preciso pregar estes botões.

— Ora venha!... Você ensina piano pra mim, ensina?

— Carlos, não me incomode.

Arithmetic was never propitious to Brazilians. We don't add up anything. Of the four operations, only one attracts us, multiplication, exactly the one most rare that frequents the successes of this sluggish world.

Besides, we already know that Carlos ruined everything. Punishments of multiplication. He understood at last, because of that deplorable fact erased by the sponge of the archangels, that he really liked Fräulein. It started by him not wanting to leave the house anymore. In the beginning it was the whole day on the street: football, English lessons, geography, of don't-know-what else, and swimming, afternoon with the buddies, and what's more, after dinner, cinema. Now? He's tied to Fräulein's apron strings. Always disappointed, no doubt! nevertheless tied to Fräulein's apron strings. He smiles that blunt smile, usually with downcast eyes, tiptoeing. Suddenly he stared the young woman fearless in the face, begging. What begging? Winning. Fräulein becomes annoyed: cheeky!

But Carlos actually didn't even know what he wanted. Fräulein felt like weakening. She had unnecessary anxieties, hot flushes, faintness. In vain the man-of-dreams worked on theses and theories. In vain the man-of-life asked for vagaries and method, which these things should normally follow to the summit of Itatiaia.[48]

"Fräulein let it go. Come play a little for me!..."

Whining voice. Singing voice Sluggish voice.

"I cannot, Carlos. I need to sew on these buttons."

"Come on! Teach me piano, will you?"

"Carlos, don't bother me."

— Então me ensine a pregar botões, vá!... me dá a agulha...

— Você me perturba, menino!

— Perturba!... (risinho) Ora, Fräulein! perturba no que! Imagine! estou perturbando Fräulein! (baixinho churriando) toca sim?... deixa de enjoamento!...

— Você é impossível, Carlos.

Ia pro piano. Folheava os cadernos sonoros. Atacava, suponhamos, a *Op. 81* ou os *Episoden*, de Max Reger. Tocava aplicadamente, não errava nota. Não mudava uma só indicação dinâmica. Porém fazia melhor o diminuendo que o crescendo...

Carlos muito atento, debruçado sobre o piano. Na verdade ele não escutava nada, todo olhos para a pianista, esperando o aceno dela pra virar a página. Pouco a pouco — não ouvia mas a música penetrava nele — pouco a pouco sentia pazes imberbes. Os anseios adquiriam perspectivas. Nasciam espaço, distâncias, planos, calmas... Placidez.

Fräulein pára e volta pra costura. Carlos solitariamente macambúzio, sem pensar em nada, se afasta. Jardim. Passeia as mãos amputadas pelas folhagens e flores. Agora não estraga mais nada. Considera o céu liso. Não está cansado. Incapaz de fazer coisa alguma. Maria Luísa passa, ele estira a perna. Movimento reflexo e pura memória muscular. Maria Luísa se viu obrigada a pular.

— Conto pra mamãe, bruto!... Vá bulir com Fräulein!

Ele apenas sorri, na indiferença. Não quer agir, não sente o gosto de viver. Fosse noutro momento, Maria Luísa não saía

"Then teach me how to sew on buttons, then!... give me the needle..."

"You bother me, boy!"

"Bother!... (chuckling) Now, Fräulein! bothers what! Imagine! I'm bothering Fräulein! (softly shrieking) play yes?... stop being a bore!..."

"You're impossible, Carlos."

She'd go to the piano. She'd leaf through the music notebooks. Attacked, suppose, *Opus 81* or the *Episoden*, by Max Reger. She played with diligence, didn't miss a note. She didn't change a single dynamic indication. But she played the diminuendo better than the crescendo...

Carlos was very attentive, leaning over the piano. In fact he didn't listen to anything; he was all eyes on the pianist, waiting for her nod to turn the page. Little by little — he didn't listen but the music penetrated him — little by little he felt youthful peace. The yearnings took on perspectives. Space, distances, planes, calm were born... Placidity.

Fräulein stops and goes back to sewing. Carlos, a solitary man, without thinking of anything, turns away. Garden. He runs his amputated hands through the foliage and flowers. Now he doesn't ruin anything else. He contemplates the smooth sky. He's not tired. Unable to do anything. Maria Luísa walks by, he stretches his leg. Reflex movement and pure muscular memory. Maria Luísa found herself forced to jump.

"I'll tell Mommy, you brute!... Go bully Fräulein!"

He just smiled in indifference. He doesn't want to act, doesn't feel the pleasure of living. At another time, Maria

dali sem chorar. Porém Carlos agora como que apenas se deixa existir. Existirá?

Aquilo dura tempo, bastante tempo.

Há todo um estudo comparativo a fazer entre a naftalina Max Reger e os brometos em geral.

Agora qualquer passagem mais pequena pro ditado. Estavam mais silenciosos que nunca. Prolongavam as lições e, pelas partes em que estas se dividiam, observavam machucados a aproximação do fim. No entanto eram horas de angústia aquelas! Em trinta dias partira esse bom tempinho de amor nascente, no qual as almas ainda não se utilizam do corpo. Porque nada sabem ainda. Os dois? Ponhamos os dois. Fräulein notava que desta feita era diferente. E quando a lição acabava, saindo da biblioteca, surpreendia os dois aquela como consciência de libertação, arre! mas se fosse possível renovariam a angústia imediatamente, era tão bom!

Fräulein folheou o livro. A página cantou uns versos de Heine. Servia.

— Esta.

Carlos voz grave, quase lassa murmurou:

Du schönes Fischermädchen,
Treibe den Kahn ans Land;
Komm zu mir und setz dich nieder,
Wir kosen Hand in Hand.

Leg an mein Herz dein Köpfchen,
Und fürchte dich nicht zu sehr,

Luísa wouldn't leave without crying. But Carlos now just allows himself to exist. Does he exist?

That takes time, plenty of time.

There is a whole comparative study to be done between the Max Reger naphthalene and bromides in general.

Now any smaller spot for the dictation. They were quieter than ever. They prolonged the lessons and, from the parts in which they divided, they observed the pain and the approach of the end. Nevertheless, those were hours of anguish! In thirty days this good time of rising love, in which the souls still don't make use of the body, had departed. Because they know nothing yet. Both? Let's put the two together. Fräulein noted that this time it was different. And when the lesson was over, leaving the library, that kind of awareness of liberation surprised them both, yah! but if it were possible they would immediately renew the anguish, it was so good!

Fräulein leafed through the book. The page sang a few verses by Heine. That would do.

"This one."

Carlos, with a grave, almost lewd voice murmured:

Du schönes Fischermädchen,
Treibe den Kahn ans Land;
Komm zu mir und setz dich nieder,
Wir kosen Hand in Hand.

Leg an mein Herz dein Köpfchen,
Und fürchte dich nicht zu sehr,

Vertraust du dich doch sorglos
Täglich dem wilden Meer.

Mein Herz gleicht ganz dem Meere,
Hat Sturm und Ebb und Flut,
Und manche schöne Perle
In seiner Tiefe ruht.

— Entendeu, Carlos?

Ela repetia sempre "Carlos", era a sensualidade dela. Talvez de todos... Se você ama, ou por outra se já deseja no amor, pronuncie baixinho o nome desejado. Veja como ele se moja em formas transmissoras do encosto que enlanguesce. Esse ou essa que você ama, se torna assim maior, mais poderoso. E se apodera de você. Homens, mulheres, fortes, fracos... Se apodera.

E pronunciado, assim como ela faz, em frente do outro, sai e se encosta no dono, é beijo. Por isso ela repete sempre, como de-já-hoje, inutilmente:

— Entendeu, Carlos?

E ele jogando um dos tais risinhos alastrados com que desaponta sempre:

— Quase! mas adivinhei!

Eis aí uma das coisas com que Fräulein não se dava bem. Pra ela era preciso entender sempre o significado das palavras, senão não compreendia mesmo. Estes brasileiros?!... Uma

Vertraust du dich doch sorglos
Täglich dem wilden Meer.

Mein Herz gleicht ganz dem Meere,
Hat Sturm und Ebb und Flut,
Und manche schöne Perle
In seiner Tiefe ruht.[49]

"Did you understand it, Carlos?"

She always repeated "Carlos," it was her sensuality. Maybe of all… If you love, or if you already desire with love, say the desired name softly. See how it swells into transmitting forms of the backrest which languishes. The one you love this way becomes bigger, more powerful. And it takes over you. Men, women, strong, weak… It takes over.

And pronounced, just as she does, in front of the other, leaves and leans on its owner, it's a kiss. That is why she always repeats, like a moment ago, in vain:

"Did you understand it, Carlos?"

And he, throwing one of those sprawled giggles with which he always disappoints:

"Almost! but I guessed it!"

This is one of the things that Fräulein cannot get along with. For her it was necessary to always understand the meaning of the words, otherwise she wouldn't really understand. These Brazilians?!… Such laziness to study!… Which of you would

preguiça de estudar!... Qual de vocês seria capaz de decorar, que nem eu, página por página, o dicionário de Michaelis pra vir para o Brasil? não vê! Porém quando careciam de saber, sabiam. Adivinhavam. Olhe agora: Que podia Carlos entender, se ignorava o sentido de muitas daquelas palavras? Ríspida:

— Então diga o que é.

O menino, meio enfiado, vai vivendo:

— É que eles ficaram sentados na praia, de mãos dadas muito juntinhos. Depois ele deitou a cabeça no ombro dela. (Carlos abaixava a dele e já não ria.) Depois... (lhe deu aquela vergonha de saber o que não sabia. Ficou muito azaranzado). A segunda estrofe não entendo nada. *Vertraust*... que que é *vertraust*!... Mas depois o coração deles principiou fazendo que nem o mar...

— Deles não, Carlos. Dele só.

— Deles! Ganz: todos! Aqui quer dizer dos dois, dela também!

— Você está adivinhando, Carlos! *Mein Herz*, o coração dele parecia com o mar. *Ganz gleicht*: parecia, era como, tal-e-qual.

— Hmm...

Desconsolado. Sensação de pobreza, isolamento...

— Não sei mais!

Ela, muito suave, extasiada:

— Você está falando certo, Carlos! Continue!

— O coração dele estava tal-e-qual o mar... Em tempestade...

E de repente transfigurado, numa confissão de olhos úmidos, arrebatou todos os símbolos murmurando:

— Mas ele tinha muitas péloras no coração!

be able to memorize, like me, page by page, the Michaelis dictionary to come to Brazil? don't you see! But when they needed to know, they knew it. They guessed it. Look now: What could Carlos understand, if he didn't know the meaning of many of those words? Sharply:

"Then tell me what it is."

The boy, kind of pale, goes on living:

"It was that they sat on the beach, holding hands very close together. Then he laid his head on her shoulder." (Carlos lowered his and didn't laugh anymore.) "Then..." (he got ashamed of knowing what he didn't know. He became very bewildered). "The second stanza I don't understand anything. *Vertraust*... what's *vertraust*!... But then their hearts began to do like the sea..."

"Not theirs, Carlos. Only his."

" Theirs! Ganz: everyone! It means both of them, hers too!"

"You're guessing, Carlos! *Mein Herz*, his heart resembled the sea. *Ganz gleicht*: it seemed, it was like, such-and-such.

"Hmm..."

Disconsolate. Feeling of deprivation, isolation...

"I don't know anymore!"

She, very soft, ecstatic:

"You're right, Carlos! Continue!"

"His heart was like the sea... With a storm..."

And suddenly transfigured, in a confession of wet eyes, he snatched up all the symbols by murmuring:

"But he had many perals in his heart!"

Queria dizer pérolas porém saiu péloras, o que que a gente há de fazer com a comoção!

Fräulein ríspida:

— Escreva agora.

Ríspida, porque de outro jeito não se salvava mesmo. Careceria pra abafar o... dese-jo? desejo, tampar o peito com a cabeça dele. Pampampam... acelerado. Lhe beijar os cabelos os olhos, os olhos a testa muito, muito muito... Sempre! Ficarem assim!... Sempre... Depois ele voltava do trabalho na cidade escura... Depunha os livros na escrivaninha... Ela trazia a janta... Talvez mais três meses, pronto o livro sobre *O Apelo da Natureza na obra dos Minnesänger*... Comeriam quase em silêncio...

Carlos também estava escrevendo letras muito alheias. Era uma angústia cada vez mais forte, intolerável já. Como respirar? Pérolas... Pra que pérolas!... que ideia de Heine! A hora ia acabar... As letras se desenhavam mais lentas, sem gosto, prolongando a miséria e a felicidade. A fala de Fräulein, seca, riscava as palavras do ditado em explosões ácidas navalhando a entressombra. Acabava desoladamente:

—... *Tiefe ruht.*

Se levantou libertada. Porém no papel surgia em letras infelizes "*tiefe ruht*", e deu-se então que Fräulein não pôde mais consigo. Se despejou sobre o menino, com o pretexto de corrigir:

— Vou escrever com a mão de você mesmo, disfarçou.

O rosto se apoiou nos cabelos dele. Os lábios quase que, é natural, sim: tocaram na orelha dele. Tocaram por acaso,

He wanted to say pearls, but perals came out, what can we do with the commotion!

Fräulein sharply:

"Write it now."

Sharply, because otherwise she wouldn't get out of it. She would need to stifle the… desire? desire, to cover her breast with his head. Bambambam… fast-paced. Kissing his hair, his eyes, his eyes and his forehead a lot, a lot, a lot… Always! They would be like this!… Always… Then he would come back from work in the dark city… He would put the books on the desk… She would bring dinner… Maybe another three months, the book on *The Appeal of Nature in Minnesänger Work* was done with… They would eat almost in silence…

Carlos was also writing very strange letters. It was an anguish growing stronger, intolerable already. How to breathe? Pearls… Pearls For what!… what an idea from Heine! The time would come to an end… The letters were drawn slower, tasteless, prolonging misery and happiness. Fräulein's speech, dry, stroked the words of the dictum in acid blasts by razoring its intershadow. She ended it bleakly:

"… *Tiefe ruht.*"

She got up freed. But in the paper "*tiefe ruht*" appeared in unfortunate letters, and it happened that Fräulein could no longer hold herself. She poured herself over the boy, with the pretext of correcting him:

"I'll write with your hand," she disguised it.

Her face rested on his hair. The lips almost, it's natural, yes: touched his ear. They touched by chance, a matter of po-

questão de posição. Os seios pousaram sobre um ombro largo, musculoso, agora impassível escutando. Chuvarada de ouro sobre a abandonada barca de Dânae... Carlos... êta arroubo interior, medo? vergonha? aterrorizado! indizível doçura... Carlos que nem Pedra. Fräulein com a mão dele escreveu em letras palhaças: "*Tiefe ruht*".

Não tinham mais nada pra se falar, não tinham.

Quando saíram da biblioteca, pela primeira vez, uma desesperada felicidade de acabar com aquilo.

Porém só Carlos desta vez é que não sabia bem direito o que era o "aquilo".

Pancadas na porta de Fräulein. Virou assustada, resguardando o peito. Abotoava a blusa:

— Quem é?

— Sou eu, Fräulein. Queria lhe falar.

Abriu a porta e dona Laura entrou.

— Queria lhe falar. Um pouco...

— Estou às suas ordens, minha senhora.

Esperou. Dona Laura respirava muito nervosa, não sabendo principiar.

— É por causa do Carlos...

— Ah... Sente-se.

— Não vê que eu vinha lhe pedir, Fräulein, pra deixar a nossa casa. Acredite: isto me custa muito porque já estava muito acostumada com você e não faço má ideia de si, não

sition. Her breasts rested on a broad, muscular shoulder, now impassive, listening. A rain of gold on the abandoned barge of Danae… Carlos… wow, inner ecstasy, fear? shame? frightened! unspeakable sweetness… Carlos like Stone. Fräulein wrote with his hand in silly letters: "*Tiefe ruht.*"

They had nothing left to talk about, they hadn't.

When they left the library, for the first time, a desperate happiness to end that.

But this time only Carlos didn't quite know what the "that" was.

Knocks on Fräulein's door. She turned round frightened, shielding her chest. She buttoned up the blouse:

"Who is it?"

"It's me, Fräulein. I wanted to talk to you."

She opened the door and Dona Laura entered.

"I wanted to talk to you. A little…"

"I am at your service, ma'am."

She waited. Dona Laura was very nervous, not knowing how to begin.

"It's because of Carlos…"

"Oh… Sit down."

"You didn't know that I was coming to ask you, Fräulein, to leave our house. Believe me: this costs me a lot because I was already very used to you and I don't think badly of you, don't think that! but… I think you've figured out Carlos's man-

pense! mas... Creio que já percebeu o jeito de Carlos... ele é tão criança!... Pelo seu lado, Fräulein, fico inteiramente descansada... Porém esses rapazes... Carlos...

— Já vejo que o senhor seu marido não lhe disse o que vim fazer aqui.

Dona Laura teve uma tontona, escancarou olhos parados:

— Não!

— É lamentável, minha senhora, o procedimento do senhor seu marido, evitaria esta explicação desagradável. Pra mim. Creio que pra senhora também. Mas é melhor chamar o seu marido. Ou quer que desçamos pro hall?

Foram encontrar Sousa Costa na biblioteca. Ele tirou os olhos da carta, ergueu a caneta, vendo elas entrarem.

— O senhor me prometeu contar a sua esposa a razão da minha presença aqui. Lamento profundamente que o não tenha feito, senhor Sousa Costa.

Sousa Costa encafifou, desacochado por se ver colhido em falta. Riscou uma desculpa sem inteligência:

— Queira desculpar, Fräulein. Vivo tão atribulado com os meus negócios! Demais: isso é uma coisa de tão pouca importância!... Laura, Fräulein tem o meu consentimento. Você sabe: hoje esses mocinhos... é tão perigoso! Podem cair nas mãos de alguma exploradora! A cidade... é uma invasão de aventureiras agora! Como nunca teve! COMO NUNCA TEVE, Laura... Depois isso de principiar... é tão perigoso! Você compreende: uma pessoa especial evita muitas coisas. E viciadas! Não é só bebida não! Hoje não tem mulher-da-vida que não seja eterômana, usam

ner… he's such a child!… As for Fräulein, I'm completely at ease… However these young men… Carlos…"

"I see that your husband didn't tell you what I came here for."

Dona Laura felt dizzy, opened her still eyes wide:

"No!"

"It's unfortunate, ma'am, your husband's conduct, he would have avoided this unpleasant explanation. For me. I believe for you too, lady. But you better call your husband. Or do you want us to go down to the hall?"

They found Sousa Costa in the library. He lifted his eyes from the letter, lifted his pen, watching them coming in.

"You promised to tell your wife the reason for my presence here. I deeply regret that you didn't do so, Mr. Sousa Costa."

Sousa Costa got embarrassed, flustered for being found at fault. He drew an unintelligent excuse:

"Please excuse me, Fräulein. I'm so troubled with my business! Besides: this is such a small thing!… Laura, Fräulein has my consent. You know: today these young men… it's so dangerous! They may fall into the hands of some exploiter! The city… is an invasion of carpetbaggers now! Like it has never had! LIKE IT HAS NEVER HAD, Laura… Then this thing of starting… it's so dangerous! You understand: a special person avoids many things. And addicts! It's not just alcohol, no! Today there is no streetwalker who isn't an ether addict, they use morphine… And the young men imitate them! Then the diseases!… You live in your house, you don't know… it's terrible! In a short time Carlos would be syphilitic and other

morfina... E os moços imitam! Depois as doenças!... Você vive na sua casa, não sabe... é um horror! Em pouco tempo Carlos estava sifilítico e outras coisas horríveis, um perdido! É o que eu te digo, Laura, um perdido! Você compreende... meu dever é salvar o nosso filho... Por isso! Fräulein prepara o rapaz. E evitamos quem sabe? até um desastre!... UM DESASTRE!

Repetia o "desastre" satisfeito por ter chegado ao fim da explicação.

Passeava de canto a canto. Assim se fingem as cóleras, e os machos se impõem, enganando a própria vergonha. Dona Laura sentara numa poltrona, maravilhada. Compreendia! Porém não juro que compreendesse tudo não. Aliás isso nem convinha pra que pudesse ceder logo. Fräulein é que estava indignada. Que diabo! atos da vida não é arte expressionista, que pode ser nebulosa ou sintética. Não percebera bem a claridade latina daquela explicação. O método germanicamente dela e didática habilidade no agir, não admitiam tal fumarada de palavras desconexas. Aquelas frases sem dicionário nem gramática irritaram-na inda mais. Queria, exigia sujeito verbo e complemento. Só uma coisa julgara perceber naquele ingranzéu, e, engraçado! Justamente o que Sousa Costa pensava, mas não tivera a intenção de falar: pagavam só pra que ela se sujeitasse às primeiras fomes amorosas do rapaz.

Este circunlóquio das "fomes amorosas" fica muito bem aqui. Evita o "libido" da nomenclatura psicanalista, antipático, vago masculino, e de duvidosa compreensão leitoril. As fomes amorosas são muito mais expressivas e não fazem mal pra ninguém. Isto é: vir na casa de Sousa Costa unicamente pra se sujeitar às tais de Carlos,

horrible things, a lost one! That's what I'm telling you, Laura, a lost man! You understand… my duty is to save our son… That's why! Fräulein prepares the young man. And avoid who knows? even a disaster!… A DISASTER!

He repeated the "disaster" satisfied for having come to the end of the explanation.

He walked from corner to corner. Thus the fury is faked, and the males impose themselves, deceiving their own shame. Dona Laura had sat down in an armchair in wonder. She understood! But I swear she didn't understand everything, no. Besides, that shouldn't be so in order for her to agree right away. Fräulein was indignant. What the hell! actions of life are not Expressionist art, which may be nebulous or synthetic. She hadn't fully understood the Latin clarity of that explanation. Her Germanic method and didactic ability to act didn't admit such a smoke of disconnected words. Those sentences without a dictionary or grammar irritated her even more. She wanted, demanded subject, verb and complement. There was only one thing she had thought she could discern in that turmoil, and, funny! Precisely what Sousa Costa thought, but hadn't meant to say: they only paid for her to submit to the young man's first amorous appetites.

This circumlocution of "amorous appetites" goes very well here. It avoids the "libido" of the psychoanalytic, unsympathetic, vague male nomenclature, and of dubious lectern understanding. Amorous appetites are much more expressive and do no harm to anyone. That is, to come to the house of Sousa

o homem-do-sonho de dentro de Fräulein vê nisso um insulto, dá uns urros e principia chorando. Sem um gesto, bem plantadinha nos pés, com a nobreza que a indignação nunca negou ninguém, Fräulein discursa:

— Não é bem isso, minha senhora (Se dirigia a dona Laura, porque o homem-da-vida estava um pouco amedrontado com os modos de Sousa Costa. E também, sejamos francos, isto é, parece... será que conservava uma esperancinha? Aquilo ainda podia se arranjar... Homem! ninguém o saberá jamais...) Não é bem isso, minha senhora. Não sou nenhuma sem-vergonha nem interesseira! Estou no exercício duma profissão. E tão nobre como as outras. É certo que o senhor Sousa Costa me tomou pra que viesse ensinar a Carlos o que é o amor e evitar assim muitos perigos, se ele fosse obrigado a aprender lá fora. Mas não estou aqui apenas como quem se vende, isso é uma vergonha!

— Mas Fräulein não tive a intenção de!

—... que se vende! Não! Se infelizmente não sou mais nenhuma virgem, também não sou... não sou nenhuma perdida.

Lhe inchavam os olhos duas lágrimas de verdade. Não rolavam ainda e já lhe molhavam a fala:

—... E o amor não é só o que o senhor Sousa Costa pensa. Vim ensinar o amor como deve ser. Isso é que eu pretendo, *pretendia* ensinar pra Carlos. O amor sincero, elevado, cheio de senso prático, sem loucuras. Hoje, minha senhora, isso está se tornando uma necessidade desde que a filosofia invadiu o terreno do amor! Tudo o que há de pessimismo pela sociedade de agora! Estão se animalizando cada vez mais. Pela influência às vezes até indireta

Costa only to submit to the likes of Carlos, the man-of-dreams from within Fräulein sees in it an insult, howls, and begins to cry. Without a gesture, well planted on her feet, with the nobility that indignation never denied anyone, Fräulein discourses:

"That's not quite the way it is, ma'am." (She was addressing Dona Laura, because the man-of-life was a bit frightened by Sousa Costa's manners. And also, let's face it, that is, it seems… no one will ever know…) That's not quite right, ma'am. I am no slut nor a goldbricker! I am in the exercise of a profession. And as noble as the others. It is certain that Mr. Sousa Costa brought me here to teach Carlos what love is and thus to avoid so many dangers, if he were forced to learn outside. But I'm not here just like someone who sells herself, that is shameful!"

"But Fräulein, I didn't mean to…!"

"… who sells herself! No! If I unfortunately am no longer a virgin, I am also not… I am no fallen woman."

Her eyes were filled with two real tears. They didn't roll down yet, and they were already wetting her speech:

"… And love is not just what Mr. Sousa Costa thinks. I came to teach love as it should be. That's what I mean, I *meant* to teach Carlos. Sincere, elevated love, full of practical sense, without follies. Today, ma'am, this has become a necessity since philosophy has invaded the terrain of love! All the pessimism that there is in the society of now! They are becoming more and more animalized. Sometimes even by the indirect influence of Schopenhauer, Nietzsche… though they are Germans. Pure, sincere love, intelligent union of two peo-

de Schopenhauer, de Nietzsche... embora sejam alemães. Amor puro, sincero, união inteligente de duas pessoas, compreensão mútua. E um futuro de paz conseguido pela coragem de aceitar o presente.

Rosto polido por lágrimas saudosas, quem vira Fräulein chorar!...

—... É isso que eu vim ensinar pra seu filho, minha senhora. Criar um lar sagrado! Onde é que a gente encontra isso agora?

Parou arfando. "Lar sagrado" lhe fizera resplandecer o castanho dos olhos num lumeiro de anseios. Se aproximava da santa sob a figura enérgica da enfermeira. Mas convicção protestante, nobilíssima não discuto, porém sem a latinidade que dá graça e objetiva o calor da beleza sensual. Lembrou, ainda outra vez indignada:

— Foi isso que vim ensinar a seu filho e não: me entregar! Mas vejo que sou tomada por outra mulher aqui. Deixarei a sua casa amanhã mesmo, minha senhora. E penso que não tem mais nada pra me dizer?...

É certo que Fräulein tinha esclarecido muito o que viera fazer na casa deles, porém dona Laura que tinha percebido tudo com a explicação de Felisberto, agora não compreendia mais nada. Afinal: o que era mesmo que Fräulein estava fazendo na casa dela!

Fräulein esperou um segundo. Nada tinham para lhe falar aqueles dois. Cumprimentou e saiu. Subiu pro quarto. Fechou-se. Tirou o casaco. O pensamento forte imobilizou-a. Comprimiu o seio com a mão, ao mesmo tempo que amarfanhava-lhe a

ple, mutual understanding. And a future of peace achieved by the courage to accept the present."

Face polished by longing tears, who has ever seen Fräulein cry!...

"... That's what I came to teach your son, ma'am. To create a sacred home! Where do we find it now?"

She stopped panting. "Sacred Home" had made the brown of her eyes shine in a flame of yearning. She resembled a saint under the energetic figure of the nurse. But Protestant conviction, most noble I don't argue, nevertheless without the Latinity that gives grace and objectifies the heat of sensual beauty. She remembered, still indignant again:

"That's what I came to teach your son and not: to give myself! But I see that I'm taken for another kind of woman here. I'll leave your house first thing tomorrow, ma'am. And I believe you don't have anything else to tell me?...

It is true that Fräulein had very much clarified what she had come to do at their house, but Dona Laura, who had understood everything through Felisberto's explanation, now didn't understand anything. After all: what Fräulein was doing in her house!

Fräulein waited a second. Those two had nothing to tell her. She excused herself and left. She went up to her bedroom. She locked herself in. She took off her coat. Strong thoughts immobilized her. She compressed her breast with her hand, and at the same time a vigorous pain, so misunderstood, overburdened her face! But that was only a minute, she con-

cara uma dor vigorosa, incompreendida assim! Mas foi um minuto apenas, dominou-se. Tinha que despir-se. Continuou se despindo. E Carlos?... Minuto apenas. Varreu o carinho. Prendeu com atenção os cabelos. Lavou o rosto. Se deitou. Um momento no escuro, os olhos inda pestanejaram pensativos. Não nada com isso: haviam de lhe pagar os oito contos. Mas agora tinha que dormir, dormiu.

Aquilo de Fräulein falar que "hoje a filosofia invadiu o terreno do amor" e mais duas ou três largadas que escaparam na fala dela, só vai servir pra dizerem que o meu personagem está mal construído e não concorda consigo mesmo. Me defendo já.

Primeiro: Que mentira, meu Deus! dizerem Fräulein, personagem inventado por mim e por mim construído! não construí coisa nenhuma. Um dia Elza me apareceu, era uma quarta-feira, sem que eu a procurasse. Nem invocasse, pois sou incréu de mesas volantes e de médiuns dicazes. Aquelas não valem um tangará. Quanto a médiuns dicazes adjetivo bonito! — é sabido que escrevem sonetos de Bilac mais piores que um dístico de versejadores de terceira plana. Ora se os vates de segundo grau já são cacetes, se imagine o que não engendra a facúndia sonâmbula dos médiuns e dos espiritistas em geral! Dicazes.

Um dia, era uma quarta-feira, Fräulein apareceu diante de mim e se contou. O que disse aqui está com poucas vírgulas, vernaculização acomodatícia e ortografia. Os personagens, é

trolled herself. She had to undress. She kept undressing. And Carlos?... A minute only. She swept the affection. She tied her hair carefully. She washed her face. She lay down. A moment in the dark, her eyes still blinked thoughtfully. Nothing at all: they had to pay her the eight *contos*. But now she had to sleep, she slept.

What Fräulein said, that "today philosophy has invaded the terrain of love" and another two or three sallies that escaped into her speech, will only serve for people to say that my character is poorly built and doesn't agree with itself. I already defend myself.

First: What a lie, my God! to say that Fräulein is a character invented and constructed by me! I didn't construct anything. One day Elza appeared to me, it was a Wednesday, without me looking for her. Or invoking her, for I am incredulous of flying tables and sarcastic clairvoyants. Those aren't worth a gnat. As for mordant mediums, what a pretty adjective! — it's well known that they write Bilac's sonnets worse than a couplet by third-class poetasters. Now if the second-degree bards are already annoying, imagine what the somnambulistic eloquence of the mediums and spiritualists in general can engender! All mordant.

One day, it was a Wednesday, Fräulein appeared before me and told of herself. What she said is here with few commas, accommodating and orthographic vernacularization. For the characters, it's possible that a particular and momentary

possível que uma disposição particular e momentânea do meu espírito tenha aceitado as somas por eles apresentadas, essa toda a minha falta. Porém asseguro serem criaturas já feitas e que se moveram sem mim. São os personagens que escolhem os seus autores e não estes que constroem as suas heroínas. Virgulam-nas apenas, pra que os homens possam ter delas conhecimento suficiente.

Segunda e mais forte razão: Afirmarem que Fräulein não concorda consigo mesma... Mas eu só queria saber neste mundo misturado quem concorda consigo mesmo! Somos misturas incompletas, assustadoras incoerências, metades, três-quartos e quando muito nove-décimos. Até afirmo não existir uma só pessoa perfeita, de São Paulo a São Paulo, a gente fazendo toda a volta deste globo, com expressiva justeza adjetivadora, chamado de terráqueo.

Mesmo cientistas já afirmaram isso também. Desde Gley, Chevalier e Fliess se desconfia que de primeiro os seres foram hermafroditas. Antes desses senhores, Darwin estivera escrevendo coisas pros leitores inteligentes do tal de globo terráqueo e desde então se começou falando em seleção e outras espertezas que permitiram este saborosíssimo cisma em seres imperfeitos machos e fêmeas imperfeitas. Que invento admirável o cisma!

Pouco depois da *Origem das espécies*, nasceu na Alemanha uma criancinha. Mamava que nem as outras, berrava sonoramente e trocava os dias pelas noites pra dormir.

Como desse em seguida pra escrever coisas espantosas, os alemães principiaram lhe chamando Herr Professor Freud. Pois

disposition of my spirit has accepted the accounts presented by them, that is all my fault. But I assure you they're creatures that have already been made and who move around without me. It is the characters who choose their authors and not those who build their heroines. They insert commas, so that mankind may have sufficient knowledge of them.

Second and strongest reason: To affirm that Fräulein doesn't agree with herself... But I just wanted to know in this mixed up world who agrees with himself! We are incomplete mixes, frightening inconsistencies, halves, three-quarters, and at most nine-tenths. I even affirm that there isn't a single perfect person, from São Paulo to São Paulo, people making all the way around this globe, with expressive adjectival correctness, called earthling.

Even scientists have already stated that, too. Since Gley, Chevalier and Fliess it's suspected that first the beings were hermaphrodites. Before these gentlemen, Darwin had been writing things for intelligent readers of the so terraqueous globe, and ever since, it started by talking about selection and other cunnings that allowed this most flavorsome schism of the imperfect male and female beings. What an admirable invention the schism!

Shortly after the *Origin of Species*, a small child was born in Germany. It was breastfed like the others, screaming sonorously and spending the days sleeping off its nights.

Since he started to write startling things, the Germans began calling him Herr Professor Freud. It turns out that this

não é que essa criancinha ainda veio fortificar mais as escrituras de Fliess, de Kraff-Ebbing, sobre a nossa imperfeita bizarria! Afirmou que uma certa porção de hermafroditismo anatômico é ainda normal na gente! Incrível! Incrível e desagradável.

A tanta ciência e tão pouca anatomia, eu prefiro aquela ideia contada pelo padre Pernetty: "*Les femmes ont plus de pituite et les hommes plus de bile... Certains philosophes ne craindraient pas d'afirmer que les femmes ne sont femmes que par un défaut de chaleur*". E se quiserem coisa ainda mais grata, é lembrar a fábula discreta contada por Platão no *Banquete*... Porém o que importa são as afirmativas daqueles alemães sapientíssimos, aqui evocados para validar a minha asserção e lhe dar carranca científico-experimental:

NÃO EXISTE MAIS UMA ÚNICA PESSOA INTEIRA NESTE MUNDO E NADA MAIS SOMOS QUE DISCÓRDIA E COMPLICAÇÃO.

O que chama-se vulgarmente personalidade é um complexo e não um completo. Uma personalidade concordante, milagre! Pra criar tais milagres o romance psicológico apareceu. De então, começaram a pulular os figurinos mecânicos. Figurinos, membros, cérebros, fígados de latão, que, por serem de latão, se moveram com a vulgaridade e a gelidez prevista do latão.

Oh! positivistas da fantasia! oh ficções monótonas e resultados já sabidos!... Fräulein é senhorinha modesta e um pouco estúpida. Não é dama nem padre de Bourget. Pois uma vez em defesa própria afirmou: "Hoje a filosofia invadiu o terreno do amor", que surpresa pra nós! Ninguém esperava por isso, não

little child still managed to invigorate the writings of Fliess, Kraff-Ebbing, about our imperfect bizarreness! He said that a certain amount of anatomical hermaphroditism is still normal in people! Amazing! Incredible and unpleasant.

Between so much science and so little anatomy, I prefer that idea told by Father Pernetty: "*Les femmes ont plus de pituite et les hommes plus de bile… Certains philosophes ne craindraient pas d'afirmer que les femmes ne sont femmes que par un défaut de chaleur.*"[50] And if you want something even more gratifying, you have to remember the discreet fable told by Plato in *The Banquet…* But what matters are the affirmations of those wise Germans, here evoked to validate my assertion and give it scientific-experimental scowl:

THERE ISN'T ONE SINGLE WHOLE PERSON IN THIS WORLD ANYMORE AND WE'RE NOTHING MORE THAN DISORDER AND COMPLICATION.

What is commonly called personality is a complex thing and not complete. A concordant personality, a miracle! To create such miracles, the psychological romance appeared. From then on, they began to swarm the mechanical pattern books. Brass patterns, limbs, brains, livers, which, made of brass, moved with the vulgarity and the expected gelidity of brass.

Oh! fantasy positivists! oh monotonous fictions and foreknown results!… Fräulein is a modest and somewhat stupid little lady. She is no lady or priest of Bourget. For once in self-defense she said: "Nowadays philosophy has invaded the terrain of love," what a surprise for us! Nobody expected that, right? Hence a sense of disagreement, eminently realistic.

é verdade? Daí uma sensação de discordância, eminentemente realista.

Eu sempre verifiquei que nós todos, os do excelente mundo e os da ficção quando excelente, temos os nossos gestos e ideias geniais... Pois tomemos essa frase de Fräulein por uma ideia genial que ela teve. E tanto assim que produziu uma surpresa nos leitores e outra em Sousa Costa e dona Laura. De tal força que os abateu. Estão, faz quase um minuto, mudos e parados. Sousa Costa olha o chão. Dona Laura olha o teto. Ah! criaturas, criaturas de Deus, quão díspares sois! As Lauras olharão sempre o céu. Os Felisbertos sempre o chão. Alma feminina ascensional... E o macho apegado às imundícies terrenas. Ponhamos imundícies terráqueas.

— Mas Laura você devia ter falado comigo primeiro!

— Mas quando é que eu havia de imaginar!... A culpa foi de você também!

— Ora essa é boa! eu fiz o que devia! E agora ela vai-se embora!

A lembrança de que Fräulein partia, lhes deu o sossego desejado. O mal foi dona Laura acentuar:

— E ele é tão criança!

— Tão criança? você não vê como ele está!

Sousa Costa não vira quase nada ou coisa nenhuma, o argumento porém era fortíssimo.

— Pois eu lamento profundamente que Fräulein vá embora, Carlos me preocupa... Está aí o filho do Oliveira! E tantos!... Eu não queria que Carlos se perdesse assim!

I've always observed that we all, those of the excellent world and of fiction when excellent, have our ingenious gestures and ideas... So let's take that phrase of Fräulein for a genial idea that she had. And so much so that it produced a surprise in the readers and another in Sousa Costa and Dona Laura. Of such force that it enfeebled them. They are, for almost a minute, silent and still. Sousa Costa looks at the floor. Dona Laura looks at the ceiling. Ah! creatures, creatures of God, how disparate you are! The Lauras will always look at the sky. The Felisbertos, always at the floor. Ascensional female soul... And the male attached to earthly filth. Let us cast earthling filth.

"But Laura, you should have talked to me first!"

"But when would I have imagined it? It was your fault too!"

"Now that's good! I did what I should! And now she's gone!"

The recollection that Fräulein was leaving gave them the desired peace. The problem was Dona Laura emphasizing:

"And he's such a child!"

"Such a child? you don't see how he is!"

Sousa Costa had seen almost nothing or nothing, but the argument was very strong.

"Well, I'm very sorry that Fräulein is leaving, Carlos worries me... There's Oliveira's son! And so many!... I didn't want Carlos to get lost like this!"

Viram imediatamente o menino mais que trêmulo, empalamado, bêbedo e jogador. Rodeavam-no, ponhamos, três amantes. Uma era morfinômana, outra eterômana, outra cocainômana, os dois cônjuges tremendo horrorizados. Carlos desencabeçara duma vez. Nojento e cachorro. E o imenso amor verdadeiro por aquele primogênito adorado, cresceu dentro deles estrepitosamente Dona Laura abaladíssima desafogava as memórias:

— Você não imagina... passa o dia inteiro junto de Fräulein. Dela não me queixo não... se porta muito discretamente. Eu seria incapaz de adivinhar!... As crianças têm progredido muito... Maria Luísa já fala bem o alemão... Pois até elas já perceberam! Você sabe o que são essas crianças de hoje! toda hora mandam Carlos ir bulir com Fräulein!

Sousa Costa gostou da inteligência das filhas.

— É!... Pestinhas!

Depois se assustou. Crianças não devem saber dessas coisas principalmente meninas. Lembrou remédio decisivo:

— Você proíba elas de falarem isso! ah, também agora Fräulein parte... Acaba-se com isto!

Suspirou. A ideia de que Fräulein partia lhes deu o desassossego.

— A história é Carlos...

— Eu também tenho medo...

— Laura, as coisas hoje têm de ser assim, a gente não pode mais proceder como no nosso tempo, o mundo está perdido... Olhe: contam tantas desses rapazes... Não se sabe de nenhum que não tenha amante! E vivem nos lupanares!

They immediately saw the boy more than trembling, festered, a drunk and a gambler. Surrounding him, let's say, were three lovers. One was a morphine addict, another an ether addict, another a cocaine addict, the two spouses shivering horrified. Carlos led astray forever. Disgusting and doggy. And the immense true love for that adored eldest grew within them, extremely upset Dona Laura shook the memories away:

"You cannot imagine… he spends the whole day with Fräulein. I cannot complain about her… she is very discreet. I wouldn't have been able to guess!… The children have progressed a lot… Maria Luísa already speaks German well… Well, even they have noticed! You know how these kids are like today! all the time they tell Carlos to go tease Fräulein!"

Sousa Costa liked the intelligence of his daughters.

"Yeah!… Little brats!"

Then he became alarmed. Children shouldn't know these things, especially girls. He recalled the decisive remedy:

"You forbid them to say that! ah, well now Fräulein departs… this is finished!"

He sighed. The idea that Fräulein was leaving had unsettled them.

"The problem is Carlos…"

"I'm also scared…"

"Laura, things have to be like this today, we can no longer proceed as in our time, the world is lost… Look: people say so much about these boys… No one knows of one who has no lover! And they live in the brothels! Gamblers! what about? there isn't one who isn't a gambler!… I also don't say one shouldn't

Jogadores! isso então? não tem um que não seja jogador!... Eu também não digo que não se jogue... afinal... Um pouco... de noite... depois do jantar... não faz mal. E quando se tem dinheiro, note-se! E juízo. Essa gente de hoje?!... Depois dão na morfina, é o que acontece! Veja a cor do filho do Oliveira! Aquilo é morfina!

— Carlos...

Sousa Costa se extasiando com o discurso:

— Fräulein preparava ele. Depois isso não tem consequência... Quem me indicou, Fräulein foi o Mesquita. O Zezé Mesquita, você conhece, ora! aquele um que mudou-se pro Rio o ano passado...

— Sei.

— Se utilizaram dela, creio que pro filho mais velho. E o pior perigo é a amante! São criançolas, levam a sério essas tolices, principiam dando dinheiro por demais... e com isso vêm os vícios! O perigo são os vícios! E as doenças! Porque que esses moços andam todos desmerecidos, moles?... Por causa das amantes! e depois você pensa que Carlos, se não tivesse Fräulein, não aprendia essas coisas da mesma forma? aprendia sim senhora! Se já não aprendeu!... E com quem! Bom! o melhor é não se falar mais nisso, até me dá dor de cabeça. Está acabado e pronto.

Porém agora os dois convencidíssimos de que aquilo não devia acabar assim. Aliás, a convicção se firmara desde que Sousa Costa empregara, por reminiscências românticas, a palavra "lupanar". Eu já falei que toda a gente tem ideias

gamble… after all… A little… at night… after dinner… it doesn't hurt. And when you have money, take note! And commonsense. These people today?!… Then they take morphine, that's what happens! See the color of the Oliveira's son! That's morphine!"

"Carlos…"

Sousa Costa is ecstatic with the speech:

"Fräulein was preparing him. After all, this has no consequence… Who referred Fräulein to me was Mesquita. Zezé Mesquita, you know, now! that one who moved to Rio last year…"

"I know."

"They made use of her, I think for the oldest son. And the worst danger is the lover! They are childish, they take this nonsense seriously, start by giving away too much money… and with that come the addictions! The danger is the addictions! And the diseases! Why are these young men all unworthy, so easy?… Because of the lovers! and then you think that Carlos, if he didn't have Fräulein, wouldn't learn these things in the same way? yes, he'd learn, ma'am! If he hasn't already learned!… And with whom! Well! it's best not to talk about it anymore, it even gives me a headache. It's over and done."

However, now the two of them were convinced that it shouldn't end like this. In fact, the conviction had been established since Sousa Costa had used, for romantic reminiscences, the word "brothel." I've already said that everyone has ingenious ideas. They lacked Fräulein. For their peace, Fräulein should stay.

geniais. Careciam de Fräulein. Pra sossego deles, Fräulein devia ficar.

— Quem sabe... você falando com ela... ela ficava...

— Eu acho melhor, Laura. Francamente: acho. Fräulein falava tudo pra ele, abria os olhos dele e ficávamos descansados, ela é tão instruída! Depois pregávamos um bom susto nele. (Se ria.) Ficava curado e avisado. Ao menos eu salvava a minha responsabilidade. Depois não é barato não! tratei Fräulein por oito contos! Sim senhora: oito contos, fora a mensalidade. Naturalmente não barateei. Mais caro que o Caxambu que me custou seis e já deu um lote de novilhas estupendas. Mas isso não tem importância, o importante é o nosso descanso.

Pausa.

— Você proíba as crianças de falarem mais nisso...

— Pois é. Talvez ela fique... Você fala com ela amanhã...

Se ergueram. Entraram no hall. Mas aquilo continuar... Era bem melhor que Fräulein partisse. E depois, ora! ele que se arrume! boa educação tivera, exemplos bons em casa... E o mundo não era tão feio como parecia. Nem Carlos nenhum arara... E as crianças já tinham percebido... que espertas!

Avançavam no peso do ambiente. Dona Laura estava pensando também assim mais ou menos. Apesar disso, largou mais uma vez, arrependida já do que falava:

— Amanhã você fala com ela... Talvez ela resolva ficar...

Mas Sousa Costa já não estava mais querendo que Fräulein ficasse e teve um argumento ótimo:

—Ah! mas, eu falar?!... Preferível você! Vocês são mulheres, lá se entendam!

"Who knows… if you talked to her… she stayed…"

"I think it's better, Laura. Frankly: I think. Fräulein would tell him everything, open his eyes and we could be given some peace, she is so well-educated! Then we would give him a good fright. (He laughed.) He'd be warned and healed. At least I'd keep my responsibility safe. Then, it's not cheap, no! I agreed with Fräulein for eight *contos*! Yes ma'am: eight *contos*, excluding the monthly fee. Of course I didn't bargain. It's more expensive than Caxambu that cost me six and already gave us a lot of stupendous heifers. But this doesn't matter; the important thing is our peace."

Pause.

"You will forbid the children from talking about it again…"

"Yeah. Maybe she stays… You talk to her tomorrow…"

They stood up. They entered the hall. But, to continue that… It was far better that Fräulein left. And then, well! he finds his own way! he had good education, good examples at home… And the world wasn't as ugly as it looked. Neither Carlos was some macaw… And the children had already realized… how clever!

They advanced in the weight of the atmosphere. Dona Laura was thinking more or less the same. In spite of this, she said again, regretting what she was saying:

"Tomorrow you talk to her… Maybe she decides to stay…"

But Sousa Costa didn't want Fräulein to stay any longer, and found a great argument:

"Oh! but, I speak?… It's preferable that it's you! You are women, you understand each other!"

— Mas eu estou envergonhadíssima com ela, Felisberto! Com que cara agora vou pedir pra ela ficar!

— Por isso mesmo! Você arranjou o embrulho...

— Como você está áspero hoje!

— Mas você compreende que uma coisa destas não é nada agradável pra mim!

— Nem pra mim, então!... Sabe duma coisa? se quiser falar com ela fale, eu não falo! O que eu posso é depois pedir desculpas pra ela... E também não quero saber mais disso, lavo minhas mãos. Você é que acha melhor Fräulein ficar...

Sousa Costa positivamente não achava melhor Fräulein ficar. Porém tinha achado. Enfiou as mãos nos bolsos e convicto:

— Eu... eu acho sim. Falo com ela amanhã.

Exaustos, mortalmente tristes, os cônjuges vão dormir.

Duas horas da manhã. Vejo esta cena.

No leito grande, entre linhos bordados dormem marido e mulher. As brisas nobres de Higienópolis entram pelas venezianas, servilmente aplacando os calores do verão. Dona Laura, livre o colo das colchas, ressona boca aberta apoiando a cabeça no braço erguido. Braço largo, achatado, nu. A trança negra flui pelas barrancas moles do travesseiro, cascateia no álveo dos lençóis. Concavamente recurvada, a esposa toda se apóia no esposo dos pés ao braço erguido. Sousa Costa completamente oculto pelas cobertas, enrodilhado se aninha na concavidade feita pelo corpo da mulher, e ronca. O ronco inda acentua a paz compacta.

"But I'm ashamed of her, Felisberto! With what face am I going to ask her to stay now!"

"That's it! You created this mess…"

"How rude you are today!"

"But you realize that such a thing is not pleasant to me!"

"For me neither, then!… You know what? If you want to talk to her, you talk, I'm not going to talk! What I can do then is apologize to her… And I don't want to know about it either; I wash my hands of it. You're the one who thinks Fräulein's better…"

Sousa Costa positively didn't think Fräulein was better. But he had thought. He put his hands in his pockets and assured:

"I… I think so. I'll talk to her tomorrow."

Exhausted, mortally sad, the spouses go to sleep.

Two o'clock in the morning. I see this scene.

On the large bed, between embroidered linens, husband and wife sleep. The noble breezes of Higienópolis enter through the shutters, slavishly appeasing the summer heat. Dona Laura, her bosom free from the quilts, snores, mouth open, resting her head on her upraised arm. Broad, flat, naked arm. The black braid flows through the soft banks of the pillow, cascades into the furrows of the bedsheets. Concavely curved, the whole wife rests on her husband, from her feet to her upraised arms. Sousa Costa completely hidden by the covers, curled up nestles in the concavity made by his wife's body, and snores. The snoring even accentuates the compact peace.

Estes dois seres tão unidos, tão apoiados um no outro, tão Báucis e Filamão, creio que são felizes. Perfeitamente. Não tem raciocínio que invalide a minha firme crença na felicidade destes dois cidadãos da República. Aristóteles... me parece que na Política afirma serem felizes os homens pela quantidade de razão e virtude possuídas e na medida em que, por estas, regram a norma do viver... Estes cônjuges são virtuosos e justos. Perfeitamente. Souza Costa se mexe. Tira um pouco, pra fora das cobertas, algumas ramagens do bigode. Apóia melhor a cara no sovaco gorducho da esposa. Dona Laura suspira. Se agita um pouco. E se apóia inda mais no honrado esposo e senhor. Pouco a pouco Sousa Costa recomeça a roncar. O ronco inda acentua a paz compacta. Perfeitamente.

Quando veio para o café, na hora de sempre, suponho que Sousa Costa e mulher inda dormiam. Justíssimo. Reparavam o esforço gasto. Não encontrou ninguém e Tanaka se aproveitou disso pra servi-la mal Fräulein nem pôs reparo na escaramuça do japonês. Pensava. Isto é... Pensaria?

Estava muito pouco Fräulein no momento. Porque Fräulein, a Elza que principiou este idílio era uma mulher feita que não estava disposta a sofrer. E a Fräulein deste minuto é uma mulher desfeita, uma Fräulein que sofre. Fräulein sofre. E porque sofre, está além de Fräulein, além de alemã: é um pequenino ser humano.

Por isso turtuviei no falar que ela pensava: ela sofre. Não pensa bem porque sente demais. Acumula apenas farrapos de

These two beings, so united, so propped up on one another, so Baucis and Philemon,[50] I believe they are happy. Perfectly. There is no reason to invalidate my firm belief in the happiness of these two citizens of the Republic. Aristotle… it seems to me that in *Politics* he affirms that men are happy because of the quantity of reason and virtue they possess, and insofar as, by them, they regulate the norm of living… These spouses are virtuous and just. Perfectly. Souza Costa stirs. From out of the covers, he takes a few mustache rags. He better rests his face in the fat armpit of his wife. Dona Laura sighs. She flails a little. And she rests even more on her honorable husband and lord. Little by little Sousa Costa begins to snore again. The snoring even accentuates the compact peace. Perfectly.

When she came for breakfast, at her usual time, I suppose Sousa Costa and his wife were still sleeping. Exactly. They were repairing their spent effort. She didn't find anybody and Tanaka took advantage of that to serve her badly, Fräulein didn't even notice the Japanese's skirmish. She thought. That is… Would she think?

There was very little Fräulein at that moment. Because Fräulein, the Elza who started this idyll, was a grown woman who was not willing to suffer. And the Fräulein of this minute is a broken woman, a Fräulein who suffers. Fräulein suffers. And because she suffers, she is beyond Fräulein, beyond German: she is a tiny human being.

That's why I got upset to talk about what she thought: she suffers. She doesn't think well because she feels too much. She

pensamentos. Farrapos não! palavra que insulta... Lembra Bethmann Holweg. Que culpa Fräulein tem dos "farrapos de papel" de Bethmann Holweg? Nenhuma. Retiremos os farrapos. Ela apenas acumula, ponhamos, migalhas de pensamentos, não, antes prelúdios de pensamentos, que fica mais musical. Simultâneos brotam na consciência dela desenhos inacabados, isto é, prelúdios de ideias. Umas dolorosas, outras dolentes, outras macabras. Até? Até macabras, *zum Henker*! Um chacoalhar de ossos mal presos, anuncia que por detrás a morte passa calçuda e masculina pros que pensam em alemão, *der Tod*...

Esse esgotar lento e invisível de forças e gastar de tentativas dia a dia... Súbito: que cansaço! ah!... Não melhora mesmo! E achará casamento?... Brigando, se aviltando por oito contos... Tanaka... *Correio Paulistano*... Se aviltar não. Abandonava Carlos... Isto lhe doía, doía, não nega não.

E aonde ir agora?... Quartinho de pensão... E nova espera... Mal-e-mal dobrando os vestidos retirados da guarda-roupa, abria malas. Recordava em corisco os dinheiros ajuntados... H. Blumenfeld & Comp. do Rio de Janeiro..., certo que podia em breve descansar... Ai... Casava... De tarde ele voltava do trabalho... Jantavam... Muito magro, óculos sem aro... A *Pastoral*? A *Pastoral*... Universidade... Assim mesmo, o Brasil não fora muito propício pra ela não... Frau Benn pedira de emprestado sessenta mil réis... Imaginava bem mais fácil progressos ao abordar imigrante a terra americana... Passara uma vez quase dois anos sem encontrar o trabalho dela, de casa em casa, professora de alemão e piano...

accumulates only rags of thoughts. Not rags! word that insults... It reminds one of Bethmann Holweg. How is Fräulein at fault for Bethmann Holweg's "paper rags"? None. Let's take off the rags. She only accumulates, let's say, crumbs of thoughts, no, rather, preludes of thoughts, which is more musical. Simultaneously, unfinished drawings arise in her conscience, that is, preludes of ideas. Some painful, some doleful, some macabre. Even? Even macabre, *zum Henker*![51] A rattle of bones badly attached, announces that death passes by behind, masculine and wearing pants, of those who think in German, *der Tod*...[52]

This slow and invisible exhaustion of forces and disposal of attempts day by day... Suddenly: such fatigue! ah!... It doesn't get better at all! And will she find a marriage?... Fighting, debauching herself for eight *contos*... Tanaka... *Correio Paulistano*... Debauch herself, no. she'd leave Carlos... That hurt her, hurt, she doesn't deny it, no.

And where to go now?... Little boarding house room... And a new wait... She barely folded the dresses taken from the wardrobe, opened suitcases. She quickly remembered money collected... H. Blumenfeld & Comp. of Rio de Janeiro..., certain that she could rest soon... Alas... She would get married... In the afternoon he'd return from work... They'd have dinner... Very thin, glasses without rims... The *Pastoral*? The *Pastoral*... University... Anyway, Brazil hasn't been very conducive to her, no... Frau Benn had borrowed sixty thousand *réis*... She imagined much easier progress in approaching the immigrant American land... She once spent almost two years without finding work, from house to house, German and piano teacher...

E devia se calar. Se acaso se propunha a algum chefe de família a recusa vinha logo... Ríspida. Falta de entendimento e de prática... Deste povo inteiro. E era sempre aquilo: no outro dia a dona da casa vinha muito sáxea e..., Mas mesmo possível que uma pessoa olhe pros outros de cima, altivamente?...

Só porque tinha dinheiro?... Lhe entregava o envelope com a mensalidade. Isso quando não descontavam as lições que inda faltava dar... Agora os meninos iam descansar um pouco; mais tarde, quando fosse pra recomeçar, avisariam. Pra que mentir?... Preciso comprar meias brancas. Como eram complicados os latinos. Cansativos.

Fräulein achava desnecessária tanta mentirada, e bobo tanto preconceito De primeiro isso irritava bastante o deus encarcerado, e era um berreiro d'atordoar dentro do corpo dela. Achava que o ideal da honra era repetir aquela frase que Schiller botara na boca de Joana D'Arc: "Não posso aparecer sem minha bandeira", ser sincera. Mas qual, as mães brasileiras, quando se tratava dos filhos, eram pouco patriotas, Fräulein fora obrigada a guardar a bandeira. E não sei se o deus encarcerado acabou se adaptando também, sei é que não fez mais chinfrim.

Só ficou aquele pensamento de que podia ser bem mais sincera na Europa. E na Alemanha então?... Porém sofria-se muito agora lá, e Fräulein não gostava de sofrer. As notícias chegavam cada vez mais tristes. A última carta do irmão eram dois braços implorantes pra América... América desilusória.

And she should shut up. If she offered herself to a family head, the refusal would soon come… Harsh. Lack of understanding and practice… Of all this people. And it was always that: the next day the lady of the house would come, very stony and…, But is it even possible that a person looks at those from the top, haughtily?…

Just because they had money? They gave her the envelope with the monthly fee. This when they didn't take off the missing lessons… Now the boys were going to rest for a while; later, when it was time to start over, they would let her know. Why lie? It was needed to buy white stockings. How complicated the Latinos were. Tiring.

Fräulein thought so much lying unnecessary and so much prejudice silly. At first it irritated the imprisoned god a lot, and there was so much tormented bawling within her body. She thought that the ideal of honor was to repeat that phrase Schiller had put in Joan of Arc's mouth: "I cannot show up without my flag," being honest. Well, the Brazilian mothers, when it came to their children, were unpatriotic, Fräulein was obliged to put her flag away. And I don't know if the imprisoned god ended up adapting too, all I know is that it didn't make a fuss anymore.

There was only that thought that she could be much more sincere in Europe. And in Germany then?… However, there was much suffering there now, and Fräulein didn't like to suffer. The news grew increasingly sad. Her brother's last letter was two arms imploring to America… Delusional America.

Afinal nem tanto assim, não se morria de fome, trajava boas fazendas. Sobretudo comia bem.

Fräulein começou arranjando com mais atenção os vestidos. Porém sabia que chegando a hora de descansar, so lhe seria possível o sossego na pátria alemã.

— Patrão está chamando.

Esperança! Onde estava Sousa Costa? Correu pra porta.

— Tanaka...

Ninguém mais no corredor.

— *Pöbel.*

Se apressou diante do espelho, deu um toque nos cabelos, concertou a blusa. Sousa Costa, que estava esperando no hall, fez ela entrar na biblioteca.

— Fräulein... antes eu tenho de lhe apresentar as nossas desculpas. Laura não sabia de nada e foi precipitada. Ela é mãe, Fräulein... Mas está muito arrependida do que fez.

— Não tem dúvida, senhor Sousa Costa. O mal foi o senhor... É verdade que o senhor se esqueceu.

— Esqueci, Fräulein... esqueci. Tantos negócios! É impossível a gente se lembrar de tudo mas Laura fez mal. Fräulein... há de concordar comigo... o que passou, passou, não é assim? Laura está convencida de que a senhora... Deve abandonar a ideia de ontem, Fräulein. Eu... nós lhe pedimos que fique.

— Mas senhor Sousa Costa...

After all, not that much, people didn't starve, wore good fabrics. Above all, they ate well.

Fräulein began by arranging the dresses more carefully. But she knew that when it was time to rest, she would only be able to rest in her homeland Germany.

"The boss is calling."

Hope! Where was Sousa Costa? She ran for the door.

"Tanaka..."

No one in the corridor anymore.

"*Pöbel.*"[53]

She hurried in front of the mirror, touched her hair, adjusted the blouse. Sousa Costa, who was waiting in the hall, had her enter the library.

"Fräulein... I have to apologize to you first. Laura didn't know anything and was hasty. She is a mother, Fräulein... But she is very sorry for what she did."

"No doubt, Mr. Sousa Costa. The problem was you... It's true that you have forgotten."

"I forgot, Fräulein... I forgot. So many dealings! It's impossible to remember everything except that Laura did wrong. Fräulein... you will agree with me... what has happened has passed, hasn't it? Laura is convinced that you... You must abandon yesterday's idea, Fräulein. I... we ask you to stay."

"But Mr. Sousa Costa..."

Esperou. Sousa Costa também esperou. Daí nascer um silêncio. Aproveitemo-lo pra observar o seguinte: Fräulein não hesitava, como fez parecer, queria ficar. Estava certa de ficar. Então porque hesitou? Porque é de praxe se fazer de rogada a pessoa vulgar. E uma prática boa de honestidade não voltar atrás sem muita insistência dos outros. Se compreende pois o abandono em que vive a bandeira de Joana D'Arc.

E porque Sousa Costa esperou? Porque a hesitação da moça lhe dava esperança nova, se ela recusasse... Que bom! acabava-se com aquilo! Que eram oito contos pra ele! Nada. Por isso não insistiu, esperou. Porém ela foi mais forte. Ascendência de raça superior. Sousa Costa principiou tendo vergonha do silêncio. Ascendência de boa educação. Insistiu:

— Desista de partir, Fräulein.

— É que...

Agora Sousa Costa se calou duma vez, cumprira com o dever. Assim ela não se dobrasse às razões que ele dera!... Fräulein não percebeu isso, mas ficou com medo de hesitar mais, ele podia aceitar aquilo como recusa. E devemos ser francos nesta vida, sempre fora simples e franca. Se aceitava, devia falar que aceitava e deixar-se de candongas. Sempre fora como a Joana de Schiller que não podia aparecer sem a bandeira dela. Emendou logo:

— Bom, senhor Sousa Costa. Como o senhor e sua esposa insistem, eu fico.

Ora, Fräulein, vá saindo! ninguém insistiu tanto assim. Não, é certo que Sousa Costa e dona Laura insistiram, esta com o marido e ele com Fräulein. Mas porque insistiram, se não

She waited. Sousa Costa also waited. Hence a silence took root. Let's take advantage of it to observe the following: Fräulein didn't hesitate, as she made it seem, she wanted to stay. She was sure to stay. So why did she hesitate? Because it's common practice for the vulgar person to play hard to get. And a good practice of honesty is not to go back without much insistence from others. One can therefore understand the abandonment in which the flag of Joan of Arc exists.

And why did Sousa Costa wait? Because the young woman's hesitation gave him new hope, if she refused… So good! that was over with! That was eight *contos* for him! No way. That's why he didn't insist, he waited. But she was stronger. Superior race ascendancy. Sousa Costa began to be ashamed of the silence. Good education ascendancy. He insisted:

"Forsake leaving, Fräulein."

"It's that…"

Now Sousa Costa fell silent at once, he had done his duty. So she didn't bow to the reasons he gave!… Fräulein didn't notice this, but was afraid to hesitate more; he could accept that as a refusal. And we must be frank in this life; she had always been simple and frank. If she accepted, she would have to say that she would accept and stop with the faking. She had always been like Schiller's Joan, who couldn't show up without her flag. She amended at once:

"Well, Mr. Sousa Costa. As you and your wife insist, I'll stay."

Why, Fräulein, go away! nobody insisted that much. No, it's true that Sousa Costa and Dona Laura insisted, she with

queriam? Ninguém o saberá jamais. Insistiram, simplesmente. Fräulein é que ficará por causa da insistência. Por causa disso. Será melhor dizer que por adaptação. Isso: por adaptação. Também se pode pensar no desejo vigiando... sensualidades... Vamos pra diante.

Como tombam as expectativas! A alma espera. A postura da espera é estar suspensa, e a alma parece então um pinheiro do Paraná, todos os ramos em corimbo, erguidos pra cima. Os ramos se sustentam muito bem, ascendendo pro alto, expectantes. Enrija-os a seiva da esperança, que é forte. Mas eis que falha a expectativa. O pinheiro do Paraná vira pinheiro da Suécia. E os ramos descendentes, uns nos outros se apoiando, até que os mais de baixo se arrimam no chão.

O pinheiro da Suécia volta macambúzio pro quarto conjugal. Dona Laura, pinheiro do Paraná:

— Recusou?

— Aceitou.

Dona Laura, pinheiro da Suécia. Sousa Costa suspira e:

— Assim é melhor, Laura.

— Muito melhor, Felisberto.

Os dois agora estão convencidos de que o caso resolveu-se bem. Se Carlos se perdesse... Mas agora se salvará pois Fräulein fica. Os dois cônjuges se sentem descansadamente satisfeitos. Vão se vestir, vão viver. Que sossego esta vida boa!...

E que gostosura liquidar um caso! Quase todos conservam a impressão de ter vencido.

her husband and he with Fräulein. But why did they insist, if they didn't want to? No one will ever know. They insisted, quite simply. Fräulein will remain just because of the insistence. Because of that. It would be better to say that by adaptation. That's it: by adaptation. One can also think of desire watching... sensualities... Let's move forward.

How expectations fall! The soul waits. The attitude of waiting is to be suspended, and the soul then looks like a Paraná pine, all the corymb branches, raised up. The branches hold very well, rising high, expectant. The sap of hope, which is strong, rigidifies them. But here is where the expectation fails. The Paraná pine turns into Swedish pine. And the branches descending, leaning against each other, until the lower ones lean to the ground.

The Swedish pine sullen goes back to the conjugal room. Dona Laura, Paraná pine:

"Did she refuse?"

"She accepted."

Dona Laura, Swedish pine. Sousa Costa sighs and:

"That's better, Laura."

"Much better, Felisberto."

The two are now convinced that the case has worked out well. If Carlos got lost... But now he'll be saved because Fräulein stays. The two spouses feel restfully pleased. They'll get dressed, they'll live. So peaceful is this good life!

And what a delight to settle a case! Almost everyone maintains the impression of having won.

Susto. Os temores entram saem pelas portas fechadas. Chiuiiii... ventinho apreensivo. Grandes olhos espantados de Aldinha e Laurita. Porta bate. Mau agouro? Não... Pláaa... Brancos mantos... E ilusão. Não deixe essa porta bater! Que sombras grandes no hall... Por ques? tocaiando nos espelhos, nas janelas com vidros fechados... que vazias. Chiuiii... Olhe o silêncio. Grave. Ninguém o escuta. Existe. Maria Luísa procura, toda ouvidos ao zunzum dos criados. Porque falam tão baixo os criados? Não sabem. Espreitam. Que que espreitam? Esperam. Que que esperam?... Carlos soturno. Esta dorzinha no estômago... O inverno vai chegar...

Ninguém sabe de nada. Se ninguém não escutou nada! Mas a vida está suspensa nesse dia.

— Fräulein... que foi que houve, hein!

E ficou rubro rubro da coragem.

— Quando, Carlos?

Ele envergonhadíssimo. E ela não ajudava, esperando... Por último inda repetiu, escangalhando o menino:

— Quando?

Ele mentiu:

— Pensei que você estava doente. Não me deu lição ontem...

— Estive doente, Carlos.

— Já sarou!...

— Já. Continue a lição, não houve nada. Futuro:

Fright. Fears come and go through the closed doors. Whoooosh… apprehensive little wind. Big astonished eyes of Aldinha and Laurita. Door bangs. Bad omen? No… Plaaaft… White mantles… And illusion. Don't let this door bang! Such big shadows in the hall… Whys? lurking in the mirrors, the windows with closed windows… so empty. Whoooosh… Look at the silence. Grave. No one listens. It exists. Maria Luísa searches, all ears to the zumzum of the servants. Why do the servants speak so softly? They don't know. They lurk. What are they lurking? They wait. What are they waiting for? Carlos, somber. This little pain in the stomach… Winter will come…

Nobody knows anything. If nobody heard anything! But life is suspended on that day.

"Fräulein… what happened, huh!"

And he was red–hot with courage.

"When, Carlos?"

He was very ashamed. And she didn't help, waiting… Finally, she even repeated, disarranging the boy:

"When?"

He lied:

"I thought you were sick. You didn't give me my lesson yesterday…"

"I've been sick, Carlos."

"You are well!…"

"Yes. Continue the lesson, it was nothing. Future:

— *Ich werde gefallen Fräulein!* Eu não quero que você saia daqui de casa!

Ela sorrindo pra refrescar o arroubo, ôh! descansou a mão na dele.

— Não vou sair, Carlos, sossegue.

— *Ich werde gefallen, du wurdest gefallen*... continuou, retirando a mão.

Fräulein nem reparou que ele passava do futuro pro condicional: Eu cairei, tu cairias se... etc. Ela estava pensando que carecia apressar e acabar com aquilo, senão. Chegou mais a cadeira por acaso. E o rapazinho continuava aos trambulhães, errando muito.

Último quarto da hora, o detestado. Carlos detestava o ditado e Fräulein também. O ditado? Não. O último quarto da hora. Por causa do ditado. Ou detestavam o ditado por ser no último quarto da hora?... Ninguém o saberá jamais.

Sobre a grande escrivaninha, legítimo liceu-de-artes-e-ofícios, o menino escrevia com lentidão. Hesitava mais que o necessário. Sucedia que então Fräulein se inclinava sobre ele pra ver as letras e corrigir, Fräulein era míope. Inclinava, se encostava toda nele e Carlos não gostava daquilo. Escritório úmido, frio, fechado no silêncio. Os últimos calores do outono derretiam a luz lá fora e esta, escorrendo pela janela entrecerrada, se coagulava no tapete. Dançarinamente na linfa luminosa a poeira.

Carlos não suportaria mais o mal-entendido, isso via-se. A angústia interior, imperiosa, aterrorizante, avisava-o

– *Ich werde gefallen*[54] Fräulein! I don't want you to leave this house!"

She smiled to refresh the rapture, oh! she rested her hand on his.

"I'm not leaving, Carlos."

"*Ich werde gefallen, du wurdest gefallen…*" he continued, withdrawing his hand.

Fräulein didn't even notice that he was going from the future to the conditional tense: I will fall, you would fall if… etc. She was thinking that she needed to hurry and stop it, otherwise. She brought the chair closer by chance. And the boy kept struggling, making a lot of mistakes.

The last quarter of the hour, the detested one. Carlos hated the dictation and Fräulein also. The dictation? No. The last quarter of the hour. Because of the dictation. Or did they hate the dictation for being in the last quarter of the hour?… No one will ever know.

Over the large desk, a legitimate lyceum–of–arts–and–crafts, the boy wrote slowly. He hesitated more than necessary. It so happened that Fräulein then bent over him to see the letters and correct him, Fräulein was myopic. She bent over, leaned against him, and Carlos didn't like it. The office was humid, cold, closed in silence. The last heat of autumn melted the light outside, and that, dripping from the narrow window, clotted itself on the rug. The dust dancing in the luminous lymph.

Carlos couldn't bear the misunderstanding any more, which one could see. The inner anguish, imperious, terrifying,

também disso. Confessaria hoje agora já na lição. Será que Fräulein também percebera o desespero do menino? Acabava. A hora acabava. Carlos, respiração multiplicada sonora. E era verdade que esquecia-se das letras agora, *Sehnsucht* tinha agá ou não? Desejaria escrever rápido, acabar! correr ao sol noutro calor!... Fräulein, com o braço esquerdo no espaldar da cadeira de Carlos, ponhamos, nas costas do rapaz, se despejou sobre ele, amoldada:

— Deixe ver.

Deitou o braço direito sobre o dele, lhe segurando a mão, soerguendo-a do papel. Assim, não é para intrigar, porém ele ficava abraçado. Abaixou a cabeça, querendo e não querendo, que desespero! era demais! se ergueu violento. Empurrou a cadeira. Machucou Fräulein.

— Não escrevo mais!

Ela ficou branca, tomou com um golpe. Custou o:

— Que é isso? Venha escrever, Carlos!

— Desse jeito não escrevo mais!

Abriu a luz da janela. Olhava pra fora, raivoso, enterrando virilmente as mãos nos bolsos do pijama, incapaz de sair daquela sala. Fräulein não compreendia. Estava bela. Corada. Os cabelos eriçados, metálicos. Doía nela o desejo daquele ingênuo, amou-o no momento com delírio. Revelação!

Todos os instintos baixos dela, porque baixos! todos os instintos altíssimos dela, guardados por horas... (altos ou baixos?... ninguém o saberá jamais!) guardados por horas, por

also warned him of that. He would confess himself today, now, during the lesson. Had Fräulein also perceived the boy's despair? The hour was getting over. The time was up. Carlos, with multiplied sounding breathing. And it was true that he forgot the letters now, did *Sehnsucht*[55] have an 'aitch' or not? He wished he could write fast, finish it! run into the sun in the other heat!... Fräulein, with her left arm on the back of Carlos's chair, let's say, on the boy's back, poured herself over him, molded:

"Let me see."

She put her right arm over his, holding his hand, lifting it from the paper. This way, it's not to ensnare, however he was embraced. He bowed his head, wanting and not wanting, what desperation! it was too much! he rose violently. He pushed the chair. He hurt Fräulein.

"I won't write anymore!"

She turned white, took it with a blow. It cost some tim,e to utter:

"What's that? Come and write, Carlos!"

"Like this, I won't write anymore!"

He opened the window light. He looked out, angry, manly burying his hands in the pockets of his pajamas, unable to leave the room. Fräulein didn't understand. She looked beautiful. Rubicund. Her hair frizzled, metallic. The naïve boy's desire hurting in her, she loved him at that moment with excitement. Revelation!

All her low instincts, why low! all the very high instincts of her, kept for hours... (high or low?... no one will ever know!) kept for hours, for days, months, emerged together in a stam-

dias, meses, surgiam somados numa carreira de touro que só a exaustão pararia. E ele era mais forte, duma força de pureza! vencia. Se partisse, tudo acabado. Oh não queria não! Vai falar pro pai não sei... Mesmo que sofresse também, era capaz de trazer Maria Luísa pras lições... E nunca mais ficará só com ela, com aquela que desejava, que pedia de amor... Depois começaria a pensar nela... Aos poucos ei-la idealizada, lá longe...

Não! Assim Fräulein não queria! E não reparava que Carlos era muito quotidiano pra tais idealizações. Isso só prova que Fräulein era ruim observadora, nada mais. Ou por causa da ardência do instante. Aliás, já tinham ambos ultrapassado o pensamento de amor. Carlos não sairá daquela sala, assim, mãos nos bolsos, lábios pobres, alma interrogativa.

— Mas que modos são esses, Carlos... Responda! dolorida.

Ele deu um som muxoxado com a língua, sacudindo a cabeça recurva balançando o corpo numa irritação motivada, sem nexo. Batia o calcanhar! Fräulein se aproximou. Que pedido sublime, murmurando aquele:

— Venha escrever...

— Não escrevo mais, já disse...

— Venha...

Tinha de ser a primeira a se confessar. Ela era a mais forte, da força de sabença. Teve tristeza por isso. Carlos por seu lado já estava mais calmo. A revolta lhe desagrupara os tais instintos altíssimos. Quando Fräulein toda entregue, amolecida, emoliente, lhe segurou no braço:

— Venha... Você me entristece, Carlos...

pede that only exhaustion would stop. And he was stronger, of a purity strength! he was winning. If he left, it would all be over. Oh she didn't want it to! he'll tell his father, perhaps... Even if he suffered too, he might bring Maria Luísa to the lessons... And would never be alone with her again, with the one he desired, who he asked for love... Then he would start thinking about her... Gradually there she was, idealized, from far away...

No! Fräulein didn't want it this way! And she didn't notice that Carlos was very quotidian for such idealizations. This only proves that Fräulein was a poor observer, nothing more. Or because of the ardency of the moment. By the way, they had both got ahead of the thought of love. Carlos won't leave that room, this way, hands in pockets, poor lips, interrogative soul.

"But what manners are these, Carlos... Answer!" aching.

He uttered a haw with his tongue, shaking his curved head, swinging his body in a motivated irritation, inane. He knocked his heels! Fräulein approached. What a sublime request, murmuring that:

"Come and write..."

"I won't write anymore, I already said..."

"Come..."

She had to be the first to confess. She was the strongest, with the strength of knowledge. She was sorry for that. Carlos, for his side, was already calmer. The rebellion had disassociated him from such lofty instincts. When Fräulein, all surrendered, softened, emollient, took hold by his arm:

"Come on... You make me sad, Carlos..."

Ele não sentiu nada. Imaginou que estava tudo acabado e vencera-o. Opôs apenas por opor:

— Mas a hora já acabou...

— Não ainda!...

Voltaram pras cadeiras. Muito unidos agora. De propósito. Sabiam que estavam unidos de propósito. Amantes e confessados. *Sehnsucht* tinha agá.

— Ora Carlos. Como é o ésse maiúsculo?

E como se afastara um pouco dele, no recuo parlamentar dos espantos, Carlos não pôde suportar o gozo perdido. Olhou pra ela e canalha, se rindo quase de vergonha, vencedor:

— Venha! Fique daquele jeito!

Enlaçava-lhe a cintura enfim, puxou-a. Botou a cara gostosa no colo dela, aonde nascem os aromas que atarantam. Lhe beijou as roupas. Depois sentiu um medo grande dela, vergonha desmedida, se refugiou dela nela. Sensualmente afundou olhos, nariz, boca, muita boca no corpo da querida. Pra se esconder. Fräulein sufocou-o contra o peito, com os seus braços enrolados.

Quando ele sentiu sobre os cabelos uma respiração quente de noroeste, principiou a imaginar e criticar. Criticar é comparar. Que gosto que teriam esses beijos do cinema? ergueu a cara. E, pois que era de novo o mais forte, beijou Fräulein na boca.

Das lombadas de couro, os grandes amorosos espiavam, Dante, Camões, Dirceu. Não digo que pro momento fílmico do caso, estes sejam livros exemplares, porém asseguro que eram exemplares virgens. Nem cortados alguns.

He felt nothing. She imagined that it was all finished and that she'd won him over. He opposed only to oppose:

"But the hour is over..."

"Not yet!..."

They returned to the chairs. Very close now. On purpose. They knew they were close on purpose. Lovers and confessants. *Sehnsucht* had an 'aitch.'

"Come on, Carlos. How is the capital 'ess'?"

And as she had withdrawn a little from him, in the parliamentary retreat of the frights, Carlos couldn't bear the lost pleasure. He looked at her and, scoundrel, laughing almost with shame, winner, said:

"Come! Stay that way!"

He twined her waist at last, pulled her in. He put his relishing face on her lap, where the bewildering aromas are born. He kissed her clothes. Then he felt a great fear of her, a disgraceful shame, he took refuge from her in her. Sensually he sank eyes, nose, mouth, a lot of mouth on her body. To hide himself. Fräulein smothered him against her chest, with her arms wrapped around.

When he felt a hot northwest breath over his hair, he began to imagine and criticize. To criticize is to compare. What taste would those movie kisses have? he raised his face. And since he was the strongest again, he kissed Fräulein on the mouth.

From the leather bookbinding peeped the great amorous men: Dante, Camões,[56] Dirceu[57]. I don't say that for the filmic moment of the case, these are exemplary books, but I assure you that they were virgin exemplars. Some not even cracked.

Não adiantavam nada, pois.

O caso é que Sousa Costa, escutando um amigo bibliófilo gabar exemplares caros, falara pra ele:

— Olha, Magalhães, veja se me arranja uns desses pra minha biblioteca.

Por isso é que possuía aquele Camões tão grande, aquela *Vita Nuova* em pergaminho, um Barlaeus e um Rugendas bom pra distrair as crianças, dia de chuva.

Ahn... ia me esquecendo de avisar que este idílio é imitado do francês de Bernardin de Saint-Pierre. Do francês. De Bernardin de Saint-Pierre.

Carlos esses três dias viveu? Eu não sei se alcançar a felicidade máxima, extasiar-se aí, e sentir que ela, apesar de superlativa, inda cresce, e reparar que inda pode crescer mais... isso é viver? A felicidade é tão oposta à vida que, estando nela, a gente esquece que vive. Depois quando acaba, dure pouco, dure muito, fica apenas aquela impressão do segundo. Nem isso, impressão de hiato, de defeito de sintaxe logo corrigido, vertigem em que ninguém dá tento de si. E fica mais essa ideia que retomasse de novo a vida, que das portas do Paraíso Terrestre em diante é sofrer e impedimento só. Estou convencido: Carlos não viveu esses três dias.

Três, porque no quarto dia os arroubos se espevitaram tão alarmantemente que não puderam mais sujeitar-se ao âmbito social da biblioteca e na mesquinha hora de lição. Pra ele

They had no use, then.

The case is that Sousa Costa, listening to a bibliophile friend boast expensive copies, had told him:

"Look, Magellan, see if you can get me some of these for my library."

That's why he owned such a large Camões, that *Vita Nuova*[58] in parchment; a Barlaeus[59] and a Rugendas,[60] good to distract the children, rainy day.

Erm… I almost forgot to tell you that this idyll is an imitation from Bernardin de Saint–Pierre's French. From French. From Bernardin de Saint–Pierre.[61]

Did Carlos live those three days? I don't know whether to reach maximum happiness, to be ecstatic there, and to feel that, although superlative, it still grows, and to realize that it can grow more… is this to live? Happiness is so opposed to life that, being in it, we forget that we live. Then when it's over, whether it lasts a little, or lasts a long time, there's only that impression of the second. Not even that, it's the impression of hiatus, of a defect of syntax soon corrected, dizziness in which no one pays attention to oneself. And it is more this idea that one resumes life again, that from the doors of the Worldly Paradise onwards there is only suffering and hindrance. I'm convinced: Carlos didn't live those three days.

Three, because on the fourth day the rush was so frightening that they were no longer able to submit to the social scope

talvez tempo e ambiente pouco importassem, porém nós já sabemos que Fräulein tinha o gosto das metodizações, ali não. Carlos deitando a mania dela, assim gemeu:

— Fräulein... eu queria te falar uma coisa...

Sem vergonha, sorria. E fechou os olhos encabulado. Se aninhara nos braços dela, pra com mais eficácia ordenar.

— Pois fale, Carlos.

— Aqui não!...

Estes paulistas falam muito devagar, escuta só como ele arrasta a voz:

— Aqui não... De repente a lição acaba e a gente carece de sair... Podem desconfiar!...

Fräulein muda.

Certas coisas são muito difíceis de falar, quando a gente tem uma quinzena de anos, não pensa nas consequências e a querida espera, muda. Carlos era inocente por demais para supor que Fräulein já. Senão desembuxava, qual desembuxava! agia. Porém como nada supunha, não teve coragem pra. Alçou o braço, puxou a cabeça dela, deu o beijo.

— Uhmm... suspirou. E emudeceu. Silêncio. Principiou brincando com os dedos dela e muito baixo:

— Sim?...

— Sim o que, Carlos?

— Ora!

De repente, se apertando nos braços dela:

— Ah, vamos! diga se eu posso ir falar com você!...

— Mas falar o que, Carlos?

of the library and the miserable hour of the lesson. For him, maybe time and place didn't matter, but we already know Fräulein had the taste of methodizations, but not there. Carlos laughed at her craze, so he moaned:

"Fräulein... I wanted to tell you something..."

Without shame, smiling. And he closed his eyes sheepish. He had nestled in her arms, to more effectively order.

"So say it, Carlos."

"Not here!..."

These *Paulistas*[62] speak very slowly, listen how he drags his voice:

"Not here... Suddenly the lesson is over and we need to leave... They may suspect!..."

Fräulein silent.

Certain things are very difficult to say. When you are fifteen years of age, you don't think about the consequences and the dear one waits, silent. Carlos was too innocent to suppose that Fräulein had already... Otherwise he would speak out, what speak out! he would act. But as he didn't suppose anything, he didn't have the courage to. He raised his arm, pulled her head, and kissed her.

"Uhmm..." he sighed. And he was speechless. Silence. He started playing with her fingers and very low said:

"Yes?..."

"Yes, what, Carlos?"

"Well!"

Suddenly, squeezing into her arms:

"Oh, come on! tell me if I can go ahead and talk to you!"

— Ahn...

Riu. Depois, cantando numa gaita desafinada:

— Você já sabe, agora!...

Fräulein teve uma dor toda machucada, teve raiva, empurrou Carlos.

— Vamos embora.

— Não!...

— Me largue. A hora já acabou.

— Mais um poucadinho!

— Não me aperte assim!

— Dá um beijo!

— Que men...

— Só um... último!

Vencida.

— Hoje?...

— Não me amole!

— Hoje, ouviu.

Estava combinado. A dificuldade sempre parece maior do que é.

Imagino que esta máxima deve ser da maior imoralidade, paciência. Tem crápulas ordinaríssimos que namoram a mulher do próximo. Tem também estudantes dignos de elogio, que pretendem aprender a língua japonesa. Ora eu falo pra esse estudante: Irmãozinho, principie e siga corajoso. A dificuldade sempre parece maior do que é. A gente chega ao fim, ora se chega!

Fräulein é que saiu furiosa da biblioteca, uma raiva de Carlos, dos homens, de ser mulher... Principalmente de Carlos,

"But talk about what, Carlos?"

"Erm…"

He laughed. Then, singing in a happy, out-of-tune way:

"You already know, now!…"

Fräulein had a bruised ache, had anger, she pushed Carlos.

"Let's go."

"No!…"

"Let go of me. The hour is over."

"Just a little bit more!"

"Don't squeeze me like that!"

"Give me a kiss!"

"What a boy…"

"Just one… the last!"

She was defeated.

"Today?…"

"Don't bother me!"

"You heard me, today."

It was arranged. The difficulty always seems bigger than it is.

I imagine that this maxim must be of the greatest immorality, patience. There are very ordinary scoundrels who date his neighbor's wife. There are also praiseworthy students who intend to learn the Japanese language. Now I say to this student: Little brother, start and pursue it bravely. The difficulty always seems bigger than it is. We get to the end, why we do!

It was Fräulein who left the library furious, a rage toward Carlos, toward men, toward being a woman… Especially to-

objeto, ser que ocupa lugar no espaço. Lhe machucara o deus encarcerado. Aliás eu já preveni que Carlos era machucador.

Carlos era machucador. Porém não fazia por mal. Atrapalhava tudo, nunca tinha intenção de atrapalhar coisa nenhuma.

Repare nesse menino que passa. É grandalhão, é. Mesmo pesado. Muitos afirmam que ele é magro... A culpa não é tanto das carnes, que são rijas e abundantes. Come bem. Dorme bem. Passa vida regalada. E é escandalosamente sadio, nem sequer a faringite crônica de oitocentos mil paulistanos.

Mas então porque é magro? Já falei que não é magro, desraçado, apenas isso. O que sucede com as raças muito apuradas? A carne é bem cotada no Mercado, por ser muito mais macia. Pra conservar tais excelências a Inglaterra proíbe a intromissão do boi zebu nas marombas dela. Toda gente sabe também que o gado abatido lá na grande Argentina, que do *polled-angus-albion* sempre abunda, atinge tipo elevado na cotação dos importadores europeus.

Ora no Brasil entrou o boi zebu. Entra o *dunham* também, e já pasta o curraleiro e principalmente o caracu. Porém inda não se apurou coisa que valha. Será falta de carne nestes membros possantes? Nem tanto, os ossos é que ainda não diminuíram. Delírios da seleção! fundam o Herd-Book Caracu. O muchirão vai progredindo e já orgulha bastante o Estado de

ward Carlos, an object, a being that occupies a place in space. She had been hurt by the imprisoned god. In fact I already warned you that Carlos was a hurter.

Carlos was a hurter. However he didn't mean harm. He was clumsy, he never meant to get anything mixed up.

Look at this passing boy. He's gangly, he is. Even heavy. Many claim that he is thin… The problem is not so much the flesh, which is firm and plentiful. He eats well. Sleeps tight. Has a good life. And he's scandalously healthy, he doesn't even have the chronic pharyngitis of the eight hundred thousand *paulistanos*.[63]

But then why is he thin? I've already told you that he's not skinny, he has no pedigree, that's all. What happens to the more refined breeds? The meat is well listed in the Market, because it's much tenderer. To preserve such excellencies England forbids the intromission of the zebu ox[64] in its herds of oxen. Everyone knows that cattle slaughtered there in the great Argentina, which always abounds with the *polled-angus-albion*, is high in price from the European importers.

Well, to Brazil came the zebu ox. The *dunham* came as well, the *corralled* and mainly the *caracu* already graze. But nothing of worth has been refined yet. Is it the lack of flesh in these powerful members? Not so much, the bones haven't yet got smaller. Selection ecstasy! the Herd-Book Caracu is founded. The barn-raising is progressing and is already making the

São Paulo. Porém essas coisas não se fazem num dia, carece tempo, muito experiência...

E aos poucos, devido à clarividência dos criadores, os chifres diminuem, o focinho se torna uniformemente róseo, cascos róseos, e as malhas apanteradas alindam o pêlo arroz-doce do bicho. Bem claro inda não está... Mas lindo assim mesmo, não acha? Moreno rosado... terá mais deliciosa e masculina cor! Cobre carnes rijas, musculosas, afirmo. Apenas estas se disseminam porque a obrigação delas é cobrir. Então cobrem esses ossos de pouca ou nenhuma seleção, grandalhudos e grandes. Veja os braços, por exemplo. O menino até anda meio recurvado. E as mãos são grosseiras, porém isso já tem causa muito diferente, a culpa é toda dos esportes, futebol, principalmente natação e remo. Agora o boxe está na moda e Carlos boxa.

Nos momentos, felizmente mais raros, de consciência de si mesmo, ele se falsifica por completo. Afirma que gosta muito de pugilismo (é mentira) e toma os ares do forte que já não chora como os índios de Gonçalves Dias. Mas de fato, pra meu gosto pessoal, Carlos é um bocado. Isso não quer dizer falta de coração, significa somente esquecimento do coração, coisa muito comum nas pessoas normais. Carlos é frio? Não, porém não se lembra de querer bem. Se basta a si mesmo e se defende das festinhas.

Se alguém lhe bota a mão no ombro, retira o corpo instintivamente. Se uma das irmãs, irmãs nem tanto, camaradas, que Carlos não bate em mulheres, lhe dá a mão, aperta até machucar. Aliás não corresponde ao aperto de mão

State of São Paulo very proud. But these things are not done in one day, it lacks time, much experience...

And gradually, due to the clairvoyance of the breeders, the horns get smaller, the muzzle becomes evenly rosy, rosy hooves, and the panthery speckles beautify the rice-pudding fur of the animal. Well, of course it's not pale yet... But it's beautiful nonetheless, don't you think? Rosy tanned... there will be more delightful and masculine color! It covers firm, muscular flesh, I affirm. They only disseminate because their obligation is to cover. So they cover these bones with little or no selection, gangly and big. See the arms, for example. The boy even walks a little arched. And the hands are rough, but this has yet a very different cause, it's the fault of all the sports football, especially swimming and rowing. Now boxing is fashionable and Carlos is boxing.

In the moments, fortunately rarer, of self-awareness, he falsifies himself completely. He says that he likes pugilism a lot (it's a lie) and puts on airs of the strong one who no longer cries, like Gonçalves Dias's Indians. But in fact, for my personal taste, Carlos is a bit distant. This doesn't mean he lacks heart, it only means forgetting the heart, something very common in normal people. Is Carlos cold? No, but he doesn't remember to care. He is enough for himself and shields himself from fondling.

If someone puts a hand on his shoulder, he pulls his body away instinctively. If one of the sisters, not so much sisters, comrades, because Carlos doesn't hit women, gives him her hand, he squeezes it to the point of injury. In fact, he doesn't correspond to anyone's handshake. To those of some superiority who reach

de ninguém. Aos de alguma superioridade que estendem a mão pra ele, entrega dedos sem contato, inerte, retos, que não se curvam pra apertar. Paralisia infantil. Nunca! paralisia de Carlos. É doença particular. Quero mostrar, com o caso do ombro e o da mão, que ele não goza (nem mesmo as percebe) com as pequenas e mais ou menos mascaradas sensualidades que entretêm as fomes amorosas de todos, da aurora ao se deitar. Porém nestes últimos dias Carlos beija muito as irmãs, principalmente Aldinha.

— Que caídos são esses com sua irmã!

Carlos baixa os olhos, se ri. Pronto: já envaretou outra vez. Sem querer aperta Aldinha e machuca.

— Ai, Carlos!... Feio!

— Quem que é feio!

— Você, sabe!

— Quem que é feio! Repita mais uma vez pra você ver!

— É você! é você!

— Quem!

— Tu, turututu! parente do tatu e do urubu, pronto!

— Então se sou parente do tatu e do urubu, você é tatua misturada com urubua. Aldinha chora, é natural.

— Mamãe! Ahn... mamãe!

— Que foi, Aldinha!

— Ahn... Carlos me chamou de tatua misturada com urubua...

Ele não fez por mal, só crianças fracas, doentias e nervosas são malvadas. Vejam Maria Luísa... Faz um par de dias, foi no chá da amiguinha. Pois achou jeito escondido de esquartejar o

out to him, he delivers untouched, inert, straight fingers that don't bend to squeeze. Childhood paralysis. Never! Carlos's paralysis. It's a particular disease. I want to show, with the case of the shoulder and the hand, that he doesn't feel pleasure (or even perceive them) with the small and more masked sensualities that entertain everybody's amorous hungers, from dawn to bedtime. But in these last days Carlos kisses his sisters a lot, especially Aldinha.

"What endearment is this with your sister!"

Carlos lowers his eyes, laughs. That's it: he's already sulking again. He squeezes and hurts Aldinha unintentionally.

"Oh, Carlos!… Ugly!"

"Who's ugly!"

"You, you know it."

"Who's ugly! Repeat it one more time and you'll see!"

"It's you! it's you!"

"Who!"

"You, turututu! relative of an armadillo and a vulture, so there!"

"Then if I am related to an armadillo and a vulture, you are a *tatua* mixed with an *urubua*." Aldinha cries, it's natural.

"Mommy! Erm… Mommy!"

"What is it, Aldinha!"

"Erm… Carlos called me a *tatua* mixed with an *urubua* …"

He doesn't mean harm, only weak, sick and nervous children are mean. See Maria Luísa… A couple of days ago, she went to the tea of a little friend. So she found a hidden way of

bebê de porcelana. Quando saía, esperando a mãe no jardim, depenou a palmeirinha. De caso pensado. Mas ninguém não viu e ela não contou nada. Se fosse Carlos, juro que pegando na boneca desarticulava num instante os braços da coitadinha. Porém ia logo mostrar o malfeito, tomava pito, encabulava. Depois foi saltar a palmeirinha, facilitou, deu com o pé no vaso caro.

— Dona Mercedes, quebrei o vaso da senhora! me desculpe!

Ela diria o "não faz mal", tiririca por dentro. Depois desabafava:

— A Laura tem um filho insuportável! malvado! você nem imagina! Quebra tudo de propósito! Diferente da irmã... Maria Luísa é tão boazinha!...

Porém isso não faria nenhum mal pra Carlos, a essa hora, quem sabe? talvez envaretado por novas reinações, pensando noutras coisas. Maria Luísa lembra a outra palmeirinha... Lhe cresce a pena de não a ter desfolhado também.

Não sei se pus alguma coisa de Carlos nestas últimas páginas. Tive intenção de. Relendo o capítulo, sinto que aí estão a pureza, a inocência, os ossos e a graça sutil do rapaz. E determinei bem que ele era um machucador de marca. Nesse dia então, viveu atentando as meninas.

— Mamãe! venha ver Carlos!

Dona Laura ficou zonza.

dismembering the porcelain baby. As she left, waiting for her mother in the garden, she plucked up the little palm tree. On purpose. But no one saw her and she didn't say anything. If it were Carlos, I swear that taking the doll he would disarticulate the poor toy's arms in an instant. But he'd show the damage at once, accept the scolding, get embarrassed. Then he jumped over the little palm tree, got clumsy, and hit the expensive flowerpot with his foot.

"Dona Mercedes, I broke your flowerpot! sorry!"

She would say "it doesn't matter," angry inside. Then she'd vent:

"Laura has an unbearable child! wicked! You can't imagine! He breaks everything on purpose! Different from his sister... Maria Luísa is such a dear!..."

But that wouldn't do any harm to Carlos at this time, who knows? perhaps abashed by other mischievous tricks, thinking of other things. Maria Luísa remembers the other little palm tree... The pity of not having plucked it, too, grows in her.

I don't know if I put something about Carlos in these last pages. I intended to. Rereading the chapter, I feel that therein lay the purity, innocence, bones and subtle grace of the young man. And I determined well that he was a remarkable hurter. Even more that day, he lived to provoke the girls.

"Mommy! come see Carlos!"

Dona Laura was giddy.

Fräulein enciumada, se remordendo, traidor! nem pensava mais nela! Ali pela tardinha não pôde mais, passou por ele e murmurou:

— Meia-noite.

Carlos se acalmou de supetão, não buliu mais com as irmãs, sério. Estava homem.

Carlos estava homem. Sem que se amedrontasse, assuntou a noite envelhecer. Só reparou no vagar dela. Muito sereno, porém apressado.

Aos poucos se apagaram as bulhas da casa, vinte e três horas. Se irritou com a impaciência chegando, que o fazia banzar pelo quarto assim, e lhe dava sensação do prisioneiro que espera o minuto pra fugir. Puxa! coração aos priscos. A calma era exterior. Não. O coração também se fatigou e sentou. Carlos também sentou. Cruzou os braços pra não mexer tanto assim, disposto a esperar com paciência. Tomou o cuidado de pôr o braço esquerdo sobre o outro, que assim o relógio ficava à mostra na munheca.

E os minutos se acabando, tardonhos. Aliás nem tinha pressa mais, o aproximar da aventura lhe apaziguava as ardências. Resfriado. Qualquer coisa lhe tirava o calor dos dedos... Se lembrou de vestir pijama limpo, fez. Depois pensou. Não tinha propósito trocar de pijama só porque. Carlos, como se vê, já tinha progredido sobre o pai, nunca usará brilhantina nos bigodes. Se nem bigodes! Vestiu outra vez o pijama usado e se reconciliou consigo, já confiante.

Fräulein jealous, remorseful, traitor! he didn't even think about her anymore! At around the afternoon she couldn't go any farther, she passed by him and murmured:

"Midnight."

Carlos calmed down, didn't twiddle with his sisters anymore, seriously. He was a man.

Carlos was a man. Without being frightened, he gave heed to the night growing old. He only noticed it wandering. Very serene, but hurried.

Gradually, the dins of the house sounded out, 11 p.m.. He was irritated by his impatience, which made him brood around the room like that, and it gave him a feeling of the prisoner waiting for the minute to escape. Wow! heart throbbing. Calm was exterior. No. His heart also became fatigued and settled down. Carlos also settled down. He folded his arms so he would not mess around that much, willing to wait patiently. He took care of putting his left arm over the other, so that the watch was showing on the wrist.

And the minutes are passing, sluggish. In fact, he wasn't even in any hurry, approaching the adventure appeased his ardencies. Chilly. Anything would take away the heat from his fingers... He remembered to wear clean pajamas, he did. Then he thought. He had no intention of changing his pajamas just because. Carlos, as it turns out, had already progressed over his father, will never use brilliantine on his mustaches. If even mustaches! He put his worn pajamas back on and reconciled with himself, already confident.

E outra vez se sentou. Olhava a imobilidade dos ponteiros que lhe abririam a porta de Fräulein. Que o entregariam a Fräulein. Uma comoção doce, quase filial esquentou Carlos novamente. E porque amava sem temor nem pensamento, sem gozo, apenas por instinto e por amor, por gozo, iria se entregar. Está certo. Carlos amava com paixão.

A imobilidade é a sala de espera do sono. Procurou ler e cochilou. Vinte e três e trinta, se ergueu. Caceteação esperar! Também o momento estava estourando por aí, graças a Deus! Sentou na cama. Mais vinte e sete minutos. Vinte e seis... Vinte e cinco... Vinte e... Nos braços cruzados sobre a guarda da cama, a cabeça dele pousou.

A posição incômoda acordou Carlos. Espreguiçou, empurrando com as mãos a dor do corpo, sentado por quê? ah! lembrança viva enxota qualquer sono. Hora e meia! Desejo furioso subiu. Sem reflexão, sem vergonha da fraqueza, corre pra porta de Fräulein. Fechada! Bate. Bate forte com risco de acordar os outros, bate até a porta se abrir, entra...

Aqui devem se trocar naturalmente umas primeiras frases de explicação — se ele der espaço para tanto entre os dois! — porém obedeço a várias razões que obrigam-me a não contar a cena do quarto. Mas como nos será impossível dormir, ao leitor e a mim, ambos naquela torcida pelo triunfo de Carlos, vamos gastar este resto de noite resolvendo uma questão pançuda:

And he sat down again. He looked at the stillness of the minute-hands which would open Fräulein's door to him. Which would deliver him to Fräulein. A sweet, almost filial commotion heated Carlos again. And because he loved without fear or thought, without pleasure, only by instinct and by love, for pleasure, he would surrender. That's right. Carlos loved with passion.

Immobility is the waiting room of slumber. He tried to read and dozed off. At 11:30 p.m., he stood up. What a nuisance to wait! Also the moment was bursting around, thank God! He sat on the bed. Another twenty-seven minutes. Twenty-six… Twenty-five… Twenty-… Over his folded arms over the bed's footboard his head landed.

The uncomfortable position woke Carlos up. He stretched, pushing with his hands the pain of the body, sitting for what? ah! living memory chases any sleep out. 1:30 a.m.! Furious desire rose. Without reflection, without shame for the weakness, he runs to Fräulein's door. Closed! He knocks. Knocks hard at the risk of waking the others up, knocking until the door opens, he enters…

Here, of course, the first few sentences of explanation must be exchanged — if he gives room for so much between the two of them! — but I obey several reasons that force me not to describe the scene of the bedroom. But as it will be impossible for us, the reader and I, both in the cheering for Carlos's triumph, to sleep, we are going to spend what is left of the night solving a plump

Quais eram de fato as relações entre Fräulein e o criado japonês? Inimigos? Quem me falou que ele se entendem?...

Pois é. Castro Alves cantava que na última contingência da calamidade, quando a queimada galopa destruindo matos, sacudindo as trombas curtas de fogo no ar, a corça e o tigre vão se unir na mesma rocha. Não sei em que país do mundo Castro Alves viu a "*Queimada*" dele... Talvez nalgum Éden bíblico ou nas bíblicas proximidades da moradia de Tamandaré, depois do dilúvio. O certo é que tinha lá promíscuo farrancho, um tigre, uma corça, além de iaras e cascavéis. Não esqueçamos também o perdigueiro. Porém essa fauna panterrestre não tem importância nenhuma pra este idílio, pois não trata-se de corça nem de tigre, estou falando de Fräulein e do criado japonês.

Mas da relação íntima que possa existir entre os quatro inda me resta o que falar. Não sei porém como igualar Fräulein a uma corça... A comparação tomava assim uns ares insinuantes de pureza que não ficam bem, pois nós todos já sabemos que. O japonês então, gente guerreira aquela! é que de todo não pode ser a tímida veadinha... De mais a mais confesso que não vejo entre os brutos escolhidos por Castro Alves para o mesmo habitat conciliatório, mais que antítese inócua, nem são tão opostos assim! Mais inimigos ainda, mais muito mais! são o tigre e o tigre.

Agora sim a metáfora pode convir. São tigres pois, no sentido que mais convier a cada um, a governanta e o criado japonês dos Sousa Costas. Esta analogia vai surgir muito

question: What were in fact the relations between Fräulein and the Japanese servant? Enemies? Who told me that they understand each other?...

That's right. Castro Alves[65] sang that in the last contingency of the calamity, when the wildfire gallops destroying the bushes, jerking the short trunks in the air, the doe and the tiger will unite on the same rock. I don't know in which country in the world Castro Alves saw his "*A Queimada*"... Maybe in some Biblical Eden or in the Biblical vicinities of the dwelling of Tamandaré, after the deluge. The certain thing was that there was a promiscuous group of pilgrims there, a tiger, a doe, besides river mermaids and rattlesnakes. Let us also not forget the bird dog. Yet this panterrestrial fauna is of no importance to this idyll, for it isn't about a doe nor a tiger, I am talking about Fräulein and the Japanese servant.

But of the intimate relationship that may exist between the four of them, I'm still to talk about. I don't know how to equate Fräulein with a doe... The comparison took a few insinuating hints of purity that don't look good, as we all already know. The Japanese people then, warriors they are! is the one who cannot at all be the timid little doe... Moreover, I confess that I don't see among the brutes chosen by Castro Alves for the same conciliatory habitat, more than innocuous antithesis, nor are they such opposites! Even more enemies, more and much more! are the tiger and the tiger.

Now the metaphor can beseem. They are tigers indeed, in the sense that most suits each one, the governess and the Japanese servant of the Sousa Costas. This analogy will become very evi-

evidente, agora que me disponho a explicar porque lembrei o verso de Castro Alves.

Em que companhia horrorosa a gente Sousa Costa foi se meter! Porém no Brasil é assim mesmo e nada se pode melhorar mais! Os empregos brasileiros rareiam, brasileiro só serve pra empregado-público. Aqui o copeiro é sebastianista quando não é sectário de Mussolini. Porém os italianos preferem guiar automóveis, fazer a barba da gente, ou vender jornais. Se é que não partiram pro interior em busca de fazenda por colonizar. Depois compram um lote nos latifúndios tradicionais, desmembrados em fazendas e estas em sítios de dez mil pés. Um belo dia surgem com automovelão na porta do palacete luís-dezesseis na Avenida Paulista. Quem é, hein? É o ricaço Salom Qualquer-Coisa, que não é nome italiano mas, como verdade, é também duma exatidão serena. Porém se o copeiro não é fascista, a arrumadeira de quarto é belga. Muitas vezes, suíça. O encerador é polaco. Outros dias é russo, príncipe russo.

E assim aos poucos o Brasil fica pertencendo aos brasileiros, graças a Deus! dona Maria Wight Blavatsky, dona Carlotinha não-sei-que-lá Manolo. Quando tem doença em casa, vem o dr. Sarapião de Lucca. O engenheiro do bangalô neo-colonial (Ásia e duas Américas! Pois não: Chandernagor, Bay Shore e Tabatinguera) é o snr. Peri Sternhein. Nas mansões tradicionalistas só as cozinheiras continuam ainda mulatas ou cafusas, gordas e pachorrentas negras da minha mocidade!... Brasil, ai, Brasil!

dent, now that I am willing to explain why I remembered the verse by Castro Alves.

In what horrible company the Sousa Costas came to be! But in Brazil it's that way and nothing can be improved anymore! Brazilian jobs are scarce, the Brazilian only serves as public employee. Here the butler is Sebastianist[66] when he is not a sectarian of Mussolini. But the Italians prefer to drive cars, shave people, or sell newspapers. That if they hadn't gone to the countryside in search of a farm to colonize. Then they buy a lot in the traditional latifundium, plot it into farms and these into ten thousand-foot ranches. One fine day they appear with a big automobile at the door of the Louis XVI mansion on Avenida Paulista. Who is it, huh? It is the moneybag Salom Some-Thing, which is not an Italian name but, like truth, is also of a serene accuracy. However, if the butler is not fascist, the chambermaid is Belgian. Often, Swiss. The floor waxer is Polish. Other days it's Russian, Russian prince.

And so, little by little, Brazil belongs to the Brazilians, thank God! Mrs. Maria Wight Blavatsky, Mrs. Carlotinha I-Don't-Know-What Manolo. When there is an illness at home, there comes Dr. Sarapião de Lucca. The engineer of the neo-colonial bungalow (Asia and two Americas! Of course: Chandernagor, Bay Shore and Tabatinguera) is the Mr. Peri[67] Sternhein. In the traditionalist mansions only the cooks are still mulatto or *cafuzo*,[68] fat and sluggish black women of my youth!... Brazil, ah, Brazil!

Falemos dos trigres. O japonês arripiou logo o pelame elétrico e grunhiu zangadíssimo. Mais uma estrangeira na casa que ele pretendia conquistar, ele só... O tigre alemão, se reconhecendo muito superior tanto na hierarquia solarenga como na instrução ocidental, lhe secundou ao grunhido com o muxoxo desdenhoso. O tigre japonês curvou a cabeça, muito servilmente. Porém toda casta de picuinha fazia pro outro. Quando era para dar um recado, batia na porta do outro e:

— Senhora está chamando e não dava o recado. O tigre alemão tinha que descer as escadas e ir saber o que dona Laura queria. Na mesa, muita vezes o nipônico deixava de servir o tedesco ou esbarrava nele com peso e malvadez. Mas o tigre alemão se vingava, e o senhor ou a senhora Sousa Costa ali, ordenava ao inimigo tal serviço, o tigre japonês obedecia servilmente. Era na alma que rosnava tiririca. E assim os dois tigres se odiavam. Viviam se arranhando em contínua rivalidade. Cada um se acreditava o dono daquela família, o conquistador da casa e do jardim, o quem sabe? futuro possuidor do Estado e próximo rei da terra brasileira toda do Amazonas ao Prata.

Odiavam? que estou falando! Quando os Sousa Costas grandes iam no teatro ou no baile, Fräulein deitava as pequenas. Depois entrava no quarto. Não sei se lhe pesava a solidão, descia, sentava-se no hall e abria um livro sem vontade. Virava pouco a pouco as folhas secas que ringiam machucadas no chão frio. Devia de estar

Let's talk about the tigers. The Japanese immediately ruffled the electric pelt and grunted infuriated. Another foreigner in the house he intended to conquer, only him... The German tiger, recognizing herself as much superior in both the manorial hierarchy as in the Western education, seconded him on the grunt with the disdainful tutting. The Japanese tiger bowed his head, very servilely. But it made all kinds of quibble to the other. When it had to pass on a message, it knocked on the door of the other and:

"The Lady is calling" and didn't pass the message. The German tiger had to go downstairs and find out what Laura wanted. At the table, many times the Japanese stopped serving the Tedesco or jostled it with weight and wickedness. But the German tiger would take vengeance, and Mr. or Mrs. Sousa Costa was there, ordering the enemy such service, the Japanese tiger servilely obeyed. It was in the soul that it growled irate. And so the two tigers hated each other. They lived by clawing each other in continuous rivalry. Each one believed itself to be the owner of that family, the conqueror of the house and garden, the one, who knows? Future possessor of the State and next king of the Brazilian land from Amazonas to the Plata.

Did they hate it? what am I talking about! When the grown up Sousa Costas went to the theater or to the ball, Fräulein put the young ones to bed. Then she would go to her bedroom. I don't know if her loneliness was weighing on her; she would go downstairs; she would sit in the hall and open a book unwillingly. Gradually she turned the dry pages which screaked wounded on the cold floor. There must have been some beast

alguma fera no arredor... O luar coava solitário da alta rama das árvores. De repente os cipós se entreabriam. Dois olhos espantados relampeavam na escureza e a carantonha chata do tigre japonês aparecia, glabra, polida pelo reflexo lunar. Com o passo enluvado, cauteloso, ele rondava à espera dum carinho. E o carinho chegava fatalmente. Fräulein, fingindo indiferença, fechava o livro.

— Muito serviço, Tanaka?

— Nem tanto, senhora, êêê... na terra era pior.

— Você é de Tóquio?

— Êê... senhora, não.

Se aproximava. Vinha felinamente estacar em frente do tigre germânico. Então eles conversavam. Falavam longamente. Comovidamente. Se contavam as mágoas passadas.

Confiantes, solitários. Doloridos. Se contavam as mágoas exteriores. As infâncias passavam lindas, inocentes, brinquedos, primavera, mamãe... Algumas vezes mesmo uma lágrima iluminava tanta recordação, tanta alegria. Tanta infelicidade.

Batia sobre eles o luar, e os santos óleos da lua como que lhes redimiam as maldades pequeninas. Se olhavam comovidos. O tigre alemão, longo, desgracioso, espiritual, ver um Schongauer. O tigre japonês, chato, contorcido, ver um Chuntai.

Depois das recordações, vinham as esperanças. E das esperanças, tão lentas de realizar! derivavam os exasperos e as revoltas. Até calúnias, tão eficientes para consolar. A roupa suja da família se quotidianizava ali. Os defeitos da pátria

around... The moonlight strained lonely from the high branches of the trees. Suddenly the lianas half-opened. Two frightened eyes flashed in the darkness, and the flat grimace of the Japanese tiger showed up, glabrous, polished by the moon's reflection. With a gloomy, cautious gait, he was holding out for affection. And the affection would come fatally. Fräulein, pretending to be indifferent, would close the book.

"Too much work, Tanaka?"

"Not so much, ma'am, erm... in the motherland it was worse."

"Are you from Tokyo?"

"Erm... ma'am, no."

He would approach. He would felinely come to stand in front of the German tiger. Then they talked. They spoke at length. Lively. They told each other their past sorrows.

Confident, lonely. Pained. They told of the exterior sorrows. The passed beautiful, innocent childhoods, toys, spring, mother... Sometimes even a tear illuminated so much memory, so much joy. Such unhappiness.

The moonlight struck them and the holy oils of the moon as if redeemed the little wickedness. They looked at each other. The German, long, miserable, spiritual tiger, to see a Schongauer. The Japanese, boring, contorted tiger, to see at a Chuntai.

After the memories came the hopes. And from the hopes, so laggard to achieve! came the exasperations and the resentments. Even slander, so efficient to comfort. The family's dirty laundry was quotidianly there. The imperfections of the

emprestada eram repassados com exagero. Principalmente o nipônico falava, que o alemão tinha as pernas mais altas do estudo para se rojar no lamedo. Porém se percebia que escutava com prazer. E os dois tigres se aproximavam, olhos úmidos, eram irmãos. Se a distância lhes impedia pra sempre o beijo sem desejo, insexual mas físico de irmãos, eles se davam, não tem dúvida, aquele beijo consolador, espiritual, redentor e reunidor da almas desinfelizes exiladas.

Apalermados pela miséria, batidos pelo mesmo anseio de salvação, sofrenados pelo fogaréu do egoísmo e da inveja, na mesma rocha vão trêmulos se unir. A queimada esbraveja em torno. Os guarantãs se lascam em risadas chocarreiras de reco-recos. A cascavel chocalha. A suçuarana prisca. As labaredas lambem a rocha. Pula uma irará, que susto! Peroba tomba. O repuxo das fagulhas dançarinas vidrilha de ouro o fumo lancetado pelas cuquiadas dos guaribas. Os dois tigres ofegam. Falta de ar. Sufocam, meu Deus! Deus? Porém que deus? Odin de drama lírico, sáxeo Budá no contraforte das cavernas? Mas porém sobre a queimada, Tupã retumba inda mais mucudo, de lá dos araxás de Tapuirama. Por enquanto. Creio mesmo que vencerá. Os dois tigres acabarão por desaparecer assimilados.

Mesmo o japonês? Homem, não sei. Avisto Gobineau fraudulento a estudar o facies de Tupã. Odin e Budá inda Tupã podia vencer, que em brigas entre iguais a vitória parece discutível. Mas Gobineau é homem, *Homo europeus*, e sempre constatei que os homens são muito mais fortes que os deuses. Gobineau vencerá para maior gozo de alemães.

borrowed country were relayed exaggeratedly. Especially the Nipponese spoke, that the German had the longer legs of study to be crawling in the mud. Yet, one could see that it listened with pleasure. And the two tigers were drawn closer together, moist eyes, they were siblings. If distance forever prevented them from the kiss without desire, unsexual but physical of brothers and sister, they gave each other, no doubt, that consoling, spiritual, redemptive and reuniting kiss of unfortunate exiled souls.

Astounded by the misery, beaten by the same longing for salvation, repressed by the flame of selfishness and envy, on the same rock they unite trembling. The wildfire raging around. The *guarantã* trees splinter in jocose guiro of laughter. The rattlesnake rattles. The cougar leaps. The flames lick the rock. The weasel jumps, what a fright! The *peroba* tree falls. The squirt of the dancing sparks vitrifies the fume/fretting lanced by the *guaribas*' fracas with gold. The two tigers gasp. Breathlessness. They suffocate, my God! God? But what God? Odin of a lyrical drama, Saxon Buda in the buttress of the caves? But over the wildfire, Tupã[69] rumbles even more stalwartly, from there, the plateaus of Tapuirama.[70] For now. I really believe that it will win. The two tigers will eventually disappear, assimilated.

Even the Japanese? Man, I don't know. I notice a fraudulent Gobineau[71] studying the facies of Tupã. Odin and Buda, but Tupã could still win, because in fights between equals the victory seems debatable. But Gobineau is a man, *Homo europeus*, and I have always noticed that men are much stronger than gods. Gobineau will win for the greater enjoyment of Germans.

Mas que bem que importa isso à família Sousa Costa? Não importa nada, nem dona Laura tem que ver com os futuros da pátria, francamente. Só o presente é realidade. Qual será o futuro? Paradigma de conjugação seguirá? Ou irregular? Ou não tem futuro, e família e pátria são defectivas?... Ninguém o saberá jamais...

Agora que as relações entre os dois tigres ficaram esclarecidas, só me resta aconselhar aos leitores o seguinte: A gente não deve culpar nem Fräulein nem o criado japonês. Não adianta nada, nem são tão culpados assim. E têm isso de imensamente cômico, que no fundo se odeiam. Mas ali estão unidos por causa da "*Queimada*" de Castro Alves. Por causa das recordações, do exílio e da esperança. Todos os exilados afinal têm direito a recordações e esperanças.

E enviado pro Brasil, onde irarás pulam, cascavéis chocalham, onças, jaguarandis, tatus-pebas, peixes-bois e tigres, pois não! tigres também se assanham, inda por cima vieram adquirir essa coisa tristonha e desagradável que de portugueses herdamos: a saudade.

A aurora entrecortada lança um primeiro suspiro nos céus noctívagos. Dois ou três galos madrugas, galos em Higienópolis não tem, uns galos madrugas... é uma pena estes verdes amáveis do Brasil não ocultarem rouxinol nem cotovia, aliás estamos na cidade e creio nem na umidade de White-Chapel a cotovia librará o vôo pesado dela, (será pesado o vôo da cotovia?) nem sobre a cúspide da Cleopatra's Needle o rouxinol cantará,

But what how does it matter to the Sousa Costa family? It doesn't matter at all, neither does Dona Laura have to do with the future of the motherland, frankly. Only the present is reality. What will the future be? Will the conjugation paradigm go on? Or irregular? Or has it no future, and family and country are defective?... No one will ever know...

Now that the relations between the two tigers have been clarified, I can only advise the readers of the following: One should blame neither Fräulein nor the Japanese servant. It's no use, nor are they that guilty. And they have immensely comic thing, that deep down they hate each other. But there they are united because of Castro Alves's "*A Queimada*." Because of the memories, exile and hope. All exiles are entitled to memories and hopes.

And sent to Brazil, where weasels jump, rattlesnakes rattle, jaguars, weasel cats, yellow armadillos, manatees and tigers, right! tigers also get stirred up, and on top of that they came to acquire this sad and unpleasant thing which we inherited from the Portuguese: *saudade*.[72]

The intersected dawn throws its first sighs into the nocturnal skies. Two or three dawning roosters, there are no roosters in Higienópolis, a few dawning roosters... it's a shame these lovely Brazilians greens don't hide nightingales or larks, we are in the city, I believe that not even in the humidity of the White Chapel the lark will hover its heavy flight (will the flight of the lark be heavy?), nor on the cusp of the Cleopatra's Needle the

porém estou me enganando, pois *Romeu e Julieta* passa-se na Itália, nem Shakespeare é londrino... resumindo: vários galos madrugas, amiúdam no Pacaembu. Pois agora que bateram as três e trinta, o leitor pode retomar o caso e espiar o corredor. O idílio continua.

Carlos sai cuidadoso do quarto de Fräulein. Caminha na maciota. Todo cuidado é pouco, não? com pés de onça ele pisa. Nem um ruído fará, não vá acordar alguém... Carlos reflete. E sabe que essas coisas ninguém deve descobrir.

Fräulein se fechou por dentro. Desenleou pensativa a maçaroca das cobertas. Foi alisar os cabelos, cheia de molas, boneco, pra não se embaraçarem mais durante o sono. Estava toda numa ideia longe, parafusando, parafusando. Deitando, inda parou um pouco, esquecida, onde está Fräulein? Qual! que ideia! Interrompeu a luz. Mas havia de tirar a limpo aquilo. Pegou no sono.

Carlos se levantou tarde. Desapontado? É certo que, descendo pro café, deu graças a deus de não encontrar Fräulein, bebeu, subiu escorraçado pelos sustos. Tomou o banho frio quotidiano, e cantava, distendendo os músculos morenos diante do espelho, nu. Coroava os olhos dele essa quebra de pálpebras, vocês sabem... como brilham as pupilas! É sono. Mas em volta delas, sombria, negrejante, a aliança matrimonial. De Saturno.

nightingale will sing, but I am deceiving myself, for *Romeo and Juliet* is set in Italy, and Shakespeare is not a Londoner… summing up: several dawning roosters crow in Pacaembu.[73] For now that three-thirty strikes, the reader can take up the case again and peep into the hall. The idyll continues.

Carlos leaves Fräulein's bedroom carefully. He walks softly. One cannot be too careful, right? he walks with jaguar steps. Not a sound he'll make, he won't wake someone up… Carlos reflects. And he knows that no one should find out about these things.

Fräulein locked herself inside. She unraveled the mess of the blankets. She smoothed her hair, full of springs, doll-like, so that it didn't get more entangled during her sleep. She was entirely into an idea afar, pondering, pondering. Lying, she still stopped a little, oblivious, where is Fräulein? What! what an idea! She interrupted the light. But she had to get to the bottom of that. She fell asleep.

Carlos got up late. Disappointed? It is certain that, coming down stairs for breakfast, he thanked God for not finding Fräulein; he drank, got up chased out by the fears. He took his quotidian cold shower, and sang, stretching the brown muscles before the mirror, naked. His eyes were crowned with this fold of the eyelids; you know… how the pupils shine! He's sleepy. But around them, bleak and gloomy, there was the matrimonial ring. Of Saturn.

Não se discute: os estigmas do pecado alindam qualquer cara. Carlos hoje está quase bonito, desse bonito que pega fogo nas mulheres. Até nas virgens, apesar do físico perfeito de Peri e do moçoloiro. Carlos estava assim com um arzinho sapeca, ágil, um arzinho faz-mesmo. Não se moçoloirara nem um pouco. Porém se cantava satisfeito parou a desafinação de repente, malestar... Berimbaus guisos membis, as meninas voltavam do passeio. Fräulein devia estar com elas. Ficaram no jardim.

Cinco pras onze, hora da lição! Carlos se imobiliza, apavorado, que vergonha, meu Deus! com que cara agora ia se apresentar diante de! Nunca mais olharia para ela! Não teria coragem... Espiou. Fräulein grande, linda e esbelta pros olhos dele (estava com sono) parara entre as rosas, metida numa capa austera. As pregas em ordem despencavam dos ombros dela, pormenorizadas e góticas. Espalhavam serenidade sem segredos, religiosa. Ajoelhar diante daquela boniteza matinal!... Ficar assim, extático, em silenciosa adoração... divina! E lhe beijar submisso a fímbria pura dos vestidos, mantos, mãos... descansar a fronte naqueles seios protetores... afundar o rosto nesse corpo... apertar Fräulein! molhar ela de beijos! morder, não sei!... Enlaçar cheirar unir... dormir... morrer... era no outono quando a imagem... Que é!

— Dona Fräulein manda dizer pra senhor que é hora de lição.

Nunca! Não posso! como será!... Andou. Se riu de aflito, abrindo a porta. Fatalizado. Caminhar pro suplício. Mais hesitações que degraus. Ela no centro do hall. A casa desabou.

It cannot be disputed: the stigmata of sin beautify any face. Carlos is almost handsome today, that kind of handsome that makes women catch fire. Even virgins, despite the perfect physique of Peri and *moçoloiro*.[74] Carlos had this somewhat naughty and agile air, a do-it-indeed look. He didn't become a *moçoloiro* at all. However if he sang happily, he stopped the disharmony suddenly, indisposition... *Berimbaus*,[75] rattles, *membis*,[76] the girls came back from the walk. Fräulein should be with them. They stayed in the garden.

Five to eleven, lesson time! Carlos stands still, terrified, what shame, my God! with what face was he going to appear before her now! He would never look at her again! He wouldn't have the courage... He peeped. Fräulein, big, beautiful, slender for his eyes (he was sleepy), had stopped among the roses, tucked away in an austere cloak. The orderly plies fell from her shoulders, detailed and Gothic. They spread serenity without secrets, religiously. Kneeling before that morning beauty!... Staying like this, ecstatic, in silent adoration... divine! And submissively kiss the pure fringe of her dresses, robes, hands... resting his forehead on those protective breasts... sink his face in this body... to hold Fräulein tight! to wet her with kisses! to bite, I don't know!... to snuggle snuffle unify... to sleep... to die... it was in the autumn that the image... "What!"

"Dona Fräulein sends word to you, sir, that it's lesson time."

Never! I cannot! how is it going to be!... He walked. He laughed in distress, opening the door. Doomed. To walking to

Pra Fräulein também. — Ora essa! — Não me amolem com histórias de concordância psicológica. Vocês se esquecem do deus encarcerado? A casa desabou pra ela também. Só que pôde disfarçar:

— Você se esqueceu da lição... Carlos?

Ele encabuladíssimo, rubro, pálido, ergueu um pouco os olhos pra ela. Fräulein também estava erguendo os dela. Só um pouquinho. Dois olhares que se relam, fogem. A casa redesabou. Muito desagradável. Se pudessem levar mais alguém pra biblioteca... podiam desconfiar!... não havia pretexto. Gostaram de não haver pretexto. Não queriam levar ninguém pra biblioteca. Porém passar uma hora juntinhos, depois de!... que horror! Carlos respondeu com a voz mais natural deste mundo.

— Estava me vestindo.

Entraram mecânicos, sem vontade. Porta fecha. Ele caiu sobre ela, choveu-lhe beijos pelo corpo, mastigou-a em abraços ardentes.

— Como vão os estudos de japonês, irmãozinho!

— Muito bem! Ora! já não morria de fome em Nagasáqui! A dificuldade sempre parece maior do que é.

— Mamãe! venha ver Carlos!

— Mas que será que sucedeu pra esse menino, hoje... Não tem parada! Você carece passar um pito nele, Felisberto! está impossível da gente aturar!

the ordeal. More hesitations than steps. She's in the center of the hall. The house collapsed.

For Fräulein also. — Come on! — Don't annoy me with stories of psychological concordance. Have you forgotten about the imprisoned god? The house collapsed for her, too. Only that she could disguise it:

"You forgot your lesson… Carlos?"

He was very embarrassed, red, pale, and lifted his eyes at her a bit. Fräulein was also lifting hers. Just a little. Two glances that almost touch, retreat. The house re-collapsed. Very unpleasant. If they could take someone else to the library… people could be suspicious!… there was no excuse. They liked to have no excuse. They didn't want to take anyone to the library. But spend an hour together, after they!… what horror! Carlos replied in the most natural voice in the world.

"I was getting dressed."

They entered mechanically, unwillingly. Closed door. He fell over her, and rained kisses over her body, he chewed her up in ardent embraces.

"How are your Japanese studies, little brother!"

"Very well! Why! I would no longer starve in Nagasaki! The difficulty always seems bigger than it is."

"Mommy! come see Carlos!

"But what happened to this boy, today… There is no stopping! You need to give him a scolding, Felisberto! it's impossible for us to put up with him!"

Vieram correndo em busca dos amantes, os tempos de intimidade. A gente nem respira e a vida já fica tão de ontem! É esquisito: o amor realizado se torna logo parecido com amizade. Carlos já senta-se e cruza as pernas. Se fumasse, fumaria. E sempre o mesmo ardente, o mesmo entusiasmado... Mas porém cruza as pernas, que é sintoma de amizade. Talvez mesmo pra evitarem o excesso de camaradagem, que traz os dizque e conta os casos desimportantes do dia, eles falam unicamente de amor. Não é por isso não. Fräulein tem de ensinar e ensina, Carlos até pouco fala. Geralmente ele apenas termina os raciocínios da sábia e se deita na sombra mansa das ilações. Carece aprender e aprende.

Que diabo! não acha muito cedo pra ensinar o ciúme da mulher, Fräulein? Porém a professora não se vence mais. Curiosidade? Antes aflição. Por isso ela se fala: Chegou o momento de ensinar o ciúme da mulher. E porque chegou, lhe sobra ocasião pra se certificar de. Arranca desabrida:

— É. Como as outras que você já teve. E as que há de ter.

Que método, Virgem! Veja como espantou o menino! está roxo de vergonha. Porém a resposta é pura e firme:

— Nunca tive ninguém!

Fräulein não deve insistir. Pois ela, esta cultura do sofrimento! ela imediatamente:

— Ninguém? Você não me engana, Carlos. Então hei de acreditar que fui a primeira?

— Você foi a primeira! a Única!

The times of intimacy came running in search of the lovers. We barely even breathe and life is already so yesterday's! It's strange: accomplished love soon becomes like a friendship. Carlos sits down and crosses his legs. If he smoked, he would smoke. And always the same ardent, the same enthusiastic… However, he crosses the legs, which is a symptom of friendship. Perhaps even to avoid the excess of comradeship, which attracts gossip and they talk of the unimportant cases of the day, they speak only of love. That is not the reason. Fräulein has to teach and she teaches, Carlos barely speaks. Generally he only finishes the reasonings of the wise woman and lies in the gentle shade of the illations. He needs to learn and he learns.

What the hell! don't you think it's too early to teach about a woman's jealousy, Fräulein? But the teacher doesn't wait anymore. Curiosity? Rather affliction. That's why she says: The time has come to teach you about a woman's jealousy." And because the time came, she has plenty of time to make sure that… She starts sharply:

"Yes. Like the others you've had. And the ones you'll have."

What a method, Mother of God! Look how she startled the boy! he's purple with shame. But the answer is pure and firm:

"I've never had anyone!"

Fräulein mustn't insist. So she, with this culture of suffering! immediately:

"No one? Don't fool me, Carlos. Then shall I believe that I was the first?"

"You were the first! the Only!"

— Não minta, Carlos. Então você nunca esteve com ninguém?... Está vendo?... Responda!

Ele ergue a cara, ardendo em verdades magníficas. Quanta franqueza linda! E responde. Responde certo:

— Estar não é gostar, Fräulein!

Não tem dúvida: o método socrático de perguntas e respostas dá no vinte, quase sempre. Ao menos quando escrito assim em cima do papel, seja por Platão ou mesmo por mim. A resposta de Carlos falava lindíssima verdade. Porém quando as verdades saltam do coração, nós homens intelectuais lhes damos o nome-feio de confissões. Carlos confessara apenas, não aprendera nada com a verdade que dissera. Só quando do peito passa pro cérebro, a confissão se transforma em verdade. Dessa excursão o professor é o tapejara.

Tínhamos chegado no momento da necessaríssima distinção entre amor e posse que, quando pra mais não sirva, serve pra sossego dos Sousa Costas pais. Carlos chegaria à certeza boa, se Fräulein dirigisse bem o diálogo. Bem que ela desconfiara na primeira noite, Carlos já conhecia o. Agora sabia disso, pois continuasse a lição! Qual o quê! A curiosidade corre num motociclo, o dever anda de bicicleta, veículo atrasado, quem vencerá? A gente já sabe que, só nas fábulas o jabuti ganha da candimba, nem sou capcioso Platão que prepara os diálogos por amor de cobrir de glórias o mestre dele. Por estas duas razões acontece que o motociclo ganha a corrida e Fräulein, em vez de ensinar, insiste. Faz perguntas, fingindo um ciúme aliás muito verdadeiro. Carlos, refugando sempre, enojado, desembucha tudo afinal. Fora com uma

"Don't lie, Carlos. So you've never been with anyone?... See?... Answer!"

He lifts his face, burning with magnificent truths. Such beautiful candor! And replies. Replies right:

"Being with someone is not liking, Fräulein!"

There is no doubt: the Socratic method of questions and answers comes into the twenties, almost always. At least when written like this on paper, whether by Plato or even by me. Carlos's reply spoke a very beautiful truth. But when truths jump out from the heart, we intellectuals give them the ugly name of confessions. Carlos had only confessed, he didn't learn anything from the truth he had spoken. It's only when the chest goes to the brain that the confession becomes true. For this excursion, the teacher is the pilot.

We had arrived at the moment of the very necessary distinction between love and possession, which, when it doesn't work anymore, it works as peace of mind for the Sousa Costas seniors. Carlos would get to a good certainty if Fräulein conducted the dialogue well. She had suspected the first night, Carlos already knew it. Now he knew this, so she would continue with the lesson! No way! Curiosity runs on a motorcycle, duty goes on a bicycle, delayed vehicle, who will win? We already know that only in the fables the turtle wins over the rabbit, I'm not a cunning Plato who prepares the dialogues for the sake of covering his master with glories. For these two reasons it happens that the motorcycle wins the race, and Fräulein, instead of teaching, insists. She asks questions, pretending a very real jealousy. Carlos, always rejecting it, disgusted, spit

qualquer, rua Ipiranga, porém que tinha isso! tão natural... E uma vez só! uma vez só! Fräulein te juro!... nem tive prazer... e levado por companheiros... se soubesse que você vinha!... E era só, unicamente dela! nunca serei de mais ninguém!... e, juro! foram os companheiros que me levaram, senão não ia!

Fräulein, embora nada grega, acreditava que os esportes eram alambiques de pureza. Porém não tinha vagar bastante agora, pra defender a ilusão escangalhada. O fato de Carlos não lhe ter dado a inocência, preocupava-a. Sejamos sinceros: aquilo machucou-lhe o orgulho profissional.

Mais do que esse sentimento inútil, logo sequestrado, Fräulein discutia se os oito contos lhe escapavam ou não, certo que não! Porém lhe faltava descanso agora, pra provar o não, Carlos estava ali. Só não cruzava as pernas mais, queixo nas mãos, cotovelos nos joelhos. O caso parecia grave. Bolas! preferia os beijos, Fräulein repeliu-o. E porque chorou! Ninguém o saberá jamais, chorou sinceramente Aproveitou as lágrimas pra continuar a lição. E aos poucos, entre perguntas e desalentos, mordida pelos soluços, tirava do aterrorizado as múltiplas verdades da sua teoria lá dela: qual o procedimento dum homem que não enciúma às cunhas, quais os gestos que dão firme e duradouro consolo à amante, desculpe: esposa enfraquecida pela dúvida, etc. Carlos, que menino inteligente! foi apressado, foi dominador, sincero. Tanto mesmo que ao partir, compartilhava os ciúmes de Fräulein, satisfeito. A tal farra com os camaradas... um crime. Só não se amaldiçoou, não amaldiçoou os companheiros e a perdida, só não chorou nem monologou porque não tinha inclinação pro gênero dramático.

it all out at once. It was with someone, Ipiranga street, however what about it! it's so natural... And only once! only once! Fräulein, I swear!... I didn't even have any pleasure... and I was taken by guys... if I knew you were coming!... And he was only, solely hers! I'll never belong to anybody else!... and, I swear! It was the guys who took me, otherwise I wouldn't go!

Fräulein, though not Greek, believed that sports were distilleries of purity. But she didn't have enough free time now to defend the spoiled illusion. The fact that Carlos hadn't given her his innocence worried her. Let's face it: it hurt her professional pride.

More than this useless feeling, soon taken away, Fräulein was discussing whether the eight *contos* escaped her or not, certainly not! But she had no rest now, to prove the not, Carlos was there. He just didn't cross his legs anymore, chin on his hands, elbows on his knees. The case looked grave. Darn! he preferred the kisses, Fräulein repelled him. And why she cried! No one will ever know, she cried sincerely. She used the tears to continue the lesson. And gradually, between questions and discouragement, angry with the sobs, she took from the terrified boy the manifold truths of her own theory: what is the procedure of a man who doesn't provoke plenty of jealousy, what are the gestures that give firm and lasting consolation to the lover, pardon me: wife weakened by doubt, etc. Carlos, what a clever boy! was rushed, was domineering, sincere. So much so that when he left, he shared Fräulein's jealousy, satisfied. That spree with the guys... a crime. He just didn't curse himself, didn't curse his pals and the lost woman, he just didn't cry or monologue,

E aquilo teria mesmo tanta importância assim. Não sabe. Sente que não. Quer sofrer mas não pode, está sublime de felicidade: uma mulher chorou por causa dele! puxa que gozo! Ele até dá um soluço. De gozo.

Fräulein, pelos dias adiante, pensou duas vezes longamente no caso. Seriamente. Foi honesta. Resolveu ficar bem quieta e aceitar os oitos contos. A missão dela não consistia em dirigir um ato: ensinava o amor integral, tão desnaturado nos tempos de agora!... Amor calmo, etc. Com a frequência do ideal escrito pelo deus encarcerado, com certeza discípulo de Hans Sachs, Fräulein pouco a pouco mecanizara a sua concepção pobre do amor. Ali o homem-da-vida e o homem-do-sonho vinham se confundir na pregação duma verdade só e, bem mais engraçado ainda, na visão do mesmo quadro. Professora de amor... porém não nascera pra isso, sabia. As circunstâncias é que tinham feito dela a professora de amor, se adaptara. Nem discutia se era feliz, não percebia a própria infelicidade. Era, verbo ser.

Insensivelmente porém a teoria que ensinava aos alunos vinha se embrenhar no que ela desejava ser. E o alemão de dentro de Fräulein repisa insaciável, incansável, a suave cena, sinfonia Pastoral cinco vezes por ano e perpétua visão: Boca-da-noite... Uma cidade escura milenar... Ele entraria do trabalho... Ela se deixava beijar... Durante a janta saberia dos bilhetes pra Filarmônica, no dia seguinte... E quando a noite viesse, ambos dormiriam sono grande sem gestos nem sonhar.

Pra isso também inconscientemente Fräulein dirigia os alunos. Sem inveja acreditava que os já ensinados reproduziam,

because he had no dramatic proclivity. And would that have mattered so much. He doesn't know. He feels it doesn't. He wants to suffer but cannot, he is sublime with happiness: a woman cried because of him! now what a joy! He lets out a sob. Of joy.

Fräulein, for the days ahead, thought twice about the case. Seriously.She was honest. She decided to stay very quiet and accept the eight *contos*. Her mission was not to direct an act: she taught integral love, so denatured in the times of now!... Peaceful love, etc. With the frequency of the ideal written by the imprisoned god, certainly a disciple of Hans Sachs, Fräulein gradually mechanized her poor conception of love. There the man-of-life and the man-of-dreams were confounded in the preaching of one truth and, even funnier, in the vision of the same picture. A teacher of love... but she hadn't been born for it, she knew that. The circumstances had made her the teacher of love, she had adapted. She didn't even question whether she was happy; she didn't notice her own unhappiness. She was, verb to be.

Insensibly, however, the theory that she taught the students was entangled with what she wanted to be. And the German man from within Fräulein insatiable, tireless, tramples the soft scene, pastoral symphony five times a year and perpetual vision, again: Nightfall... A millenarian dark city... He would come from work... She would let herself be kissed... During dinner she would get to know about the tickets to the Philharmonic the next day... And when night came, they would both sleep a long sleep without gestures or dreams.

Fräulein also unconsciously directed the students into that. Without envy she believed that those already taught reproduced,

breve reproduziriam a visagem gostosa. Agora dirigia Carlos para o mesmo fim. Porém que uma outra tivesse movido o menino a primeira vez... lhe desagradava. Conservaria sempre pelos anos a sensação logo vencida mas imortal de que tinham lhe passado a perna.

— Sua mãe tem governanta em casa?

— Não, por quê?

— Nada.

....

— Sua mãe tem governanta em casa?

— Não, por quê?

— Nada!

....

— Sua mãe tem governanta em casa?

— Tem, por quê?

— Ela ensina alemão pra você!

— Não, é russa.

—Você aprende o russo com ela!

— Eu! Deus te livre!

— Ah.

Vivia assim no quase. Contava ou não contava? se assusta. Não devia contar, aquilo era escandaloso, era. E que satisfa, que vitória ser escandaloso!... Tinha também essa longínqua noção de que a aventura devia ser um pouco ridícula. Mas,

soon reproduced the delightful vision. Now she was driving Carlos to the same end. However, that another woman had swayed the boy the first time... it displeased her. She would always keep through the years the soon-to-be-forgotten-but-immortal sensation that someone had taken her for a ride.

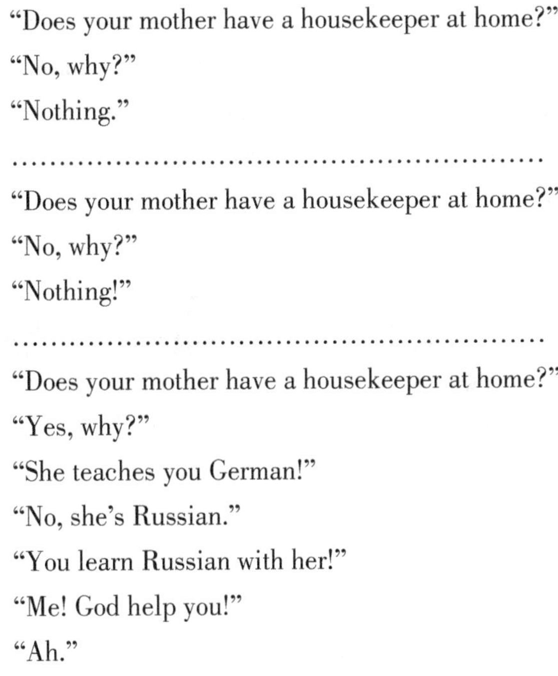

"Does your mother have a housekeeper at home?"

"No, why?"

"Nothing."

....

"Does your mother have a housekeeper at home?"

"No, why?"

"Nothing!"

....

"Does your mother have a housekeeper at home?"

"Yes, why?"

"She teaches you German!"

"No, she's Russian."

"You learn Russian with her!"

"Me! God help you!"

"Ah."

He lived in that well-nigh. Would he tell or not tell? he is frightened. He shouldn't tell, that was scandalous, it was. And what a satisfaction, what a victory to be scandalous!... He also had this far-reaching notion that the adventure must have been

sem saber, se punha vaidoso desses ridículos. Isso acontece com todos os seres racionais. Daí, aquela vontadinha de contar... Contar por contar, pouco se interessava com a inveja dos camaradas e não gostava de pabulagens. Carlos é um forte de verdade. Um desses que só se comparam consigo mesmos. E com a doce agitação que lhe dava chegar assim no mar da confidência, percebia que estava crescido sobre o Carlos de dois meses atrás. Gostava do brinquedo, confesso. Brinquedo consciente? Ninguém o saberá jamais. O limiar da consciência é bem mais difícil de achar que as cabeceiras do rio da Dúvida... Que o digam os psicólogos! Que o digam as penas rotas e mortas em buscar esse limiar fugitivo e irônico!...

Aldinha se chegando pra Maria Luísa, traz uma panelinha na mão. Encostada:

— Maria! vamos brincar, hein?

— Mas brincar do quê?

— Brincar... Vamos brincar de família! Fala como quem descobre uma luz. E do que mais poderia ser o brinquedo das meninas?

Sob o arco da escada que leva pra cozinha, atrás, elas aprendem horas, brincando de família. Visitas. Depois adormecem as filhas. Lindo o bebê de Maria Luísa! E dorme em cama própria. Porém Aldinha não inveja o bebê da outra, escolhe sempre entre as bonecas essa filha de celulóide que sonha sobre o pedaço de lã no cimento. Mamãe é que deu o pedaço de lã. Isso basta? Aldinha se sente feliz. Laurita

a bit ridiculous. But, unknowingly, he was making himself vain about these ridiculous things. This happens to all rational beings. But then, that whim of telling… Telling just for telling, he couldn't care less for the envy of his pals, and he didn't like vainglories. Carlos is a real strong man. One of those who only compare to themselves. And with the sweet hustle which would get him to the sea of confidence, he realized that he had grown over the Carlos of two months ago. He liked the toy, I confess. Conscious toy? No one will ever know. The threshold of consciousness is far more difficult to find than the headwaters of the River of Doubt… Let psychologists say that! Let the torn and dead quills in search of this fugitive and ironic threshold say that!…

Aldinha, coming to Maria Luísa, brings a small pan in her hand. Reclining:

"Maria! Let's play, shall we?"

"But play what?"

"Play… Let's play family!" She speaks as someone who discovers a light. And what else could be the girls' toy?

Under the stairway leading to the kitchen, in the back, they learn, hours playing family. Guests. Then daughters tucked in to sleep. Maria Luísa's baby is gorgeous! And it sleeps in its own bed. But Aldinha doesn't envy the other's baby, between the dolls she always chooses that celluloid daughter who dreams over the piece of wool on the cement. Mommy gave the piece of wool. Is that enough? Aldinha feels happy. Laurita the

cozinheira faz o almoço. Eu mesmo já tantas vezes almocei às quatorze horas! Só que por muito outras razões. A razão das meninas é imperiosa: vida de famílias de brinquedo principia de manhã. Eis que torno-me irônico sem motivo, basta. Bateram quatorze horas faz pouco. Mas o brinquedo apenas principia. São, ponhamos, onze e trinta. Laurita bota o almoço na mesa. *Madame est servie*. Aldinha é visita de cerimônia que só de tarde aparece, não faz mal.

— Como vai sua filha, dona Maria Luísa?

— Agora está melhor, muito obrigada. Ela é muito fraquinha, tem sempre dores de cabeça, como sofre! O médico falou que é anemia... Mas nós temos medo que seja coração... E a da senhora, dona Aldinha?

A visita goza um orgulho açu, quer se recatar porém não pode:

— A minha! Vai muito bem! Nasceu ontem! É muito forte! Está corada, não acha? Nunca fica doente!

Dona Maria Luísa melancólica olha a filha. Porque tem bonecas sãs e bonecas doentes neste mundo, meu Deus!... Dona Maria Luísa suspira. Então esconde:

— Vamos passear no jardim, dona Alda? A tarde está tão fresca!

— É de manhã, Maria Luísa!

— Também pra que que você já veio me visitar! Vão e levam as filhas. Vem a cozinheira:

— O almoço está na mesa!

Dona Aldinha, instada, fica pra almoçar. A filha de celulóide nasceu ontem... Ambas comem galhardamente um

cook makes lunch. I myself had lunch at two o'clock so many times! Only that for many other reasons. The girls' reason is imperative: toy family life begins in the morning. And now, I become ironic for no reason, enough. Two o'clock stroked not long ago. But the playing just begins. It is, let's suppose, eleven-thirty. Laurita puts lunch on the table. *Madame est servie.*[77] Aldinha is a formal guest who shows only in the afternoon, it doesn't matter.

"How's your daughter, Dona Maria Luísa?"

"She's better now, thank you. She's very weak, always has headaches, how she suffers! The doctor said it's anemia… But we are afraid that it's the heart… And what about yours, Dona Aldinha?"

The guest enjoys a great pride, she wants to be prudent but cannot:

"Mine! She's doing very well! She was born yesterday! She's very strong! She's rosy, don't you think? She never gets sick!"

Dona Maria Luísa melancholically looks at her daughter. Why there she has sane dolls and sick dolls in this world, my God!… Dona Maria Luísa sighs. Then she hides:

"Shall we walk in the garden, Dona Alda? The afternoon is so fresh!"

"It's morning, Maria Luísa!"

"Why are you already visiting me then!" they go and take their daughters. Here comes the cook:

"Lunch is on the table!"

pouco de grama e pétalas roubadas das rosas, comestíveis ideais. O chá, água puríssima, nas lindas chávenas orladas de ouro. Carlos chega. Veio da aula de inglês e procura.

— Que é isso, agora!

— Nada!

— Também quero brincar!

— Não pode!

— Que tem, Aldinha! Deixe ele! Carlos é o pai da sua filha!

Porém Aldinha só tem cinco anos, como é que a gente pode reconhecer, nessa idade, o uso de pais pra bonecas de celulóide!

— Não careço de pai pra minha filha! Só se for da de você!

Maria Luísa se cala porque também não quer pai pra bebê tão bonito. O imperialismo das mães... Carlos ainda mais encafifa a menina:

— Também você pensa que vou ser pai duma boneca de celulóide! não vê! Sou pai só de bonecas de louça!

— Então você é visita! lembra a cozinheira, salvando as bonecas. Carlos não está com nenhuma vontade de brincar, isso percebe-se. Mas ninguém pode ficar inativo neste mundo, ri:

— Pois é! Vim jantar também!

— Não é janta, Carlos! é almoço!

— Chi! que almoço mais porcaria!

— Eu chamo mamãe!

Dona Aldinha, urged, stays to lunch. The celluloid daughter was born yesterday... They both eat greedily some grass and petals stolen from the roses, ideal edibles. The tea, pure water, in the beautiful cups bordered with gold. Carlos arrives. he came from the English class and searches.

"What is this, now!"

"Nothing!"

"I want to play too!

""You cannot!"

"What's the matter, Aldinha! Let him! Carlos is the father of your daughter!"

But Aldinha is only five years old, how can we recognize, at this age, the use of fathers for celluloid dolls!

"I don't need a father for my daughter! Only if he's the father of yours!

Maria Luísa is silent because she doesn't want a father for such a beautiful baby either. The imperialism of the mothers... Carlos annoys the girl even more:

"So do you think I'm going to be the father of a celluloid doll! don't you see! I only father porcelain dolls!"

"So you're visiting!" remembers the cook, saving the dolls. Carlos doesn't have any desire to play, that is obvious. But nobody can stay idle in this world, laughs:

"Yeah! I came for dinner too!"

"It's not dinner, Carlos! it's lunch!"

"Phew! What a rubbish lunch!"

"I'll call Mommy!"

— Pode chamar! Também não careço de comer isso!... Capim... só burro que come capim!

— Não é capim t'aí, é grama!

— É capim.

— Saia daqui!

— Não saio!

— Largue disso, Carlos!

— Carlos!

— Largue!

— Mamãe!

— Pronto!

— Ah!... minha comidinha!...

Tudo em pandarecos pelo chão, desilusoriamente. As meninas têm uma tristura enorme. Entram em lágrimas na casa. Carlos conhece o argumento: finge uma raiva.

— Bem feito, mamãe! elas não queriam que eu brincasse também!

— Mas você não é mais criança, Carlos!

— E Maria Luísa, então? Eu também posso brincar, ora essa! É! fizeram uma porcariada no jardim! Arrancaram todas as rosas, diz que pra fazer comidinha, a senhora vá ver!

— Oôôôô... mentiroso!

— Bom. O melhor é virem todos pra dentro. A tarde está fria e Maria Luísa pode ficar doente.

Eu imagino que Carlos está desapontado por dentro. Imagino mais que desta vez ele fez mal. As crianças guardam

"You can call! I don't need to eat that! Hay… only donkeys eat hay!"

"It's not hay, it's grass!"

"It's hay."

"Get out of here!"

"I don't get out!"

"Drop it, Carlos!"

"Carlos!"

"Drop it!"

"Mommy!"

"There!"

"Ah!… my poor food!…"

Everything is in tatters across the ground, disenchantingly. The girls have a huge sadness. They enter the house in tears. Carlos knows the argument: he pretends to be angry.

"Well done, Mommy! they didn't want me to play too!"

"But you're not a child anymore, Carlos!"

"And Maria Luísa, then? I can also play, well now! Yes! they made a mess in the garden! They plucked all the roses, saying that it's to make food, you go and see!"

"Ooooh, liar!"

"Well. It's best that you all come inside. The afternoon is cold and Maria Luísa can get sick."

I imagine Carlos is disappointed inside. I imagine more, that this time he did wrong. The children get the

a louça, a mobília e as bonecas. Os soluços de Laurita cortam a friagem da tarde e o meu coração.

A gente nunca deve desmanchar a comidinha das crianças.

No dia seguinte o pessoalzinho não fez questão de sair da cama, até acordou mais cedo. Tanto assim não carecia. Só as aulas matinais têm de ser mais curtas. Afobação.

— O almoço está na mesa!

Fräulein, sempre a primeira a ficar pronta, parara no meio do hall. Batia com a mão nos lábios, impaciente. Carlos de mansinho se aproxima dela. Pensa que Aldinha não deve escutar a pergunta e mal sussurra:

— Achou?

— Inda não. É... ná! não há nada que me irrite mais do que isso.

Dona Laura vem descendo com a pressa aflitiva das gordas:

— Vamos! Maria Luísa! você não está pronta ainda!... Precisamos andar depressa!

— Que-dê Maria Luísa, Laura?

— Já vem. Está com um pouco de dor de cabeça.

— Quem sabe se é melhor ela não ir... Fräulein ficava com ela...

— Ah, papai! deixe Maria Luísa ir com a gente, coitadinha!

— Eu falei, Felisberto, principiou a chorar... Diz que quer ir, não se pode contrariar ela, é pior!... isso passa. Maria Luísa! o almoço está pronto!

Maria Luísa desce. Desmerecida, um pouco lenta. Mas sorri. Assim pálida está ver uma rainha brancarana, de olhos

dishes, the furniture, and the dolls. Laurita's sobs cut the afternoon chill and my heart.

One should never disarrange the children's food.

The next day the little people made no attempt to get out of bed, even if they woke up early. So much so wasn't needed. It's just that the morning classes have to be shorter. Haste.

"Lunch is on the table!"

Fräulein, always the first to get ready, had stopped halfway down the hall. She was tapping her lips with her hand impatiently. Carlos quietly approaches her. He thinks that Aldinha shouldn't hear the question and barely whispers:

"Did you find it?"

"Not really. And… nah! there is nothing that irritates me more than that."

Dona Laura is coming down with the distressing haste of fat women:

"Let's go! Maria Luísa! You're not ready yet!… We must hurry!"

"Where's Maria Luísa, Laura?"

"She's coming. She has a bit of a headache."

"Who knows, maybe she'd better not go… Fräulein would stay with her…"

"Oh, Daddy! let Maria Luísa go with us, poor thing!"

"I said so, Felisberto, she started to cry… She says she wants to go, one cannot contradict her, it's worse!… it'll pass. Maria Luísa! lunch is ready!"

Maria Luísa comes down. Unworthy, a bit slow. But she smiles. So pale she resembles a white queen, with black very

negros muito rasgados e cabelos crespos demais. É que teve rainhas nas cinco partes do mundo.

Almoçaram num átimo. Visitar a nova chácara comprada por Sousa Costa adiante de Jundiaí... E no automóvel novo... que gostosura! Entusiasmo das meninas. Carlos quase feliz. Os pais se sentem bons.

— Tem alguma coisa, Fräulein?

Ela meio que ri:

— Não é... (hesita. Afinal conta:) Mas acontece cada uma. Nós hoje encontramos uma palavra na lição... Sabemos como é em português, porém não há meios de lembrar. Parece incrível, palavra tão comum... E nem eu nem Carlos!

— Mas porque não viu no dicionário?

— Aí é que está: hei de me lembrar. Pois se nós sabemos. (E, como que disfarçando o constrangimento sem motivo:) Não se lembra mesmo, Carlos?

— Naam...

Olhou-o, estava branco branco! Ficara aterrorizado, escutando ela contar o caso. Não sabia porque se amedrontava assim, porém tinha medo, medo terrível. Lhe parecia que a mãe, o pai, as irmãs, os criados, todo o universo conheciam as relações dele com Fräulein... O pobre! falou um "não" empalamado, enquanto se gelava todo.

— Qual é a palavra?

— Você não sabe, Maria Luísa!

— Porque não hei de saber! Se até já falo melhor que você, agora!...

— Você! uma crila...

slanted eyes, and very frizzy hair. It's just that there were queens in the five parts of the world.

They had lunch in a flash. To visit the new farm bought by Sousa Costa before Jundiaí…[78] And in the new car… what a treat! Enthusiasm of the girls. Carlos almost happy. The parents feel good.

"Is there something wrong, Fräulein?"

She kind of laughs:

"It's that… (she hesitates. Then:) But it's one of those things. Today we found a word in the lesson… We know what it's like in Portuguese, but there's no way to remember. It seems incredible, such a common word… And neither I nor Carlos!"

"But why didn't you look it up in the dictionary?"

"That's the point: I'll remember it. For if we know it. (And, as if disguising the embarrassment without a reason:) Don't you remember, Carlos?"

"Nope…"

She looked at him, he was completely white! He had become terrified, listening to her tell the story. He didn't know why he was so frightened, but he was afraid, he was terribly afraid. It seemed to him that his mother, father, sisters, servants, the whole universe knew of his relations with Fräulein… Poor thing! he said a jammed "no," while he froze all over.

"What is the word?"

"You don't know it, Maria Luísa!"

"Why will I not know it! If I even speak better than you, now!…"

"You! a kid…"

— Carlos, diga a palavra pra sua irmã!

— Mas... papai... ela não sabe!

— Diga a palavra, vamos!

— Nn... não sei mais...

— É *Geheimnis*, Maria Luísa.

— *Geheimnis*... já escutei essa palavra...

— Está vendo! não sabe!

— Mas podia saber muito bem!

— Está bom: deixem de briga e comam!

Apesar de salvo, permanecera em Carlos um eco perto de terror. Se sente mal. Se o pai fosse procurar a palavra no dicionário... tudo perdido! E a vontade por Fräulein, mais do que isso, o desespero por ela cresceu.

Se aboletaram no torpedo. Desta vez Carlos não brigou com Maria Luísa por causa do lugar da frente. Deixou ela sentar-se ao lado do pai que dirigia.

— Não. Ela está com dor de cabeça, pode ficar aí mais no claro. Mamãe! assim você vai muito apertada... Deixe, eu sento no meio.

Dona Laura, seca, acertando o decote da blusa, com rompante:

— Fique nesse lugar. Está bem assim.

Carlos não insiste. Porém carinhosamente passa o braço pelas costas da mãe, e a resguarda. Do quê? Do vento. Vento impertinente, gelado.

— Minha filha, agasalhe-se bem. Você devia não ter vindo...

— Ah, mamãe! já estou boa!

"Carlos, tell your sister the word!"

"But… Daddy… she doesn't know it!"

"Say the word, come on!"

"Mmm… I don't know it anymore…"

"It's *Geheimnis*, Maria Luísa."

"*Geheimnis*… I already heard that word…"

"You see! you don't know it!"

"But I could very well know it!"

"That's enough: stop fighting and eat!"

Although safe, Carlos kept an echo close to terror. He feels sick. If his father were to look up the word in the dictionary… all lost! And his desire for Fräulein, more than that, his despair for her grew.

They lodged on the torpedo. This time Carlos didn't fight Maria Luísa because of the place in the front. He let her sit next to her father who was driving.

"No. She has a headache, she can stay there in the light. Mommy! this way you're very tight… Leave it, I'll sit in the middle."

Dona Laura, dry, fixing the neckline of the blouse, vehemently:

"Stay in that place. It's okay like that."

Carlos doesn't insist. But he lovingly puts his arm around his mother's back and protects her. From what? From the wind. Naughty wind, freezing.

"My daughter, wrap yourself up. You shouldn't have come…"

"Ah, Mommy! I'm good already!"

Ia me esquecendo... A mão de Carlos roça pelas fazendas de Fräulein, além.

Pois o passeio foi lindo, apesar da friagem. O chacreiro gostava de rosas. Tanta flor já! O buquê oferecido à patroa é sensacional.

— Olhe esta, Felisberto!

— Em janeiro havemos de vir comer uvas!

— É chupar que se fala, papai!

— Mamãe! posso comer mais uma laranja, posso, hein!

— Poode!

O ó sai tão aberto que dá ideia do mais farto e eterno indicativo presente de todos os tempos. Que pai-de-família bom é Sousa Costa! A gente é forçado a reconhecer que Sousa Costa é um excelente pai-de-família. Pater famílias. Dona Laura porém prevê melhor, como a progenitoras convém:

— Mas Felisberto, ela já comeu duas!

— Ora que tem, Laura! deixe a menina!

— Mamãe! só mais uma!... só mais esta uminha!...

— Você facilita, depois fica doente, minha filha!

— Papai! olhe Carlos!

Aldinha vem de carreira e se agarra em Sousa Costa.

— Ele pegou um bicho tamanho e quer botar na gente!

— Que-dê ele, hein,! me mostre!

— Esse menino...

— Mas papai!... a gente não pode nem brincar, essa linguaruda vem fazer queixa já! Que enjoamento, puxa!

— Fique sossegado aí!

I was forgetting… Carlos's hand rubs on Fräulein's fabrics, and beyond.

So the ride was beautiful, despite the cold. The groundsman liked roses. So many flowers already! The bouquet offered to the boss's wife is sensational.

"Look at this, Felisberto!"

"In January we must come and eat grapes!"

"You should say to suck, Daddy!"

"Mommy! May I eat another orange, may I, huh?"

"You maaaay!"

The *a* gets out so stretched that it gives an idea of the most abundant and eternal present tense of all times. What a good family man is Sousa Costa! We are forced to acknowledge that Sousa Costa is an excellent family man. *Pater* families. Dona Laura however predicts better, as the female progenitors should:

"But Felisberto, she already ate two!"

"Why, Laura! leave the girl alone!"

"Mommy! just one more!… just this little one more!…"

"You're not careful, then you get sick, my child!"

"Daddy! look at Carlos!"

Aldinha comes running and clings to Sousa Costa.

"He's got a big animal, and he wants to throw it at us!"

"Where is he, huh! show me!"

"This boy…"

"But daddy!… we can't even play around, this tattletale complains already! What a bore, gosh!"

"Keep quiet there!"

— Também não vim aqui pra ficar sossegado!

O chacreiro interrompe:

— Senhor Costa, o pedreiro falou que carece dizer adonde que o senhor quer as cocheiras.

— Papai vai ter bois aqui!

— Vou.

— Que bom!

— A gente pode vim tomar leite, não? mamãe…

Dona Laura num desânimo:

— É tão longe, Laurita.

— Que pena!…

— E você está comendo a laranja, hein? Assim mamãe não gosta! Atrás das árvores:

— Fräulein! *Kommen Sie her!*

— *Warum, Karl? Ich bin etwas mude.*

— *Kommen Sie! Es ist so sonderbar!*

— Aonde que você vai, Fräulein!

— Carlos está chamando pra ver uma coisa…

— Eu também vou!

— Eu também! Me espere, Fräulein!

Encontraram Carlos debaixo do carramanchão.

— Também quero ver!

— Que é, hein!

— O que vocês vieram fazer aqui! Ninguém chamou vocês!

Órfãs de pais Laurita e Aldinha desapontam, quase chorando já.

"I didn't come here to be quiet!"

The groundsman interrupts:

"Mr. Costa, the mason said he needs you to say where you want the stables."

"Daddy's gonna have oxen here!"

"I will."

"How nice!"

"We could come and have some milk, couldn't we? Mommy…"

Dona Laura in dismay:

"It's so far away, Laurita."

"What a pity!…"

"And you're eating the orange, huh? That way Mommy doesn't like!" Behind the trees:

"Fräulein! *Kommen Sie her!*"

"Warum, Karl? Ich bin etwas mude."

"Kommen Sie! Es ist so sonderbar!"[79]

"Wherever are you going, Fräulein!"

"Carlos is calling to look at something…"

"I'm going too!"

"Me too! Wait for me, Fräulein!"

They found Carlos under the arbor.

"I want to see it too!"

"What is it, huh!"

"What did you came here for! No one called you!"

Orphaned, Laurita and Aldinha are disappointed, already almost crying.

— Não aspereje assim com suas irmãs, Carlos, você me entristece... Mas o que você queria me mostrar?

Olhou pra ela. Um dilúvio de ânsias, desesperanças, machucaram-lhe o rosto de sopetão. E cada vez mais bonita!... Como a deseja! E não pode ser: abraçados ambos, entregues, esquecidos... Aquilo vai acabar, tem certeza disso. Pra esconder as duas lágrimas, curvou o rosto pro peito, dando as costas. Duas lágrimas de raiva. Mente mal:

— Voou.

Vai. Longínquo, lento, reto, mãos nos bolsos, cabeça pendente da gola do suéter. Dá pontapés nas pedras. Vai. Fräulein... sensação ruim de abandonada, quase estende os braços. Quase chama o senhor. Odeia Laurita, Aldinha. Dá a mão pra elas maquinalmente e volta. Mas... *Geheimnis*?... realmente espantada. Sabe a tradução, isso sabe, porém não pode dizer! Por que razão? Estranho... Nota que a boca a língua se amoldam pra rasgar as consoantes da palavra e uma coisa qualquer proíbe. Carlos? Não, não pode ser Carlos, ela imagina. Porém o que será? Se irrita.

Passam das dezessete horas, creio que é tempo de voltar. Só que agora mandam Carlos pro assento da frente, Maria Luísa terá o centro do automóvel, bem agasalhada dos ventos. Diz que piorou. Lhe ardem os lábios, as mãos. Carlos não se incomoda mais, vai pra onde quiserem. Nem uma vez sequer olha pra trás, para a irmã que piorou. Não quer lutar. Sente cansaço na alma. Pra que tanto esforço vão? tudo perdido mesmo! Carlos se entrega à... isso: à fatalidade inexorável do destino.

"Don't be rude to your sisters like that, Carlos, you make me sad… But what did you want to show me?"

He looked at her. A deluge of cravings, hopelessness, suddenly hurt his face. And more and more beautiful!… How he desires her! And it cannot be: both embraced, devoted, forgotten… That will end, he's sure of it. To hide the two tears, he bowed his face to his chest, turning his back. Two tears of anger. He lies badly:

"It flew away."

He goes. Distant, slow, straight, hands in his pockets, head hanging from the neck of the sweater. He kicks the rocks. He goes. Fräulein… with a bad feeling of abandonment, almost stretching out her arms. Almost calls her master. She hates Laurita, Aldinha. She holds them by their hands mechanically and goes back. But… *Geheimnis?*… really startled. She knows the translation, she knows, but she cannot say! For what reason? Strange… She notices that the mouth the tongue shape up to rip the consonants of the word and something prohibits her. Carlos? No, it cannot be Carlos, she imagines. But what will it be? She grows irritated.

It's after five o'clock; I believe it's time to return. But now they send Carlos to the front seat, Maria Luísa will have the center of the car, well wrapped from the winds. She says she got worse. Her lips, her hands burning. Carlos doesn't mind anymore, he goes wherever they want. Not once does he look back at his sister who has become worse. He doesn't want to fight. He feels tired in his soul. Why so much worthless effort? all lost anyway! Carlos gives himself to… this: the inexorable fatality of fate.

Chegaram em casa com noite.

— O jantar estará pronto, Laura?

— Quer jantar já?

— Estou com fome. Você?

— Tanaka, pode botar o jantar na mesa.

— Sissenhôra.

— Olhem: se aprontem logo que o jantar vai já pra mesa. Felisberto, você telefona pro doutor Horton.

— Telefono.

— Peça pra ele vir logo.

Se Fräulein for a última a descer, nada mais razoável, vai antes ajudar Maria Luísa a se despir. A menina quase chora, apertando a cabeça. Febre que aumenta, uhrrh.. Coitada de Maria Luísa! Mas Carlos, porque não aparece?

Todos já estão assentados. Quando Fräulein vem descer a escada, ele está ali, machucando as unhas na parede. Emaranha-a nos braços impacientes.

— Carlos...

— Dá um beijo!

— Não faça ass...

São muitos beijos, dolorosos, quase sem prazer.

— Me largue.

— Mais!

— Podem ver...

Estaca. Expressão de quem triunfa. A mesma nele.

— Carlos, venha jantar! Chame Fräulein!

They arrived home with the night.

"Is dinner ready, Laura?"

"Do you want dinner already?"

"I'm hungry. You?"

"Tanaka, you can put dinner on the table."

"Yez'um."

"Look: get ready as dinner will soon be on the table. Felisberto, you call Dr. Horton."

"I'll call."

"Ask him to come right away…"

If Fräulein is the last one to come downstairs, nothing more reasonable, first she'll help Maria Luísa undress. The girl almost cries, shaking her head. Fever that increases, uggh… Poor Maria Luísa! But what about Carlos, why doesn't he show up?

Everyone is already seated. When Fräulein comes down the stairs, he is there, hurting his nails against the wall. He entangles her in his impatient arms.

"Carlos…"

"Give me a kiss!"

"Don't do th…"

There are many kisses, painful, almost without pleasure.

"Let go of me."

"More!"

"They might see…"

She's motionless. An expression of who triumphs. The same in him.

"Carlos, come to dinner! Call Fräulein!"

Os dois exclamam duma vez, sem a surdina que abafara o diálogo anterior:

— Já sei!

Silêncio curto. Um espera que o outro fale. E juntos:

— É segredo!

Rindo muito, descem pra jantar. Fräulein anuncia que afinal descobriram a palavra, *Geheimnis* quer dizer segredo:

— Foi ela que achou!

— Eu só não, Carlos. Fomos os dois.

E ambos têm uma desilusão, palavra tão sem significância! Fräulein se admira de não ter dado com ela mais cedo, come calmamente. Carlos acha agora que não tinha razão pros terrores do almoço e do dia, come satisfeito. Nunca ninguém descobrirá! Sousa Costa, não sei, porém me parece que teve uma intuição genial: olha malicioso pros dois.

— Uma gripezinha... bastante forte... Muito cuidado sobretudo. Não tem importância. Mas, pra que o senhor não leva ela pra um clima mais quente... Rio de Janeiro, Santos...

Gripe danada. Apanhara-a naquela tarde fria, brincando de família com as irmãs.

O brinquedo durava fazia uma hora quando Carlos veio, desmanchou a comidinha e machucou o sentimento das meninas. Fez mal. Isso não posso discutir: Carlos fez mal. Se chegasse porém no princípio da família, teria escangalhado tudo do mesmo jeito, porém Maria Luísa não apanhava a

The two exclaimed at once, without the muffled secrecy of the previous dialogue:

"I know!"

Short silence. One waits for the other to speak. And together:

"It's a secret!"

Laughing hard, they go downstairs to dinner. Fräulein announces that they have finally found the word, *Geheimnis* means secret:

"She found it!"

"Not only I, Carlos. We both found it."

And both have a disillusionment, such an unimportant word! Fräulein is astonished that she hasn't found it earlier, she eats calmly. Carlos thinks now that he had no reason for the terrors of lunch and during the day, he eats satisfied. No one will ever find out! Sousa Costa, I'm not sure, but it seems to me that he had an ingenious intuition: he looks maliciously at them two.

"A little flu... quite strong... Be careful above all. It doesn't matter. But, why don't you take her to a warmer climate, sir... Rio de Janeiro, Santos..."

Damn flu. She had caught it that cold afternoon, playing family with her sisters.

The playing had gone on for an hour when Carlos came, disarranged the food, and hurt the girls' feelings. He did wrong. I cannot argue this: Carlos did wrong. If he had arrived at the beginning of the family play, he would have disarranged it the same way, but then Maria Luísa wouldn't have caught the disease. The

rebordosa. O raciocínio me deixou consternado, não devia tê-lo feito, é imoralíssimo. Mas também agora a consternação é inútil, não adianta nada.

A dos Sousa Costas bem mais razoável, permite acentuar o lado bom daquela gente e uma linda união familiar. Brasileira. Portanto registremos com largueza: estão consternados com a doença de Maria Luísa: Sousa Costa pai, dona Laura, Carlos, Laurita, Aldinha. Não: Fräulein também. E Tanaka e a criada de quarto. A cozinheira e o motorista. Nem assim o rol se completa. O, próprio lar, paredes, janelas, vocês repararam como as luzes vivem menos impetuosas agora? as plantas, a comida... Consternação geral.

Sousa Costa caminha léguas, do vestíbulo até a porta do quarto da filha. E como anda silencioso! ele que pesa nos passos fortes, bem gozados... Lê que todo o lote novo de novilhas foi inscrito no Herd-Book sem rejeição duma só. Bota a carta no bolso ou deixa na escrivaninha. Diabo! aonde botei essa carta! dirá quando puder gozar com ela. A carta existe. Porém não sabe o que conta e aonde pôs. Se lhe telefonassem do clube? do clube, avisando que. Ora deixemos de imoralidades! Sousa Costa nunca teve aventuras, nunca mais terá aventuras, todos os sacrifícios, porém que minha filha sare!... Sousa Costa pensa em Deus.

— Ela dorme.

— Sossegadinha?

— Está. Decerto agora vai melhorar.

reasoning made me consternated, I shouldn't have done it, it's very immoral. But then again, now the consternation is useless, it won't do any good.

The more reasonable consternation of the Sousa Costas, allows us to accentuate the good side of those people and their beautiful familial union. Brazilian family. So let us register at length: they are consternated by Maria Luísa's illness: Sousa Costa, Dona Laura, Carlos, Laurita, Aldinha. No: Fräulein also. And Tanaka and the chambermaid. The cook and the driver. Not even then is the list complete. The, home itself, walls, windows, have you noticed how the lights are less impetuous now? the plants, the food... general consternation.

Sousa Costa walks leagues from the vestibule to the door of his daughter's bedroom. And how he walks silent! he, the who walks on heavy steps, well enjoyed... He reads that the whole new lot of heifers was inscribed in the Herd-Book without a single rejection. He puts the letter in his pocket or leaves it on the desk. Damn! where did I put that letter? he'll say when he can enjoy it. The letter exists. But he doesn't know what it says and where he put it. And if they called him from the club? from the club, advising that... Now let us stop these immoralities! Sousa Costa never had adventures, never again will have adventures, all sacrifices, but that my daughter heals!... Sousa Costa thinks of God.

"She sleeps."

"Peacefully?"

"Yes. Surely she'll get better now."

A resposta veio de Fräulein, sentada junto à porta do quarto de Maria Luísa. Quem ajuda a moça nos serviços de fora do quarto? É Carlos, sempre solícito, incansável, esperando as ordens cumpridas num átimo.

Dona Laura, a pobre! sentou-se na cadeira de balanço do hall, agarrada nas filhas menores. Assim pensa que Maria Luísa sarará depressa, com as lágrimas maternas e suspiros arrancados quase sangrando, Deus nos ajude! E os pensamentos de dona Laura sobem ao atá pra céus muito vagos e rezam de mistura pra Nosso Senhor, santa Maria Luísa e o Coração de Maria que é a igreja mais perto. E fica assim panema, calmando as pecurruchas. Estas de tanto abrirem os olhos na expectativa medrosa, esqueceram o jeito de fechar as pálpebras. Quatro pupilas dum branco azul rolando nhampans no hol.

— Mamãe, será que está doendo muito pra ela?

— Não! minha filha...

— Eu não queria que Maria Luísa sofresse, mamãe...

— Mamãe! posso dar a minha boneca de celulóide pra Maria Luísa, posso!

— Pode, minha filha.

— Mamãe, quando que eu posso ver Maria Luísa, hein?

— Mamãe, mas depois você me dá uma boneca de louça pra mim?...

Clave de fá:

— Minhas filhas, vocês estão amolando sua mãe!

— Como vai ela!

— Sossegadinha. Está muito melhor.

The answer came from Fräulein, sitting by the door of Maria Luísa's room. Who helps the young lady with the work outside the room? It's Carlos, always solicitous, tireless, waiting for the orders to be fulfilled in an instant.

Dona Laura, poor thing! she sat in the rocking chair in the hall, clutching at her younger daughters. She thinks that Maria Luísa will heal quickly that way, with her maternal tears and sighs ripped out almost bleeding, God help us! And Dona Laura's thoughts go up aimlessly to very vague skies and pray with a mixture of Our Lord, Saint Maria Luísa and the Heart of Mary, which is the nearest church. And she stays like this, ill-omened, calming the tiny tots. These, from so much opening their eyes wide open in fearful expectation, forgot the way to close their eyelids. Four blue-white pupils rolling clownish in the hall.

"Mommy, is it hurting her a lot?"

"No! my daughter..."

"I didn't want Maria Luísa to suffer, Mommy..."

"Mommy! can I give my celluloid doll to Maria Luísa, can I!"

"Yes, my daughter."

"Mommy, when can I see Maria Luísa, huh?"

"Mommy, but then you give me a porcelain doll for me?..."

Bass clef:

"My daughters, you're wearying your mother!"

"How's she doing!"

"Peaceful. She's much better."

Carlos, zuúm! que nem bala, montado no corrimão.

— Não lhe falei que não montasse mais no corrimão!

— Pra não fazer bulha, papai! Ela acordou! Está com uma bruta sede! Fräulein falou pra você fazer um chá!

E dona Laura se transfigura. Junto da doente, morrem todas as coragens dela, se põe chorando amalucada, quer se mover e não atina com o que vai fazer. Porém sabe fazer chás! Ah! nenhuma das mães desse mundo bem doloroso fará mais perfeito o chá de canela ou de erva-cidreira! Dona Laura parte alvoroçada, triunfante.

— Como vai nhã Maria Luísa?

— Está melhor, Matilde, obrigada.

— A senhora pode deixar eu preparo o...

— Eu faço o chá!

Não se ofenda, Matilde, mãe com filha doente, não pensa em ares de boa educação. Está certo. Dona Laura volta com a mais carinhosamente preparada das pussangas, sobe as escadas exaustivas, faz questão de levar ela mesma! a bebida pra Fräulein. Só pra Fräulein, que, na porta do quarto lhe amolecem as pernas, fica boba, os olhos se cegam de lágrimas.

— Ela vai bem, dona Laura. Mais alegrinha até. E quase sem febre.

— Deus lhe ouça, Fräulein! Eu espero a xícara aqui, não tenho coragem pra ver minha filha sofrer!

E espera recurvada. Qual! assim não pode ser! enrija o corpo, lhe riscam fuzis de temeridade no olhar novo, entra no quarto.

Carlos, zooom! like a bullet, riding the banister.

"Didn't I tell you not to ride the banister anymore!"

"So that I don't make any noise, Daddy! She woke up! She's terribly thirsty! Fräulein told you to make some tea!"

And Dona Laura is transfigured. Near the patient, all her courage dies, she starts crying maniacally, she wants to move, and she doesn't how she's going to do so. But she knows how to make teas! Ah! none of the mothers in this very painful world will make more perfect cinnamon or lemongrass tea! Dona Laura leaves in excitement, triumphant.

"How's missus Maria Luísa doing?"

"She's better, Matilde, thank you."

"Ma'am, you can let me prepare the..."

"I'll make the tea!"

Don't be offended, Matilde, a mother with a sick daughter, doesn't think of manners of good education. That's right. Dona Laura returns with the most lovingly prepared of the concoctions, climbs the exhausting stairs, makes a point of taking the drink herself! to Fräulein. Only to Fräulein, who, at the bedroom door, her legs weaken, she becomes weak, her eyes are blinded by tears.

"She's doing well, Dona Laura. Even more cheered up. And almost feverless."

"God bless you, Fräulein! I'll wait for the teacup here, I don't have the courage to see my daughter suffering!"

And she waits curled over. What! it cannot be this way! she stiffens her body, rifles of temerity scratch her new gaze, she enters the room.

— Minha filha! está melhor!

Maria Luísa tira da porcelana as fitinhas brancas dos beiços e sorri no martírio. Dona Laura petrificada. O vidro fosco da brancarana a espaventa, pensa que a filha vai morrer. Recebe a xícara quase sem gesto. Enquanto Fräulein ajeita de novo a doente nas cobertas, dona Laura parte sem dizer nada. Mas outra vez não sabe o que a domina e move, bota a xicra numa cadeira qualquer, vem ajoelhar junto da filha, rosto a rosto, filhinha!… Em soluços convulsos parte arrebatada. Maria Luísa se espanta, primeiro. Depois pretende se rir, que já conhece as manias da mãe. Porém sempre fica essa dúvida…

— Fräulein…

— Que é, Maria Luísa?

— Fräulein diga mesmo… eu vou morrer, é!

— Que ideia, Maria Luísa. Não vai morrer não. Você já está muito melhor.

Tem uma raiva dessas mães exageradas. Brasileiras. Fala com tão férrea certeza aquele "você já está muito melhor", que Maria Luísa quase sente-se boa. A enfermeira enxuga o rosto da menina, lavado pela manha materna. Dá novo arranjo nas cobertas.

— Carlos.

— Pronto, Fräulein!

— Leve essa xícara que sua mãe deixou aí.

Carlos atira um sorriso de conivência pra Maria Luísa e vai. Escrevi "conivência"… De caso pensado. Conivência é duma exatidão psicológica absoluta. Carlos se mostra alegre,

"My daughter! you're better!"

Maria Luísa takes her white-striped lips from the porcelain and smiles in her martyrdom. Dona Laura petrifies. The frosted glass hue of the light-coloured mulatto girl frightens her, she thinks that her daughter is going to die. She receives the teacup almost without a gesture. As Fräulein puts the patient back under the covers, Dona Laura leaves without saying anything. But again she doesn't know what dominates and moves her, she puts the cup on a chair, comes to kneel beside her daughter, face to face, little girl!... In convulsive sobs partly enraptured. Maria Luísa is astonished at first. Then she wants to laugh, she already knows her mother's mania. But there is always this doubt...

"Fräulein..."

"What is it, Maria Luísa?"

"Fräulein, really, I'm going to die, am I!"

"What an idea, Maria Luísa. You'll not die, no. You're already much better."

She hates these exaggerated mothers. Brazilians. She says "you are already much better" with such strong certainty that Maria Luísa almost feels well. The nurse wipes the face of the girl, wetted by the mother's distress. She rearranges the covers.

"Carlos."

"I'm here, Fräulein!"

"Take this teacup that your mother left behind."

Carlos throws a smile of connivance to Maria Luísa and goes. I wrote "connivance"... Deliberately. Connivance is of an absolute psychological exactitude. Carlos is cheerful, un-

despreocupado, não vê a doença e vai-se embora. O que não é visível, existe?

— Fräulein, fique no quarto comigo.

Não responde. Puxa uma cadeira junto da cama, vê mais uma vez se tudo repousa na ordem. Não, Maria Luísa não carece de mais nada. Senta e abre o livro na marca. Relê *Die Weise von Liebe und Tod.* Se embrenha na melodia deliciosa, pronta a abandoná-la a qualquer momento, sem a mínima impaciência.

São duas semanas de maternidade pra ela. De maternidade integral. Teve momentos em que parecia mãe de todos, talqual o dedo maior da nossa mão. Até de Sousa Costa. Todos pareciam nascer dela, dela se alimentar. Menos Carlos, recalcitrante, com intuitiva repugnância por incestos. Servo, cachorro de guarda isso sim. Nada pedia, sossegara. Porém como servo estava sempre ali, como filho nunca!

Maria Luísa, então, nem podia ver Fräulein se afastar. Não tanto por causa do bem-estar, mas me deixem que afirme: Fräulein era uma certeza de salvação. E sabia se dedicar. Quando preciso o sono se adia pra noites mais desimpedidas. Muito bem. Não direi que ela gostasse da menina, gostava não. Pelo contrário, lhe tinha certa antipatia. Muito natural, pois se raramente adoecia. Porém apresentou-se a enfermeira sonhada: severa, sadia, solícita pra usar unicamente esses. Maria Luísa fixa os olhos nela, Fräulein lê; Fräulein vela. A doentinha redorme encorajada. Quando acordar trará forças novas. Que coisa misteriosa o sono!... Só aproxima a gente da morte para nos estabelecer melhor dentro da vida...

concerned, doesn't see the disease and leaves. Does what's not visible exist?

"Fräulein, stay in the room with me."

She doesn't reply. She pulls a chair by the bed, checks once again if everything rests in order. No, Maria Luísa doesn't need anything else. She sits down and opens the book at the mark. She's rereading *Die Weise von Liebe und Tod.*[80] She buries herself into the delicious melody, ready to abandon it at any moment, without the slightest impatience.

It's two weeks of motherhood for her. Of full-time motherhood. She had moments when she seemed to be mother to all, just like the bigger finger of our hand. Even to Sousa Costa. Everyone seemed to be born of her, to feed from her. Except Carlos, recalcitrant, with an intuitive repugnance for incest. Certainly a servant, a watchdog. He asked for nothing, he quieted down. But as a servant he was always there, as a son never!

Maria Luísa, then, couldn't see Fräulein walking away. Not so much because of her well-being, but let me assert: Fräulein was a certainty of salvation. And she knew how to dedicate herself. When needed, sleep is postponed to unimpeded nights. Very well. I won't say that she liked the girl, she didn't like her. On the contrary, she had a certain antipathy for her. Very natural, because she herself rarely fell ill. Nevertheless, she presented herself as the dream nurse: severe, healthy, solicitous, to use only these adjectives. Maria Luísa stares at her, Fräulein reads; Fräulein sits up with her. The little patient goes back to sleep, encouraged. When she wakes up she'll have new strength. What a mysterious thing

Reque... reque... atrás. Fräulein nem se volta, sabe que Carlos vela também. Porém porque não se voltou! Deitada sobre o assoalho no desvão da porta, a cabeça dele. Isso Fräulein havia de ver. E que dois olhos grandes a adoravam.

Os frios de julho se temperavam mais agradavelmente no Leme, e as brisas salinas, mornas, confortáveis, convidavam pra caminhadas de branco na praia. Plena felicidade pros amantes. Plena? Fräulein dorme no quarto de Maria Luísa. Porém pelas manhãs, depois do banho, esta se deixava ficar no terraço do hotel, quase cansada, num convalescer feliz, desapressado. Então Fräulein saía com as pequenas. Carlos acompanhava as irmãs. Perfeitamente.

Andava-se rápido no começo, pra diante. As crianças corriam falando alto, discutindo. Que discutiam? Discutiam incansavelmente a força dos ondas. A força das ondas. Você está escutando bem? As crianças discutiam loucamente, todo santo dia, o ponto da praia que as vagas irão atingir. Porque discutem assim? Por divertimento. Por jogo, brincadeira. Pra adivinhar, só pra isso. E depois ficavam maravilhadas porque erravam. Que bonito! luta infantil, inútil, sem meta... Coisa de muita boniteza, brincalhonas!

Não e não, infelizmente. Nem estavam maravilhadas, nem era inútil o brinquedo. Repare nos olhos de Aldinha, Laurita de lábios trementes.

sleeping is!... It only brings us close to death to establish us better in life...

Schick... schack... in the background. Fräulein doesn't even turn around, she knows Carlos is sitting up too. However, why didn't she turn around! His head lying on the floor in the doorway. That Fräulein should see. And those two large eyes worshiped her.

The July cold temperatures were more pleasant in Leme,[81] and the saline breezes, warm and comfortable, invited for walks wearing white on the beach. Plenty of happiness for the lovers. Plenty? Fräulein sleeps in Maria Luísa's room. But in the mornings, after bathing, she would sit on the terrace of the hotel, almost tired, in a happy, unhurried, convalescence. Then Fräulein would go out with the little ones. Carlos accompanied the sisters. Perfectly.

They walked fast in the beginning, onwards. The children ran around talking loudly, arguing. What were they arguing about? They tirelessly argued about the force of the waves. The force of the waves. Are you listening well? They wildly argue, every single day, the point of the beach that the waves would reach. Why do they argue like that? For fun. For play, for entertainment. To guess, that's all. And then they are amazed because they were wrong. Beautiful! childish struggle, useless, without goal... A very beautiful thing, playful!

No and no, unfortunately. Neither were they amazed, nor was the toy useless. Notice Aldinha's eyes, Laurita with trembling lips.

— Chiii! Laurita aquela!!... Aposto que chega até aqui!

— Não chega!

— Você quer ver como chega!

E vinha o triunfo de Laurita:

— Está vendo!... Eu disse que não chegava!

Por jogo discutem as crianças. Mas também por avidez e briga. Aldinha sentia-se batida e sofria. Muito? Muito. Porém depois gozava com a reflexão: Antes assim! se a onda chegasse até junto dela, meu Deus! teria medo... Antes assim! Ah! Laurita, Aldinha, vosso brinquedo me melancoliza... Vós não brincais por brincadeira, não... Brincais por treino, exercendo em diminutivo a angustiosa adivinhação da existência...

O mar mapiava que nem boca malcriada, lançando o guspe da espuma pro céu. O andar germânico rápido de todo aos poucos se latinizava. O passeio de função virava invenção. Fräulein abaixava a cara. Disfarçava um pudor inexistente com esses modos do pé atingindo conchas entressepultas, pisando o rastro das meninas adiante. E falava de amor. Hoje repisa o assunto da véspera, Carlos carecia de reconhecer que no amor, sem sacrifício mútuo não tem felicidade nem paz, não é?

Este capítulo dava sempre desgostos pra ela. No entanto estava certa de que tinha razão. E se esmerava eloquente, não se esquecendo nunca de contar o caso de Hermann e Dorotéia. Porém não impressionava os discípulos. Aceitavam com facilidade, isso aceitavam, concordavam, olhavam pra ela francos, olhos rasgados com o luar da abnegação: ôh! sim! me sacrificar por ti!... E, chegava o malentendido. Um menino alemão é possível que entendesse bem, mas estes brasileiros

"Gosh! Laurita that one!!... I bet it gets here!"

"It doesn't!"

"You want to see how it gets!"

And the triumph came for Laurita:

"You see!... I said I wouldn't!"

The children argue as a game. But also by greed and fighting. Aldinha felt herself beaten and she suffered. A lot? A lot. But then she rejoiced with the reflection: Better this way! if the wave came near her, my God! she'd be scared... Better this way! Ah! Laurita, Aldinha, your toy makes me melancholic... You don't play for fun, no... You play for training, exercising the agonizing divination of existence in a diminutive way...

The sea chatted like a naughty mouth, tossing the foaming spit up to the sky. The fast-paced Germanic walk gradually became Latinized. The stroll of function would turn into invention. Fräulein would lower her face. She disguised a nonexistent modesty with these foot-ways striking interburried shells, stepping on the trail of the girls ahead. And she spoke of love. Today she reiterates the subject of the day before, Carlos needed to recognize that in love, without mutual sacrifice, there's neither happiness nor peace, is there?

This chapter always gave her grief. But she was sure she was right. And she did her best with eloquence, never forgetting to tell the story of Hermann and Dorothea. But she didn't impress the disciples. They accepted with ease, that they did, they agreed, they looked at her frankly, eyes slanted with the moonlight of self-denial: oh! yes! sacrifice myself for you!... And, the misunderstanding would begin. A German boy might

úmidos... Não se lembravam mais da felicidade comum, nem da tranquilidade do lar. Se sacrificar!... Era o sacrifício por ela, pela amada, isto é pela alma da amada! Isto era o que entendiam estes brasileiros úmidos.

Chegava o instante do exemplo, Fräulein mostrava um sacrifício, um qualquerzinho, primeiro a aparecer, abstinência de prazer por muito tempo, um dia. Caíram na esparrela, tinham que ceder. Numa obediência escolar, imóveis, invernos, tiriricas por dentro. Depois se aproximavam dela, com alguma timidez, não tem dúvida, desapontados, sorrindo. E pediam. Relavam nela, femininos que nem gatos e pediam. Pediam com tanta graça, punham tanta humildade (umidade) no pedir, tanta pobreza... Que tristura sorridente caía dos olhos deles! Porém frágeis implorantes assim, enlaçavam a moça os déspotas. Fräulein se abatia mas recusava. Os déspotas apertavam. Fräulein tinha uma fraqueza. Tão gentil o pedido, tão envergonhado!... Aqueles braços vencedores, ôta! como apertavam... olhos tão cheios dela, entregues... cedia. Seria monstruoso não ceder. Amoleciam-se os braços dela, já pegajosos pro enlace e.

Outras vezes emperrava na recusa. Seria monstruoso não recusar. Pois os rapazes se zangavam, meu caro! sim senhor! Falavam alto, soltavam uma porção de bocagens, saíam batendo com a porta. Que escutassem! antes assim se acabava tudo duma vez! Era a desgraça, o escândalo. Antes assim! Que importava pra eles escândalo, desgraça! Fräulein? Uma... xingavam.

understand it, but these humid Brazilians. They couldn't remember ordinary happiness or the tranquility of the home anymore. Sacrifice oneself!... It was the sacrifice for her, for the beloved, that is, for the soul of the beloved! This was what these humid Brazilians understood.

The instant of the example came, Fräulein showed a sacrifice, any tiny one, the first to appear, abstinence from pleasure for a long time, one day. They fell into the snare, they had to give in. In a scholastic obedience, motionless, wintry, furious inside. Then they approached her with some shyness, no doubt, disappointed, smiling. And they asked. They brushed up against her, feminine like cats, and begged. They asked so graciously, put so much humility (humidity) in the request, so much neediness... What a smiling sadness fell from their eyes! However, imploring fragile like this, the despots entwined the young women. Fräulein weakened but refused. The despots tightened it up. Fräulein had a weakness. Such kind the request, so ashamed!... Those winning arms, gosh! how they held tight... eyes so full of her, devoted... she'd give in. It would be monstrous not to give in. Her arms weakened, already clammy for the embrace and...

At other times she stuck to the refusal. It would be monstrous not to refuse. For the young men were angry, my dear! yes sir! They spoke loudly, they let out a lot of chatter, they slammed doors. Let them listen! before that way so it was all over at once! It was the disgrace, the scandal. Better this way! What was a scandal, disgrace, for them! Fräulein? A... they cursed.

Cedendo ou não cedendo, todas as vezes com a mesma inalterável paciência, ela sofria a mesma inalterável desilusão profissional.

Passeava-se muito no Rio. Esse dia, devido às instâncias do calor, Sousa Costa concordou em tomar parte na alegria da natureza. Tomar parte não: Chamou um automóvel. Vamos fazer a volta da Tijuca!

— Laurita, venha cá. Você também, Aldinha. Olhem: mamãe vai fazer uma visita com papai, demora um pouco. Por isso vocês vão com Marina passar o dia na casa de Baby e do René, ouviram? Se ficarem bem quietinhas mamãe traz um presente da cidade pra vocês.

— Mas... mamãe! Maria Luísa também vai na visita!?

— Também, Aldinha. Vamos todos.

— Eu queria ir também...

— Ora! Já está fazendo feio já! Assim mamãe não gosta!

— Ela traz um presente pra você, Aldinha!

— É! Porque você vai, sabe!... É passeio, agora!...

— Ôh, Laurita, então eu te enganava assim! É visita, juro!

— Deixe eu falar, Maria Luísa! Olhem, minhas filhas, fica muita gente no automóvel. Baby é tão boazinha...

— Mamãe traz uma caixinha-de-música pra mim!

— Trago.

Dona Laura e Sousa Costa se olham, gozando. Caixinha-de-música... É isso: eles sempre acharam que Aldinha tem muito jeito pra música, vive tamborilando no piano. Algum gênio musical decerto — Laura, é o que te digo: vamos ter

Whether she yielded or not, every time with the same unalterable patience, she suffered the same unalterable professional disillusionment.

People strolled a lot in Rio. That day, due to the heat, Sousa Costa agreed to take part in the joy of nature. Take part, no: He called a car. Let's go to Tijuca![82]

"Laurita, come here. You too, Aldinha. Look, Mommy's going for a visit with Daddy, it'll take a while. That's why you're going with Marina to spend the day at Baby and René's house, do you hear? If you stay very quiet, Mommy brings a gift from the city for you.

"But... Mommy! Maria Luísa is also going on the visit!?"

"She will, Aldinha. We'll all go."

"I wanted to go too..."

"Now! You're behaving badly now! Mommy doesn't like it that way!"

"She'll bring you a gift, Aldinha!"

"Yes! Because you're going, you know!... It's a stroll, now!..."

"Oh, Laurita, so I'd fool you like that! It's a visit, I swear!"

"Let me talk, Maria Luísa! Look, my daughters, it's too many people for the car. Baby is so sweet..."

"Mommy can you bring me a music box!"

"I'll bring it."

Dona Laura and Sousa Costa look at each other, enjoying themselves. Music box... That's it: they always thought Aldinha has a talent for music; she's always drumming on the piano. Some musical genius for sure — Laura, that's what I'm

uma Guiomar Novais... falava às vezes Sousa Costa. Que gosto pros pais!

— Eu quero um aparelhinho de louça!

— Trago também.

Quais seriam as tendências de Laurita? Porém os pais não se preocupavam muito com as predisposições, ponhamos, artísticas da outra filha. São sempre assim os pais: quando as esperanças se projetam sobre um filho, o resto são sombras mal reparadas. Que vivam, e Deus os abençoe! Amém.

O automóvel foi levar as crianças e Marina, a pretinha. Três quartos de hora depois a bandeira partia. Porém até que os verdes vençam as derradeiras audácias do urbanismo, temos tempo farto pra umas considerações. Todos subiram contentes pro automóvel, satisfeitíssimos. Mas vejo um estirão comprido entre a alegria de Fräulein e a desses brasileiros. Fräulein estava alegre porque ia se retemperar ao contacto da terra inculta, gozar um pouco de ar virgem, viver a natureza. Esses brasileiros estavam alegres porque davam um passeio de automóvel e principalmente porque assim ocupavam o dia todo, graças a Deus! Sem automóvel e estradas boas jamais conheceriam a Tijuca. Fräulein iria mesmo marchando e de pé-no-chão. Esses brasileiros iam levar o corpo se gastar. Fräulein ia levar o corpo ganhar. O corpo desses brasileiros é fechado, o corpo de Fräulein é aberto. Ela se igualava às coisas de terra, eles se resguardavam indiferentes. Resultado: Fräulein se confundia com a natureza. Esses brasileiros sofreriam o gosto orgulhoso e infecundo da exceção.

saying: we're going to have a Guiomar Novais...[83] Sousa Costa sometimes said. What joy for the parents!

"I want a little crockery!"

"I'll bring it, too."

What were Laurita's tendencies? But the parents didn't care much about the artistic, let's say, predispositions of the other daughter. The parents are always like this: when hopes are projected onto one child, the rest are barely noticed shadows. May they live, and may God bless them! Amen.

The car took the kids and Marina, the black girl. Three-quarters of an hour later the expedition left. But until the greens overcome the ultimate audacity of urbanism, we have plenty of time for some considerations. Everyone got happy into the car, very satisfied. But I see a long stretch between Fräulein's happiness and that of those Brazilians. Fräulein was happy because she was going to get reinvigorated from contact with the uncultivated land, to enjoy a little virgin air, to experience nature. These Brazilians were happy because they were taking a car ride and mainly because that way they occupied their whole day, thank God! Without a car and good roads, they would never get to visit Tijuca. Fräulein would go marching and barefoot. These Brazilians were going to take their body, get tired. Fräulein was going to take her body, to win. The body of these Brazilians is 'closed,' Fräulein's body is 'opened.'[84] She equated herself to the earthly things, they kept themselves indifferent. The result: Fräulein merges with nature. These Brazilians would suffer the proud and unhealthy taste of the exception.

Ponhamos Carlos de lado, o caso dele é mais particular. Está contente porque Fräulein está contente. O alegra estar junto da amante, só isso. E amor satisfeito, entenda-se, senão dava em poeta brasileiro. Carlos desconhece a Tijuca. Depois do passeio continuará desconhecendo a Tijuca. Em última análise pra Carlos como pra esses moços brasileiros em geral: A Tijuca só é passeável com mulheres. Se não: pernada besta. Ora pinhões! ver árvores e terras... Se ao menos fossem minhas... cafezal...

Fräulein parecia uma criança. Criança brasileira? Não, criança alemã. Diante da natureza, eu já falei, o alemão também tem as suas admirações. Dava risadas, se virava pra olhar mais uma vez as vistas que ficavam atrás, voltava temendo perder as novas que passavam. Mil olhos tivesse, gozaria por mil olhos mil vezes mais. Aliás mesmo que fosse feia a paisagem, gozaria da mesma forma. Era o contacto da natureza que sensualizava Fräulein, mais que o gozo das belezas naturais. Nem criança! animalzinho. Potranca na invernada, ema, siriema, passarinho. Os outros olhavam pra ela espantados quase escandalizados. Ridícula, não?

Menos Carlos. Carlos se sentia orgulhoso e sorria, amparando com os olhos a feliz. Como era bonita e dele só! Ela fremia. Ela vibrava e se entregava inteira aos enlaces faunescos do cheiro e da cor. Que se mostrasse assim amante, corajosa, desavergonhada e confessada da terra, Carlos não tinha ciúmes. Era, inteiramente normal, nós sabemos. Desprezava os sentimentos sutis.

Let's set Carlos aside, his case is more private. He is happy because Fräulein is happy. He is happy to be with his lover, that's all. And it's satisfied love, it must be understood, otherwise it would create a Brazilian poet. Carlos doesn't know Tijuca. After the ride he'll continue to be unaware of Tijuca. Ultimately, for Carlos as for these young Brazilian men in general: Tijuca is only enjoyable with women. Otherwise, a beastly long stride. Come on, pine nuts! to look at trees and lands... If only they were my... coffee plantation...

Fräulein looked like a child. Brazilian child? No, German child. In the face of nature, I have already said, the German also has its admirations. She laughed, turned to look once more at the sights which were left behind, turned back fearing that she would miss the new ones which were passing by. If she had a thousand eyes, she would enjoy it with a thousand eyes a thousand times more. For that matter, even if the landscape was ugly, she'd enjoy it the same way. It was the touch of nature that sensualized Fräulein more than the enjoyment of nature's beauties. Not even a child! a little animal. Filly in the winter, rhea, seriema, birdie. The others looked at her in amazement, almost scandalized. Ridiculous, isn't she?

Except Carlos. Carlos felt proud and smiled, supporting the happy one with his eyes. How beautiful she was and only his! She was thrilled. She vibrated and wholly gave herself in to the faunistic interlacing of aroma and color. That she would show herself this way: fond, brave, shameless, and avowed to the land, Carlos wasn't jealous. It was, quite normal, we know. He despised subtle feelings.

Porém eu escrevi que Fräulein era o guri do grupo... Depois corrigi pra animalzinho. Estou com vontade de corrigir outra vez, última. Fräulein é o poeta da exploração. Exclama assombrada ante as águas que escachoam desabridas em arrepios de dor, com as entranhas varadas pelas itás guampudas. Porém logo deixa de olhar a Cascatinha, pra se extasiar diante dum arbusto.

Aplaude a velocidade dos cipós. Crédula, escruta o canto misterioso, donde no meio dos troncos a sombra botou o olhar. Mas que lindas folhinhas verdes! olhe, Carlos! Carlos! que distração essa! Olhe! parecem envernizadas!

Depois teve um susto sincero nas Furnas. E verdadeiramente viu anões, duendes vadios. Alberico avançou pro colo dela a mão dum cacto, erriçada de unhas verdes, murmurou:

— Carlos...

— Estou aqui, Fräulein!

— Não faça assim! podem ver...

— Ficaram no automóvel... Ninguém vê!

— Assim não! é capaz de ter alguém por aí...

E tinha. O murmulho das águas gargalhou um "brekekekex" fanhoso e o monstro repelente surgindo da grota espiou a moça, como em Hauptmann.

— Que é isso, Fräulein! estou aqui!

Se ria envergonhada.

— Olhe aquela pedra! Que frio não? Carlos...

But I wrote that Fräulein was the kid of the group... Then I corrected it to little animal. I feel like correcting it again, last time. Fräulein is the exploration poet. She exclaims in astonishment before the waters that harshly bubbled with foam in shivers of pain, with its entrails thrusted through by the huge horns of the stones. But she soon stops looking at Cascatinha,[85] to be ecstatic in front of a bush.

She applauds the speed of the vines. Naively, she scrutinizes the mysterious song, where, in the middle of the trunks, the shadow set eyes. But what beautiful little green leaves! look, Carlos! Carlos! what such distraction! Look! they look varnished!

Then she had a sincere fright in the Caves. And truly saw dwarves, stray elves. An Alberich[86] cactaceous hand, bristling with green nails, advanced to her bosom, she murmured:

"Carlos..."

"I'm here, Fräulein!"

"Don't do that! they might see..."

"They stayed in the car... No one sees!"

"Not like this! it's possible that there is someone around here..."

And there was. The murmur of the waters laughed a twangy "kekekeke" and the repellent monster emerging from the grot peeked at the young woman, like in Hauptmann's.[87]

"What is it, Fräulein! I'm here!"

She laughed in embarrassment.

"Look at that stone! How cold, no? Carlos..."

Ele nada via de admirável na pedra, admirou Fräulein. O próprio frescor, ele o gozava sem saber. Carlos apenas protegia a amada, era dever. Que-dê os encantos da natureza? o zigue-zague dos ramos, o segredo das socavas? Carlos protegia apenas a amada dele. Muito bem.

Voltaram silenciosos pro automóvel, que o motorista fora chamá-los. Maria Luísa, curiosa daqueles sempre-juntos, que estariam fazendo? Pretextara aborrecimento. Sousa Costa, de combinação com a filha, mandara chamar os dois. Isso também era demais, nas barbas dele!...

— Também, Laura, você devia ter trazido qualquer coisa, sanduíches... bolachas...

— Ora essa, Felisberto! Nós passamos na cidade, você podia ter comprado!

— Tudo eu, arre!... o que vocês ficaram fazendo lá dentro!

— Nada, papai, vendo! Você não sabe o que perdeu!

Se Sousa Costa explodisse, explodia ali mesmo. Mas porém era filósofo brasileiro, sabia que a explosão prejudica inda mais a brasilite que os trastes do arredor, olhou pro filho com uma raiva.

O automóvel debralhou. Mas nem os cabelos de Fräulein estavam mais despenteados que na véspera ou no dia seguinte. E sempre a mesma escandalosa, faladora, deslumbrada. Olhe a volta que nós fizemos! Eu morava aqui toda a minha vida! Será que Carlos não? Sousa Costa concluiu que não. Sorriu, chamou o filho de bobo e se acalmou, já reconciliado consigo.

He saw nothing remarkable in the stone, he admired Fräulein. The very freshness, he enjoyed it without knowing it. Carlos only protected the beloved, it was his duty. Where are the marvels of nature? the zigzag of the branches, the secret of the underground dens? Carlos protected only his beloved. Very well.

They returned quietly to the car, because the driver had called them. Maria Luísa, curious about those always-together, what would they be doing? Pretexted annoyance. Sousa Costa, in conjunction with his daughter, had sent for them. That was already too much under his beard!

"Honestly, Laura, you should have brought something, sandwiches... crackers..."

"Come on, Felisberto! We passed through the city, you could have bought!"

"It's all on me, damn!... what were you doing inside!"

"Nothing, Daddy, looking! You don't know what you've missed!"

If Sousa Costa could explode, he would, right there. But he was a Brazilian philosopher; he knew that the explosion was more harmful to Brazilitis[88] than the neighboring scamps. He looked at his son with such anger.

The car trotted away. But Fräulein's hair was no more disheveled than the day before or the day after. And always the same scandalous, talkative, dazzled woman. Look at the detour we took! I'd live here my whole life! Wouldn't Carlos? Sousa Costa concluded that he wouldn't. He smiled, called his son a fool and calmed down, already reconciled with himself.

Até dava dó tirar Fräulein do Excelsior. Felizmente os assentos do automóvel são tão cômodos. Dona Laura bocejava refarta.

Mandou chamar os sempre-juntos. Carlos veio correndo.

— Você chamou?

— Meu filho, vamos embora! Suas irmãzinhas estão esperando...

E Carlos enfim confessou a piedade desses brasileiros:

— Ah, mamãe, deixe Fräulein olhar mais um pouquinho!

— Parece que ela nunca viu uma vista bonita, coitada!

— Também na Alemanha é só neve.

— Não é papai! E o Reno é tão cutuba! as florestas! Em Hamburgo tem um jardim zoológico que é o mais bonito do mundo! tem de tudo! E Berlim então?... Aposto que você não sabe o que é Friedrichstrasse!

— Ora, é uma rua!

— Ninguém perguntou pra senhora, Maria Luísa! Deixa sim, mamãe?... Vou subir outra vez!

Encontrou Fräulein acabrunhada, com vontade de chorar. A luz delirava, apressada a um vago aviso de tarde. Era tal e tanta que embaçava de ouro a amplidão. Se via tudo longe num halo que divinizava e afastava as coisas mais. Lassitude. No quiriri tecido de ruidinhos abafados, a cidade se movia pesada, lerda. O mar parará azul. Em baixo, dos verdes fundos das montanhas uma evaporação rajava o escuro das grotas, e o Corcovado, ver um morubixaba pachorrento, pitava as nuvens que o sol lhe acendia no derrame.

It was such a pity to take Fräulein out of the Excelsior.[89] Fortunately the car seats are so comfortable. Dona Laura yawned with plentitude.

He sent for the always-together. Carlos came running.

"Did you call me?"

"My son, let's go! Your little sisters are waiting..."

And Carlos finally confessed the piety of these Brazilians:

"Ah, Mommy, let Fräulein look a little longer!"

"Looks like she's never seen a pretty view, poor thing!"

"Well, in Germany it's all snow."

"It's not, Daddy! And the Rhine is so powerful! the forests! In Hamburg there's a zoo which is the most beautiful in the world! it has everything! And Berlin then?... I bet you don't know what Friedrichstrasse is!"

"Well, it's a street!"

"No one asked you, Maria Luísa! Let her, Mommy? I'll go up again!"

He found Fräulein melancholic, wanting to cry. The light raged, hasty with a vague warning of afternoon. It was such a sight that it blanched the vastness with gold. Everything looked far away in a halo that divinized and pushed things even further. Lassitude. In the dead of night woven with soft muffled noises, the city moved heavily, sluggish. The sea will stop, blue. Below, from the green bottoms of the mountains an evaporation raged the darkness of the gorges, and Corcovado,[90] like an apathetic chieftain, puffed the clouds that the sun ignited for him on its long ridge.

Fräulein botara os braços cruzados no parapeito de pedra, fincara o mento aí, nas carnes rijas. E se perdia. Os olhos dela pouco a pouco se fecharam, — cega duma vez. A razão pouco a pouco escampou. Desapareceu por fim, escorraçada pela vida excessiva dos sentidos. Das partes profundas do ser lhe vinham apelos vagos e decretos fracionados. Se misturavam animalidades e invenções geniais. E o orgasmo. Adquirira enfim uma alma vegetal. E assim perdida, assim vibrando, as narinas se alastraram, os lábios se partiram, contrações, rugas, esgar, numa expressão dolorosa de gozo, ficou feia.

— Fräulein…

Abriu lentamente uns olhos alheios. O desconhecido estava perto dela. É Carlos. Ahn. Sorriu. Numa cidade escura da Alemanha… Ele entrava de…

— Vamos, suspirou. Mas precisava de se retomar. Venceu a melancolia. Vieram descendo muito alegres, falando alto.

— Senhor Sousa Costa, eu nunca vi coisa mais linda em minha vida! ôh, muito obrigada!

Sousa Costa sorriu pra ela, paternal.

— De fato, Fräulein… É uma beleza.

O automóvel em disparada rolou pelas ladeiras, se lançou nos abismos a pique sobre o mar.

— Se caíssemos…

Carlos protegeu logo:

— Não tem perigo, Fräulein!

— Que bonita ilha! Dona Laura, repare no mar! Ficou negro de repente! Nós estivemos lá em cima!

Fräulein had put her folded arms on the stone parapets, laid her chin in her firm flesh. And she lost herself. Her eyes slowly closing, — blinded at once. Reason gradually escaped her. She finally vanished, driven away by the excessive life of the senses. From the deep parts of her being came vague appeals and fractioned decrees. Animality and ingenious inventions mixed together. And the orgasm. At last she had acquired a vegetal soul. And lost like that, throbbing like that, her nostrils expanded, lips split, contractions, wrinkles, grimace, in a painful expression of pleasure, she became ugly.

"Fräulein…"

She slowly opened her distracted eyes. The stranger was near her. It's Carlos. Erm. She smiled. In a dark city of Germany… And he entered in a…

"Come on," she sighed. But she needed to get back on her feet. The melancholy vanished. They walked down very cheerfully, talking loudly.

"Mister Sousa Costa, I've never seen anything more beautiful in my life! Oh thank you very much!"

Sousa Costa smiled at her fatherly.

"Indeed, Fräulein… It is a beauty."

The car in flight rolled down the slopes, plunging into the abysses over the sea.

"If we fall…"

Carlos protected right away:

"There is no danger, Fräulein!"

"What a beautiful island!" Dona Laura, look at the sea! It turned black all of a sudden! We've been up there!"

Numa das voltas olhando pra trás, viu a montanha curvada, com o sol lhe mordendo as ilhargas. Era Loge, deus do incêndio... As montanhas desembestavam assustadas, grimpando os itatins com gestos de socorro, contorcidas. Loge perseguia as medrosas, lambido de chamas, trinando. Fräulein escutou um xilofone, o tema conhecido. E o encantamento do fogo principiou para Brunilda.

O último ponto de parada foi a gruta da Imprensa. Fräulein desceu na frente, saltando os degraus rápida. Carlos seguia:

— Você cai!

Dona Laura nem se erguera do auto mais, pensava nas filhinhas. Sabia que os Camargos eram amigos, porém filhas não se emprestam pra ninguém, devem ficar junto das mães, não é verdade? Sousa Costa passeava na estrada. Aproveitava o descanso pra fumar. Maria Luísa ainda na monotonia da fraqueza, descera as escadas também. Observava o fundo da gruta, pensando interrogativa nos tombos por ali.

Fräulein estacara devorando pela moldura das arcadas o mar. A tarde caía rápida. A exalação acre da maresia, o cheiro dos vegetais. Oprimem a gente. E os mistérios frios da gruta... Tanta sensação forte ignorada, a imponência dos céus imensos... o apelo dos horizontes invisíveis... Abriu os braços. Enervada, ainda pretendeu sorrir. Não pôde mais. O corpo arrebentou. Fräulein deu um grito.

On one of the turns, looking back, she saw the stooping mountain, the sun biting its flanks. It was Loge,[91] god of fire… The mountains scurried frightened, the rocky peaks ascending with distressed gestures, contorted. Loge pursued the fearful, consumed by flames, warbling. Fräulein heard a xylophone, the tune familiar. And the enchantment of the fire began for Brunhilda.[92]

The last stopping point was the Imprensa grotto. Fräulein got off first, hopping down the steps quickly. Carlos followed:

"You gonna fall!"

Dona Laura no longer stepped out of the car, she thought of the little girls. She knew the Camargos were friends, but daughters shouldn't be lent to anyone, they should stay with their mothers, isn't that right? Sousa Costa was strolling on the road. He used the break to smoke. Maria Luísa, still in the boredom of weakness, had gone down the stairs as well. She looked at the bottom of the grotto, thinking interrogatively about the people tumbled around there.

Fräulein stood still devouring the sea through the frame of the arches. The afternoon was falling fast. The acrid exhalation of the sea, the smell of the vegetation. They weight on us. And the cold mysteries of the cave… So many strong sensations ignored, the magnificence of the immense heavens… the appeal of the invisible horizons… She opened her arms. Unnerved, she still wanted to smile. She couldn't anymore. Her body burst. Fräulein screamed.

Juruviá, juruviá duma vez. Semicerrara as pálpebras, uma ruguinha espetada na testa. Nem enxergava mais a vista sempre nova das águas, das montanhas. Praias largas enfim.

Tinham se assustado muito, dona Laura quase desmaiara, Sousa Costa correra. Viu a filha rolar pelos rochedos, ferida se debatendo, minha filha! O mar a engoliu. Maria Luísa inda estava pálida. Tremia. Só Carlos rira muito. Não compreendera nada, porém achara sadiamente muita graça naquilo: onde se viu dar um grito assim, sem mais nem menos! que impagável!... Agora olhava pra Fräulein de esguelha, inquieto com o burro da amada. Ela nem agradece tanta irmandade. Passaria muito bem sem ela. Mas já se preocupa em comercialmente jugular uma raiva por esses brasileiros.

Houve apenas um instante de sossego quando o pulman principiou gemendo, o trem partia. Então, depois de mais uma olhadela para ver se todos estavam mesmo ali bem garantidos, dona Laura se lembrou que era senhora de sociedade. Ergueu um pouco o busto, recolheu o ventre pra caber melhor dentro da cinta e tentou guardar os fiapos de cabelos que lhe choviam pelo rosto, pela nuca, orelhas. Deu um suspiro de alívio, como trabalhara!

Na verdade não trabalhara coisa nenhuma, Fräulein é que fizera tudo. Marina, a pretinha, era inútil nos seus quatorze anos de sonho. Sousa Costa, esse fazia só pagar, pagar era com ele,

Disappointed, sorely disappointed. She half-closes her eyelids, a little wrinkle stubble on her forehead. She couldn't even see the ever-new vista of the waters, of the mountains. Wide beaches at last.

They got very frightened, Dona Laura almost fainted, Sousa Costa ran. He saw his daughter rolling down the cliffs, wounded, floundering, my daughter! The sea engulfed her. Maria Luísa was still pale. Shivering. Only Carlos had laughed much. He hadn't understood anything, but he had found a great deal of humor in it: whoever heard someone screaming like that, out of nowhere! priceless!... Now he looked at Fräulein out of the corner of his eye, uneasy with his beloved's downfall. She doesn't even show gratitude for such brotherhood. She would do very well without it. But she already worries about commercially jugulating her anger toward these Brazilians.

There was only a moment's silence when the Pullman began groaning, the train was leaving. Then, after another glimpse to see if they were all well-secured, Dona Laura remembered that she was a lady of society. She lifted her breasts a little, tucked her belly in to better fit inside of the girdle, and tried to keep the streaks of hair from raining down her face, the back of her neck, her ears. She breathed a sigh of relief, how hard she had worked!

Actually, she hadn't worked at all, Fräulein had done everything. Marina, the little black girl, was useless in her fourteen-year dream. Sousa Costa, he only paid, to pay is his busi-

ninguém mais calmo pra sacar a carteira do bolso e dar gorjeta boa. Mas o resto, não entendia dessas "coisas de mulher". Fräulein fizera tudo e, por felicidade, sem nenhum acidente. As malas estavam todas despachadas, e maletas, bolsas, sacos de viagem, os filhos, luvas, luvinhas, chapéus, Marina, Felisberto, Fräulein, a cesta com as sanduíches das crianças, tudo estava ali. Dona Laura deu um último arranjinho no decote pequeno que já eslava despencando pra direita e ficou feliz. Fräulein ia sentada bem na frente dela. As crianças menores junto de ambas, já encarapitadas, amarfanhando os guarda-pós dos bancos de couro falso, olhavam pelas janelinhas abertas.

— Cas... Cascadura! Mamãe! a estação se chama Cascadura!

— Já sei. Laurita, fique quietinha, viu!

Sousa Costa baixara o jornal com o grito de Laurita. Mas se riu, a filha já estava lendo tudo. Dona Laura ficara meia incomodada porque diversas pessoas dos bancos da frente tinham se voltado com o grito da menina. Olhou o marido e sacudiu a cabeça, desaprovando. Mas Sousa Costa já mergulhara no jornal, sentado fronteiro à mulher, do outro lado do corredor central do vagão, com o resto do pessoal miúdo. Carlos, junto do pai, defrontava Maria Luísa.

Em frente de Sousa Costa, a pretinha Marina imóvel, se agarrara com as duas mãos no banco, estarrecida, boca aberta, olhos esbugalhados, gozando, como tinham ido ao Rio pelo noturno, esta era realmente a primeira vez que enfim Marina viajava de trem, a sua maior aspiração. Automóvel, jamais a interessara, era canja, não tinha apito. Mesmo pra ir da casinha

ness, no one is calmer when getting his wallet out of his pocket and giving a good tip. But the rest, he didn't understand these "women things." Fräulein had done everything and, fortunately, without any mishap. The suitcases were all dispatched, and valises, suitcases, travel bags, children, gloves, little gloves, hats, Marina, Felisberto, Fräulein, the basket with children's sandwiches, everything was there. Dona Laura rearranged the small neckline that was already plummeting to the right and was happy. Fräulein was sitting right in front of her. The smaller children next to them both, already perched, crumpling the dusters of the fake leather seats, looked out the open little windows.

"Cas… Cascadura![93] Mommy! the station is called Cascadura!"

"I already know. Laurita, settle down, OK!"

Sousa Costa had lowered the newspaper with Laurita's outcry. But he laughed; his daughter was already reading everything. Dona Laura was a little embarrassed because several people in the front seats had turned around with the girl's outcry. She looked at her husband and shook her head disapprovingly. But Sousa Costa had already plunged into the newspaper, sitting opposite his wife, across the central corridor of the train car, with the rest of the small people. Carlos, with his father, was facing Maria Luísa.

In front of Sousa Costa, the little black Marina was still, she had clutched both hands on the bench, terrified, her mouth open, her eyes bulging, enjoying, as they had come to Rio on the night bus, this was really the first time Marina had finally

dela, na chegada de Jundiaí, para a vila Laura, foram buscá-la na Fiat, não tinha apito. E nos seus quatorze anos, Marina guardava aquele desejo eterno com que, todos os dias de sua já longa vida, espiava os trens, trepada no barranco, os trens sublimes passando. A casa do pai dela, carapina em Jundiaí, era justo numa curva de apitar, e o apito nascera dentro dela como a suprema expressão da dignidade dos veículos.

Só uma coisa Marina ainda achava superior ao trem: ter dor de dente. Chegara a rezar a Deus pedindo que lhe mandasse uma dor de dente, nem que fosse uma dorzinha só, bem pequenina, porque achava muito lindo a gente andar com um lenço vermelho amarrado na cara. Achava lindíssimo. No tempo em que morava com a família, chegava a chorar de escondido, porque o Dito andava sempre de lenço amarrado na cara, maravilhoso, já todo banguela de tanto dente arrancado com dor. E ela com aquela dentadura branca, alvinha, sem uma dor...Chorava.

Laurita soletrava sempre:

— Ba... Bângu! Mamãe! essa é Bângu!

Maria Luísa se inclinou assanhada:

— É Bangu, Laurita! que boba!

Carlos caiu na risada. Também ele vinha se divertindo muito com a viagem de trem, era tão raro. A notícia da volta pra casa o pusera um dia inteiro excitadíssimo: Fräulein. Andou tomando uns ares circunspectos de homem. Nessa manhã, aproveitando um momento de sozinhos, dera um abraço tão encostado em Fräulein que ela se sentira enrubescer. Mas

traveled by train, her greatest aspiration. She had never cared for cars, they were a cinch, they didn't have a whistle. Even to go from her little house, near Jundiaí, to Villa Laura, they fetched her in the Fiat, it didn't have a whistle. And in her fourteen years, Marina kept that eternal desire with which, every day of her long life, she spied on the trains, perched on the ravine, the sublime trains passing by. The house of her father, a carpenter in Jundiaí, was right on a whistle bend of the line, and the whistle had grown inside of her as the supreme expression of the dignity of the vehicles.

Only one thing Marina still thought was superior to the train: to have a toothache. She would prayed to God for a toothache, even if it was a little pain, very small, because she thought it was very beautiful to walk with a red scarf tied around one's face. She thought it very beautiful. In the time she lived with her family, she would wouild cry, hidinjg, because Dito always wore a scarf tied to his face, wonderful, already all toothless so many teeth taken because of the pain. And she, with those white, snowy teeth, without a single pain...She would cry.

Laurita always spelled:

"Ba... Bângu![94] Mommy! this is Bângu!

Maria Luísa leaned excited:

"It's Bangu, Laurita! how silly!

Carlos burst into laughter. He too had been having a great time with the train ride, it was so rare. The news of his return home had excited him all day long: Fräulein. He had taken on some circumspect airs of a man. This morning, taking a moment of being alone together, he had given Fräulein such a tight hug

agora a viagem o distraía muito. Comprara uma revista pra imitar o pai, quisera ler, mas não sabia mesmo fingir. E as revistas já estavam com Maria Luísa, essa sim uma senhora, bem arranjadinha, com muita compostura ver Fräulein, de luvas, lendo sinceramente.

O trem já ultrapassara os subúrbios cantados por Laurita e desembestava aos pinchos mundo fora. O céu estava nublado mas a pequena fresca da manhã já se fora. Por detrás das nuvens baixas havia um sol violento queimando. O ambiente era de luz crua, clara demais, e os olhos semicerravam batidos por uma poeira fininha, angustiosa, implacável, aveludando tudo repulsivamente. Todos os passageiros já tinham fechado as janelas, e vinham incomodadíssimos com as conservadas abertas por aquela família. Alguns viajantes dos bancos de trás se limpavam com estrépito, pra dar a perceber, indignados. Fräulein percebeu e falou baixinho com dona Laura. Esta, meu Deus! essas crianças! fez um gesto aflito e ralhou com o marido:

— Felisberto, feche essas janelas, faz favor! Veja que poeira!

Ele deixou a leitura, ia se erguendo, mas o trem deu um daqueles trancos da Central, todos se viram atirados de banda, e Sousa Costa foi parar em cima de Fräulein.

— Desculpe, Fräulein.

Carlos já fechara a janelinha do seu banco, mas não quis fechar a de Maria Luísa, feche você! Fräulein olhou-o. Ele encabulou muito, se ergueu, não! não se ergueu! Fräulein não manda em mim! mas foi se erguendo com má vontade, apertou

that she felt herself blushing. But now the trip distracted him greatly. He had bought a magazine to imitate his father, he wanted to read, but he couldn't pretend at all. And the magazines were already with Maria Luísa, that one indeed a lady, well groomed, with much composure mirroring Fräulein, wearing gloves, reading sincerely.

The train had already gone beyond the suburbs Laurita had sung of and ran furiously leaping the world over. The sky was overcast but the little breeze of the morning had already gone. Behind the low clouds there was a violent sun burning. The surroundings had a raw light, too bright, and the eyes half-closed hit by a fine, distressing, implacable dust, repulsively velveting everything. All the passengers had already closed the windows, and were very uncomfortable by the ones kept open by that family. Some of the travelers in the back seats were wiping themselves off with a racket, indignant. Fräulein noticed and spoke softly to Dona Laura. This, my God! these children! she made a distressed gesture and scolded her husband:

"Felisberto, close those windows, please! Watch the dust!"

He put aside his reading, he was rising, but the train had one of those Central's jostles,[95] everybody was thrown sideways, and Sousa Costa came to rest on top of Fräulein.

"Sorry, Fräulein."

Carlos had already closed the window of his seat, but he didn't want to close Maria Luísa's window, "you close it!" Fräulein looked at him. He got very upset, got up, no! he didn't get up! "Fräulein isn't the boss of me!" but he stood up grudg-

a perna de Maria Luísa e fechou a janela. Sentou emburrado e mergulhou na revista só de pique.

Laurita chorosa deixava que Sousa Costa fechasse a janelinha:

— Ah! papai!... Assim não posso ler o nome da estação!

— Você lê pelo vidro, Laurita.

— Ah, não sei ler pelo vidro, pronto!

Aldinha não, nem se incomodou. Ajoelhada no banco olhando os passageiros de trás, pelo espaldar que mal atingia, estava muito entretida em dar, risadinhas para um menino quieto que vinha junto da mãe, no banco do outro lado. Era uma senhora norueguesa viajando com o filhinho de seis anos. No princípio ela sorrira no prazer instintivo de olhar a carinha gostosa da menina, mas depois ficara inquieta. Aldinha ria pro menino. O menino, muito agitado, não sabendo se podia rir também, consultou a mãe. Esta o maltratou com o olhar duro. E o pequeno voltara à imobilidade da boa educação, olhando pra frente muito. Mas lhe dava aquele desejo de ver se a menina estava se rindo pra ele, jogava muito rápido, muito atemorizado um olharzinho pra ela. E Aldinha ficava cada vez mais apaixonada.

A norueguesa fez um gesto de calor, pra disfarçar e trocou de lugar com o filho. Mas o trem pulava tanto que o menino se erguendo batera com a cabeça no banco da frente. Sentou chorando mudo. A norueguesa olhou com ódio pra Aldinha, e Fräulein, assim viajando de costas, captou o olhar da outra. Ficou envergonhada, aliás tudo a envergonhava naquela

ingly, pressed Maria Luísa's leg, and closed the window. He sat sulkily and plunged into the magazine only out of spite.

Laurita let Sousa Costa close the little window tearfully:

"Ah! Daddy!... This way I can't read the name of the station!"

"You read through the glass, Laurita."

"Oh, I can't read through the glass, that's it!

Not Aldinha, she didn't even bother. Kneeling on the bench looking at the passengers in the back, from the back rest that she barely reached, she was too entertained giggling at a quiet boy who was with his mother on the seat on the other side. She was a Norwegian lady traveling with her six-year-old son. At first she smiled at the instinctive pleasure of looking at the girl's cheerful face, but then she became restless. Aldinha was laughing at the boy. The boy, very agitated, not knowing if he could laugh too, consulted his mother. This one mistreated him with a hard look. And the little one returned to the immobility of the good education, looking straight ahead. But he had that desire to see if the girl was laughing at him, he threw a very fast, very frightened little look at her. And Aldinha became more and more in love.

The Norwegian woman made a gesture of heat to disguise herself and changed places with her son. But the train jostled so much that when the boy was standing up he banged his head against the seat in front of him. He sat down crying, silent. The Norwegian woman glared at Aldinha, and Fräulein, thus traveling on her back, caught the other's glare. She was ashamed, as a matter of fact she was ashamed of everything

viagem brasileira, e tratou autoritariamente de fazer Aldinha sentar. Mas as crianças, com os pais ali, não obedeciam.

Aldinha sentara com maus modos, em cima duma perna, só pra não ficar direito. Mordida pela vontade de espiar o menino, principiou balanceando sobre a perna dobrada, pra se distrair. Um salto-mortal do vagão atirou-a em cima da mãe, ia caindo, Fräulein agarrou-a a tempo, Sousa Costa se ergueu para acudir, e nova guinada do vagão o atirou em cima de Fräulein outra vez. Agora machucou bem. Dona Laura assustadíssima. A negrinha botara a mão na boca pra não gritar, estarrecida. Maria Luísa, Carlos, Laurita, todos olhando inquietos. Sousa Costa, ah se pudesse matar! mastigava as sílabas, morto de vergonha:

— Fräulein... desculpe: este trem!

Laurita ficou com sede e queria água. Aldinha, muito desapontada com o sucedido, se lembrou de pedir também alguma coisa e inventou comer. E bateu uma enorme fome nela. Meia chorosa:

— Mamãe... tou com fome!

— Minha filha! meu Deus! é tão cedo!...

Laurita com a ideia de comer se virara espevitada. Carlos também. A negrinha também. Maria Luísa também. Só que desceu a revista dos olhos pra ver a solução do pedido, mas logo se lembrou que era gente grande, ergueu a revista depressa, escondeu os olhos, sem ler, escutando o que a mãe resolvia. Batera uma fome catastrófica no pessoalzinho.

on that Brazilian trip, and she made an authoritarian attempt to make Aldinha sit down. But the children, with their parents present, wouldn't obey.

Aldinha sat down with ill manners, over one leg, just so that she wouldn't sit up straight. Bitten by the desire to spy on the boy, she started swinging on her bent leg to distract herself. A somersault of the car slammed her onto her mother, she almost fell off, Fräulein grabbed her in time, Sousa Costa got up to help, and a new swerve of the train car tossed him over Fräulein again. Now it really hurt. Dona Laura got frightened. The little black girl had put her hand to her mouth so as not to scream, terrified. Maria Luísa, Carlos, Laurita, all looking restless. Sousa Costa, ah if he could kill! chewed the syllables, dead with shame:

" Fräulein… sorry: this train!"

Laurita got thirsty and wanted water. Aldinha, very disappointed with what happened, remembered to ask for something too and came up with eating. And there was a great hunger in her. She kind of cried:

"Mommy… I'm hungry!"

"My daughter! my God! it's so early!…"

Laurita with the idea of eating turned garrulous. Carlos also. The little black girl also. Maria Luísa also. She just brought the magazine down to see the solution of the request, but she soon remembered that she was a grown-up, she raised the magazine quickly, hid her eyes, not reading, listening to what her mother was deciding. There was a catastrophic famine in the little people.

Dona Laura ficou completamente aflita. Não era ela quem tiraria a cesta do lugar nem faria coisa nenhuma, porém a paralisou um desânimo tamanho, que calor!... Olhou pra Fräulein que baixou os olhos sem consentir. Ainda não era hora de dar sanduíche às crianças, tinham almoçado fartamente ao partir. Aldinha gemia, quase chorando já.

— Eu queria sanduíche...

E olhava Fräulein de soslaio, sentindo um gostinho em machucar a governante. Dona Laura angustiada procurou os olhos de Sousa Costa. Ele sacudiu a cabeça muito contrariado, mexeu os ombros, com um ar de "o que se há de fazer, Laura!". Mas ficou imóvel, temendo desagradar Fräulein já tão machucada.

— Eu também quero!

Fräulein custou não tirar os olhos do chão e censurar Laurita. Mas a partida estava perdida mesmo. Resolveu sair daquele beco, mas só de irritação. Fez um sinalzinho a Carlos que não esperava outra coisa. Ele se ergueu com presteza, foi tirar a cesta do porta-maletas do alto, veio, se desvencilhando elástico dos trancos do vagão, depor a cesta no colo da amante. Que ternura teve por ela então! sentou a perna na guarda do banco, chegando muito pra encostar:

— Eu distribuo, Fräulein.

Dona Laura, acalmada, desejava se reconciliar com a governanta:

— Fräulein, por favor, dê só uma, ouviu?

— Uma só não quero, é pouco!

— Laurita!

Dona Laura was completely distraught. It wasn't her who would take the basket out of the place or do anything, but a great dismal paralyzed her, how hot!... She looked at Fräulein who lowered her eyes without consenting. It wasn't yet time to give the children a sandwich; they had eaten a hearty lunch when they left. Aldinha moaned, almost crying already.

"I'd like a sandwich..."

And she looked askance at Fräulein, feeling a little pleasure in hurting the ruler. Dona Laura distressed searched for Sousa Costa's eyes. He shook his head in annoyance, shrugged his shoulders, with an air of "what is to be done, Laura!" But he stood still, afraid to displease Fräulein, who was already so hurt.

"I want, too!"

Fräulein had to keep her eyes on the floor not to scold Laurita. But the game was lost. She decided to get out of that deadlock, but only out of anger. He gave Carlos, who wasn't expecting anything else, a little signal. He got up promptly, went to get the basket from the top suitcase carrier, came back, elastically disengaging from the jolts of the wagon, depositing the basket in the lover's lap. What tenderness he had for her then! he put his leg in the arm of the bench, reaching far to lean against her:

"I'll distribute, Fräulein."

Dona Laura, calmed down, wanted to be reconciled with the governess:

"Fräulein, please, give them just one, will you?"

"I don't want just one, it's too little!"

"Laurita!"

Maria Luísa não aguentara mais consigo, pusera a revista no colo, espiando a distribuição com avidez. Aldinha no chão, agarrada na saia de Fräulein por causa dos solavancos, espiava as sanduíches sem poder nem respirar de ansiedade. Nem bem pegou a que Fräulein lhe dava, arrancou outra da cesta, se esgueirou sem noção do perigo...

— Aldinha!

— Meu Deus!

Sousa Costa ainda estendeu os braços pra ver se alcançava a filha. Ela atirada, batendo-se, foi cair no colo da norueguesa que a salvou. Aldinha, inconsciente do tombo frustrado, estava era triunfante, sorrindo, oferecendo a sanduíche amassada ao namoradinho. O menino olhou pra mãe bestificado. Todos tinham se erguido com o susto e sacolejavam ao vendaval, menos dona Laura, coitada, que num esforço hercúleo ainda estava se desatarraxando do assento, pra se voltar e ver o desastre horrível. A norueguesa, sustentando sempre Aldinha com uma das mãos, varria do colo as migalhas de pão, de queijo. Foi um minuto de angústia absoluta. Sousa Costa, envergonhadíssimo outra vez, já segurava a filha, tentando trazê-la consigo. Mas Aldinha forcejava, triunfante sempre, falando:

— Coma, menininho!... é booom!

Afinal a norueguesa falou qualquer coisa com o filho que se levantou, roxo de timidez, estendeu dois dedos, agarrou a sanduíche e murmurou não sei o que lá. Aí a mãe sorriu, falando de novo. O menino repetiu em português certinho, devagar:

Maria Luísa couldn't take it anymore; she put the magazine on her lap, eagerly keeping an eye on the distribution. Aldinha was on the floor, clinging to Fräulein's skirt because of the jerking around, she peeped out at the sandwiches breathless with anxiety. No sooner had she taken the one Fräulein had given her, she took another one out of the basket and sneaked away without any idea of the danger…

"Aldinha!"

"My God!"

Sousa Costa still stretched out his arms to see if he could reach his daughter. She was thrown around, banging herself, fell to the lap of the Norwegian woman who saved her. Aldinha, unconscious of the frustrated fall, was triumphant, smiling, offering the crumpled sandwich to her sweetheart. The boy looked dumbfound at his mother. They had all risen with the shock and were shaking off the whirlwind, but Dona Laura, poor woman, who in a Herculean effort was still loosening herself from the seat, to turn and see the horrible disaster. The Norwegian, always holding Aldinha with one hand, swept the crumbs of bread and cheese from her lap. It was a minute of absolute anguish. Sousa Costa, extremely ashamed again, was already holding his daughter, trying to bring her with him. But Aldinha struggled, always triumphant, saying:

"Eat, little boy!… it's goood!"

The Norwegian woman finally said something to her son who stood up, purple with shyness, held out two fingers, grabbed the sandwich, and murmured I don't know what.

— Muito obrigado.

Aldinha arrastada pelo pai, olhando pra trás, queria ficar lá. Dona Laura e Sousa Costa, no íntimo, estavam satisfeitos com o desprendimento da filha. Não há dúvida que lhes assustava muito o recato essas simples aparências de contágio com desconhecidos, mas enfim a estranha era visivelmente uma senhora distinta.

Fräulein até sentia vontade de chorar. Meio que esquecera a distribuição das sanduíches, perdida nos seus mundos, cestinha fechada. Laurita comendo, voltara a esperar tabuletas que pudesse ler. Maria Luísa não sabia ocultar mais a impaciência, e Marina, pela primeira vez, saía do seu estarrecimento, se mexendo no lugar, lambendo os beiços.

Carlos ficara desapontado por não receber uma sanduíche também, mas já desistira, não tinha fome nenhuma. Percebeu que Fräulein estava sofrendo e se tomou de ardor por ela. Quase a abraça no pretexto de erguer a cesta pra guardar e lhe roça a mão no seio. Fräulein sobressaltada sente-se nua no vagão, dá um gritinho, agarra a mão de Carlos em terror.

— Vou guardar a cesta, Fräulein!

Ela, inteiramente desarvorada, fala por falar!

— Você também quer uma!

Carlos fica no ar, aceita? recusa? estava com tamanha fome! Se salva:

— Papai, você quer uma!

— Não.

Then the mother smiled, talking again. The boy repeated in plain Portuguese, slowly:

"Thank you very much."

Dragged by her father, looking back, Aldinha wanted to stay there. Dona Laura and Sousa Costa, deep inside, were satisfied with their daughter's selflessness. There was no doubt that these simple semblances of contact with strangers scared their modesty very much, but at least the stranger was visibly a fine lady.

Fräulein even felt like crying. She'd forgotten the distribution of sandwiches, lost in her worlds, the little basket closed. Laurita, eating, had gone back to waiting for sideboards she could read. Maria Luísa couldn't hide her impatience any longer, and Marina, for the first time, came out of her awe, stirring in her seat, licking her lips.

Carlos had become disappointed for not receiving a sandwich as well, but he had given up, he wasn't hungry at all. He realized that Fräulein was suffering and he was filled with ardor for her. He almost hugs her on the pretext of lifting the basket to put it away and brushes his hand against her breast. Startled, Fräulein feels naked in the train car, she shrieks, grabs Carlos's hand in terror.

"I'll put the basket away, Fräulein!"

She, utterly disoriented, talks just to talk!

"Do you also want one!"

Carlos is up in the air, accepts? refuses? he was so hungry! He saves himself:

"Daddy, do you want one!"

"No."

E quem salvou foi Maria Luísa que não se conteve mais:

— Me dá uma... pra exprimentar...

Então Fräulein abriu a cesta devagar, remoendo os gestos, parecia muito calma, tirara a mão de Carlos dali. E deu sanduíches. Deu, era pra dar, não é? deu, deu pra Maria Luísa, deu duas, deu pra Marina que ficou sufocada de comer na frente dos patrões, deu, ara, Carlos também devia estar querendo, uma criança afinal... naquela idade alemão é criança... deu.

Carlos ainda teve ímpetos de recusar, homem não come sanduíche no trem.

— Você também não quer, Fräulein?... implorou.

— Agora não, depois.

E um tranco horrendo atirou-o com cesta e tudo para o lugar dele, que calor!... Mas não se podia abrir uma janela. Se a poeira espessa abafava o ambiente, sujando de pardo qualquer suor, janela que se abrisse, principiavam entrando no vagão os carvõezinhos que a máquina enviava a todos, e tudo se pontilhava de preto. Alguns vinham incandescentes ainda, queimando em quanta fazenda pousavam. Agora Aldinha pedia água. Dona Laura tinha um sulco no rosto porque limpara o suor empoeirado. Fräulein quis avisar mas não avisou. De raiva.

— Barra Mansa! Mamãe... como que era a outra Barra que eu falei!

— Que barra, minha filha?

Dona Laura não podia de calor. Abrira mais um botão da blusa, só mais um, mas o trem sacolejava tanto, agora é que as fazendas não paravam, despencando pros lados. Fräulein

And the one who saved the situation was Maria Luísa who couldn't hold herself back any longer:

"Give me one... to try..."

Then Fräulein slowly opened the basket, thinking the gestures over, she looked very calm, she had taken Carlos's hand away. And handed over sandwiches. She handed them over, she was supposed to, right? she handed over, to Maria Luísa, she gave two, gave one Marina who choked to eat in front of her bosses, she gave, why, Carlos should also be wanting one, he's a child after all... at that age a German is a child... she handed over.

Carlos still had the urge to refuse, a man doesn't eat sandwiches on the train.

"You don't want it either, Fräulein?" he begged.

"Not now, later."

And a horrid lurch threw him with basket and everything to his place, how hot!... But one couldn't open a window. If the thick dust choked the air, browning any sweat, a window that was opened, the little cinders that the machine sent to everybody began to enter in the carriage, and everything was dotted in black. Some entered still glowing, burning all the fabrics they landed on. Now Aldinha asked for water. Dona Laura had a furrow on her face because she had wiped off the dusty sweat. Fräulein wanted to warn her but didn't. Out of anger.

"Barra Mansa! Mommy... what was that other Barra I said before!"

"What barra, my daughter?"

Dona Laura couldn't cope with the heat. She opened another button of her blouse, just one more, but the train squeaked so

estava despeitadíssima, com aquele rego de dois seios imensos bem no nariz dela. Laurita, gritando pra se ouvir naquele estardalhaço de ferragens:

— Ara, aquela estação! eu falei que era Barra não sei do quêe!...

Houve uma rápida inquietação na família, ficaram dolorosamente envergonhados. E com efeito alguns passageiros sorriram, era visível que sabiam que Barra era. Mas ninguém na família se lembrava mais, não tinham prestado atenção. Só a pretinha, que escutava tudo, devorava tudo, decorava tudo. De repente deu o riso esganiçado, botou a mão na boca assustada e gritou sem querer:

— Ih... Barra do Piraí!

— Como que é, Marina!

Todos a olhavam agora. Isso Marina caiu numa gargalhada de "ih-ihs" histéricos, que não parava mais.

— Diga, Marina! não seja boba!

Mas a pretinha não podia mais de vergonha, se ria, se ria, contorcia-se toda, botando agora as duas mãos espalmadas na frente da cara. Sousa Costa estava indignado. Foi preciso dona Laura entrar com toda a autoridade dela:

— Marina, que é isso! Diga o nome pra Laurita!

A pretinha abaixou as mãos, ficou muito séria, estarrecida mesmo, com os olhos brancos, esbugalhados, tomando a cara toda. Falou devagar, estatelada, num sério de quem ia morrer:

— Barra do Piraí?

much, now the fabrics wouldn't stop, plummeting to the sides. Fräulein was very spiteful, with that trench of two huge breasts right under her nose. Laurita, shouting to be heard in that rattle of ironware:

"Why, that station! I told you it was Barra-something!..."

There was a sudden uneasiness in the family, they were painfully ashamed. And indeed some passengers smiled, it was visible that they knew which Barra that was. But no one in the family remembered it anymore, they hadn't paid attention. Only the little black girl, who listened to everything, devoured everything, memorized everything. Suddenly she squeaked a laugh, put her hand on her frightened mouth and shouted unintentionally:

"Ah... Barra do Piraí!"

"What is it, Marina?"

Everyone was looking at her now. Then Marina fell into a hysterical laugh "ah-ahs," that wouldn't stop.

"Say it, Marina! don't be silly!"

But the little black girl couldn't be more ashamed, she laughed, she laughed, she was all contorted, now putting both hands flat on the front of her face. Sousa Costa was outraged. It was necessary for Dona Laura to enter with all her authority:

"Marina, what's up! Say the name to Laurita!"

The little black girl lowered her hands, became very serious, terrified even, with white eyes, bulging, taking up her whole face. She spoke slowly, motionless, as serious as one who was going to die:

"Barra do Piraí?"

Como que interrogava, assombrada de saber. Todos sossegaram e Laurita voltou a olhar a paisagem, enquanto duas lágrimas grossas rolavam pela cara da pretinha.

Pois foi nessa viagem que se deu a anedota famosa, dessas que ficam recordadas sempre nas famílias feito troféu. Laurita de vez em quando voltava àquela implacável solicitude de gritar a todo o vagão o nome das estações que chegavam. Dona Laura, seios arfantes, arranjando pela milionésima vez o decote despencado, agora não se aguentava mais de calor. Olhou com desespero a vidraça da janelinha fechada. Umas casas, casas escoteiras, sem arruamento, se ajuntavam cada vez mais numerosas na paisagem. A sufocação de dona Laura pressentiu que o trem diminuía a marcha aos trambolhões. Decerto alguma cidade maior... iriam parar mais tempo e se abriria as janelas pra arejar o vagão... E na espera ansiosa, pra que foi que dona Laura se lembrou de perguntar a Laurita o nome daquela estação! Laurita encostou o rostinho na vidraça, gloriosa de prestar um serviço à mãe. Mas gritou no estardalhaço:

— Não se enxerga, ainda... Já falo, mamãe!

e amassava o nariz contra o vidro. Sousa Costa, com medo de algum fracasso da filha, espiou em roda. Vários viajantes esperavam também, abatidos, alguns se erguendo, sorrindo com paciência. As casas agora já chegavam arruadas, lerdas. O trem parava aos pedaços. Laurita gritou:

— E... é Mi-quitó-rio! Mamãe! é Miquitório!

Dona Laura, Fräulein se sentiram morrer. Mas desta vez Sousa Costa perdido por completo o controle, se ergueu, iria

As if questioning, terrified to know it. They all settled down and Laurita looked back at the landscape as two thick tears streamed down the face of the little black girl.

For it was on this trip that the famous anecdote was created, one of those which are always remembered in families like a trophy. From time to time, Laurita returned to that relentless solicitude of shouting to the whole carriage the names of the arriving stations. Dona Laura, breasts panting, arranging for the millionth time her collapsed neckline, now couldn't stand the heat anymore. She stared desperately at the pane of the little window. Some house, solitary houses, without proper streets, were gathering more and more in the landscape. Dona Laura's suffocation sensed that the train was slowing down. Certainly some larger city… they would stop longer and open the windows to air out the car… And in the anxious waiting, why did Dona Laura remember to ask Laurita the name of that station! Laurita pressed her face to the window, glorious in her mother's service. But she shouted in the din:

"I cannot see it, yet… I'll tell you, Mommy!"

and kneaded his nose against the glass. Sousa Costa, afraid of some failure of his daughter, peered around. Several travelers waited too, dismayed, some getting up, smiling patiently. The houses now showed up well-paved, slowly. The train stopped little by little. Laurita shouted:

"And… it's Oor-ee-nal! Mommy! It's Urinal!"[96]

Dona Laura, Fräulein felt like dying. But this time Sousa Costa completely lost control, got up, he was going to smack his daughter. Fräulein half rose to save decorum, trying to

bater na filha. Fräulein meio se levantou pra salvar o decoro, buscando evitar a palmada. O trem parou num tranco e os dois, Fräulein com Sousa Costa abraçados, afundaram nos peitos de dona Laura. Sousa Costa enojado se desvencilhou num tempo deixando Fräulein lá. Ia... O vagão todo se escangalhava de rir, até a norueguesa. De repente Sousa Costa não soube mais o que ia fazer. Xingar a Central do Brasil? jurar que nunca mais viajava de trem? Dona Laura com ar de muito machucada, arranjava o decote. Pedir desculpas? bater na filha, isso nunca! jamais Sousa Costa havia de por a mão num filho. E como um bólide tenebroso veio surgindo dentro dele, veio engrossando, Laurita era filha dele! o bólide já estava estrondando dentro dele, não sabia, um desespero gigantesco e lusitano de desatravancar a vida numa piada bem grossa, se igualar à filha, se igualar ao impudor dela, rirem assim duma criança, ela era inocentinha, o bólide já se desfazia sem arrebentar, Sousa Costa desanimou duma vez. Sentou. Teve um desejo vago de sentar pra sempre. E falou muito queixoso:

— Não é Mictório não, minha filhinha... é Taubaté.

Na volta do Rio recomeçaram os encontros noturnos que bom! Carlos evoluía rápido. Fräulein tinha já seus despeitos e pequenas desilusões. Por exemplo: ele demonstrava já de quando em quando preferências brasileiras e outras individuais que contrastavam com a honestidade clássica do amor tese. Tese de Fräulein. Se eu contasse tudo, a verdade, mesmo

avoid the spanking. The train stopped with a jerk, and the two of them, Fräulein and Sousa Costa, hugging each other, sank into Dona Laura's breasts. Sousa Costa, disgusted, disengaged himself in no time leaving Fräulein there. He was... The whole car was dying with laughter, even the Norwegian woman. Suddenly Sousa Costa didn't know what he was going to do anymore. Curse Central do Brasil? swear he'd never travel by train again? Dona Laura, who looked very hurt, was arranging her cleavage. Apologize? hit his daughter, never! Sousa Costa would never lay a finger on one of his children. And like a tenebrous fireball it started tumbling inside of him, thickening, Laurita was his daughter! the fireball was already rumbling inside of him, he didn't know, a gigantic and Lusitanian desperation to de-clutter life in a very dirty joke, to match his daughter, to match her impudence, to laugh like that at a child, she was innocent, the fireball was already being undone without bursting, Sousa Costa was dispirited at once. He sat down. He had a vague desire to sit forever. And he spoke very complainingly:

"It's not Urinal, no my child... it's Taubaté."

On their return from Rio, the evening meetings started again! Carlos was evolving fast. Fräulein already had her grudges and small disillusionments. For example, he demonstrated, from time to time, Brazilian and other individual preferences that contrasted with the classic honesty of love thesis. Fräulein's thesis. If I told everything, the truth, even in doses, I would come

dosada, viria catalogar este idílio entre os descaramentos naturalistas, isso é impossível, não quero.

Ninguém negará no entanto que Carlos prefere a orelhinha direita da amada pros beijos de após ventura. Tal preferência existe. Nada tinha em Carlos de perverso, isso não, porém, palmilhando as larguezas da repetição, ele já estava se tornando conhecido de si mesmo. Tinha exigências risonhas, por instinto, demonstradas com despotismo calmo, satisfeito, muito seguro de si. Criança ainda e desajeitado, embonecava nele o homem latino, vocês sabem: o homem das adivinhações. Olhem como ele cruza as pernas, ara!...

Fräulein não apreciava essa concepção da felicidade. Os homens alemães quando não são práticos e animais no amor, guardam sempre um certo jeito de obediência às leis naturais, mesmo dentro do requinte e da exceção. Parece tão natural aquilo neles!... Isto é segredo de alemães. Os latinos nunca atingem tais extremos. Em verdade eles divagam no amor, não acha? O alemão fica. Ponto final. O latino ondula. Reticência.

E a gente então, os brasileiros misturados... Não acredito nas avataras indianas. Não acredito nessas vidas anteriores em que a gente foi um xeique das Arábias. Entretanto tantanam no fundo do mato... Negros pesados dançando o cateretê. Silêncio grosso de cheiros de cernes, folhas, flores, terra, carnes, queimaqueimados pelo sol. Olhos relampeando na escureza da noite sem sono. Então a imaginativa trabalha.

De primeiro surgiram teogonias fantasiosas, produto das multiplicações pelo Deus inicial. Depois fantasmas, lendas. Destas lendas provieram primeiro os animais, as plantas,

to catalog this idyll among the naturalistic impudence, which is impossible, I don't want to.

No one will deny, however, that Carlos prefers the right little ear of his beloved for the kisses after ventures. Such a preference exists. Nothing in Carlos was perverse, not at all, however, walking the lengths of repetition, he was already beginning to know himself. He had laughable demands, instinctively shown with calm despotism, satisfied, very sure of himself. Still a child, and clumsy, the dolled-up Latin man, you know: the man of divinations. Look how he crosses his legs, why!

Fräulein didn't appreciate this conception of happiness. German men, when they are not practical and animalistic in love, always maintain a certain way of obedience to natural laws, even within refinement and exception. That seems so natural in them! This is the Germans' secret. Latinos never reach such extremes. Truly they wander in love, don't you think? The German stays. Full stop. Latinos undulate. Reticence.

And the people then, the mixed Brazilians… I don't believe in the Indian avatars. I don't believe in those earlier lives where we were an Arab sheikh. However they play the tam-tam, in the jungle… Heavy black people dancing the *cateretê*.[97] Thick silence of smells of piths, leaves, flowers, earth, meats, burnburnt by the sun. Eyes flashing in the darkness of the sleepless night. So the imaginative power works.

At first fanciful theogonies appeared, product of the multiplications by the initial God. Then ghosts, legends. Of these legends first came the animals, the plants, the lymphs, all

as linfas, todos munidos dum poder de além, sacro, quase impossível. A imaginativa tinha aonde manobrar à larga, o deserto era imenso, o deserto das areias, das florestas e das águas. Quando tudo se povoou de milagres as lendas pariram a casta dos homens ruins e a casta dos homens bons, coisas impossíveis ainda. Dessas divisões vieram as guerras. Guerra ou paz. Tudo pretexto pra cantigas, esculturas, danças. Tinem colares, chacoalham cores vivas, deuses, lendas, artes...

Porém quando não se dorme num mato ou quando a imaginativa não pode mais ultrapassar o recesso das tabas e a terra pisada das ocas, pra assuntar além das picadas, através das embiras, porque agora já se está dormindinho numa cama bem gostosa da avenida Higienópolis (que bem pode ser uma rua do Recife, uma praça de Porto Alegre) quando... meu Deus! a frase está muito longa, comecemos outra:

O brasileiro misturado não carece mais de criar teogonias transandinas, nem imagina descender dum jabuti notável, nem crê nas castas dos homens ruins e dos homens bons, nem nas oferendas votivas, nem na estilização duma efígie divina, nem por enquanto se preocupa com cafezais por plantar, nem mesmo sonha com a roupa nova que o pai lhe dará, pela primeira vez feita no alfaiate célebre da rua Quinze. Tem-se dezesseis anos e um amor fácil. A gente se levanta. Pé por pé. Chega na porta de Fräulein. Tantam... Dormia, Fräulein? Estou sem sono, vim pra cá.

Porém a imaginativa não abandonou as abundâncias dela, não pense, quer se gastar e faz muito bem. Pra que

armed with a power from beyond, sacred, almost impossible. The imaginative power had space to maneuver broadly, the desert was immense, the desert of sands, of forests and of waters. When everything became populated with miracles, the legends gave birth to the caste of bad men and the caste of good men, still impossible things. Out of these divisions came wars. War or peace. Everything pretext for songs, sculptures, dances. They clink necklaces, joggle bright colors, gods, legends, arts...

However when you don't sleep in a forest or when the imaginative power can no longer overtake the recess of the *tabas*[98] and the trodden earth of the huts, to observe beyond the narrow trail of the forest, through the *embiras*,[99] because now you are already sleeping in a very nice bed on the pleasant Avenida Higienópolis (which may well be a street in Recife, a square in Porto Alegre) when... my God! the sentence is too long, let's start another:

The mixed Brazilian no longer needs to create trans-Andean theogonies; nor does he imagine descending from a remarkable turtle, nor does he believe in the castes of bad men and good men, nor in the votive offerings, nor in the stylization of a divine effigy, nor for the moment cares about coffee plantations still to be cultivated, not even dreams of the new clothes, for the first time made at the famous tailor on Rua Quinze, that the father will give him. He is sixteen years old and has an easy love. He gets up. One foot after the other. Arrives at Fräulein's door. Knock-knock... Were you sleeping, Fräulein? I'm sleepless, I came here.

However, the imaginative power didn't abandon its abundances, don't you think, it wants to waste itself and does very

mais anhangás, jananaíras e batatões? Rudá protege bem os namorados. E estamos na rua do Recife, não tem perigo nenhum, medo pra que! O velho deve de estar dormindo. Risinho. Até parece que o outro é bobo. Dormir? Tão gostoso amar! Suspiro. E uma boquinha na orelha esquerda de Fräulein. Não. Se prefere a direita, não é a mesma coisa. Porque meu Deus! Por amor da invenção, preferência, livre-arbítrio. Aqui a latinidade se confunde com os índios songamongas e a negralhada relumeante. Deu-se um Fiat, rapazes! Foi criado o mito da orelhinha direita.

Está claro que Carlos não imaginou nada disso. Porém o beijo existe. E pra provar que existe de fato com existência real e não como fantasia literária do escritor me vi obrigado a ir incomodar os coitados dos negros dançando no fundo do mato ao tantã. Agora todos escutaram o beijo.

Fräulein é que não compreende esse divagar sublimado. Corrosivo ela pensa. No dia seguinte principia matutando com o desfecho, vem vindo a hora de acabar. Cumpriu a missão dela, o que sabia ensinou. O homem-da-vida e o homem-do-sonho passeiam braços dados. Quatro contos pra cada um. Vamos tomar um chope. Fräulein sente uma fraqueza, sorri de amorosa. Pobre Carlos vai sofrer. Vem uma revolta: que sofra e ela então? Grande Alemanha sem recursos, desmantelada. Tudo rapidamente. Porém permanece um desejo mole pelo rapaz. Talvez a ensombre um arrependimento. O homem-da-vida afirma: Não. E vira o chope.

Mas agora se fala tanto nos sentimentos sequestrados... O subconsciente se presta a essas teogonias novas. Fantasia?

well. More devils, *jananatíras*,[100] and *batatões* for what?[101] *Rudá*[102] protects the lovers well. And we are at Rua do Recife, there is no danger, fear for what! The old man must be asleep. Little laughter. As if the other one is a fool. To sleep? It's so delicious to love! Sigh. And a little mouth on Fräulein's left ear. No. If he prefers the right one, it's not the same thing. Why my God! For the sake of invention, preference, free will. Here latinity is confused with the indolent Indians and the gang of gleaming black people. A fiat happened, boys! The myth of the right ear was created.

It is clear that Carlos didn't imagine any of this. Still the kiss does exist. And to prove that it exists in real real existence and not as a literary fantasy of the writer, I was forced to go and annoy the poor black people dancing in the depths of the jungle at the sound of the tam-tam. Now everyone's heard the kiss.

Fräulein doesn't understand this sublimed wandering. Corrosive, she thinks. The next day she begins to mull over the outcome, the time has come to end it. She fulfilled her mission, what she knew, she'd taught. The man-of-life and the man-of-dreams walk arm in arm. Four contos for each one. Let's have a beer. Fräulein weakens and smiles lovingly. Poor Carlos will suffer. There comes the outrage: that he suffers, and what about her? Great Germany without resources, dismantled. Everything quickly. But there remains a soft yearning for the boy. Maybe it's remorse glooming her. The man-of-life says: No. And chugs the beer.

But now people talk so much about the hijacked feelings... The subconsciousness lends itself to these new theogonies.

Ninguém o saberá jamais. Minha vingança é que Freud não pode ter sensações de tantãs no fundo do mato. Nem pode sentir índios pesados, com dinamismos de ritual dentro das gâmbias. Aliás nem Fräulein. Por isso é que falando de Carlos fui poeta, inventei. Falando agora de Fräulein, de Freud, de Friedrich, pra usar unicamente efes, endurece-me a pena um decreto de ciência alemã. De ciência alemã. Mas o homem-do-sonho dá um urro: Não! E vira o chope.

Entre Sousa Costa e Fräulein se convencionara desde o princípio, que aquilo não podia acabar sem um pouco de violência. A maior lição estava mesmo no susto que Sousa Costa pregaria no coitado. E então lhe mostraria os perigos que nessas aventuras de amor pecaminoso, pecaminoso? correm os inexperientes. Vocês todos já sabem quais são. Isso divertira muito Sousa Costa, representar a cena lhe dera um gostinho. Sousa Costa queria muito bem o filho é indiscutível, porém isso de amores escandalosos dentro da própria casa dele lhe repugnava bastante. Não é que repugnasse propriamente... fazia irritação. Está certo: irritava Sousa Costa. O filho era dele, lhe pertencia. Que se entregasse a uma outra e ele sabendo, teve ciúmes, confesso. Se sente como que comeado! Tal era a sensação inexplicável de Sousa Costa pai.

Pois com o susto se vingava. O ante-sabor da comédia lhe multiplicou os momentos de sorriso, não se esquecera mais. "Depois pregamos um bom susto nele" falara à mulher naquela cena inquieta de explicações com Fräulein. Porém agora diante desta, na biblioteca, pensava melhor, aquilo traria incômodos.

Fantasy? No one will ever know. My revenge is that Freud cannot feel the tam-tams in the forest. Nor can he feel heavy Indians, with dynamisms of ritual within his legs. As a matter of fact not even Fräulein. That's why, speaking of Carlos, I was a poet, I told tales. Speaking now of Fräulein, of Freud, of Friedrich, to use solely 'fs,' a German science edict hardened my quill. Of German science. But the man-of-dreams utters a howl: No! And chugs the beer.

Between Sousa Costa and Fräulein it had been agreed from the outset that that couldn't end without some violence. The biggest lesson was really in the fright that Sousa Costa would give the poor boy. And then he'd show him the dangers that inexperienced people fall into in these sinful adventures of love, sinful? You all already know what they are. This had amused Sousa Costa very much; to represent the scene had given him some pleasure. Sousa Costa really loved his son, it's indisputable, but this thing of scandalous loves inside his own house was very repugnant to him. It wasn't exactly repugnant... it irritated. That's right: it irritated Sousa Costa. The son was his, belonged to him. That he surrendered to another woman, and he knowing it, he was jealous, I confess. He feels as if betrayed! Such was the inexplicable sensation of Sousa Costa senior.

So, with fright he'd take his revenge. The pre-taste of the comedy had multiplied his smiling moments, he didn't forget it anymore. "Then we give him a good fright," he had told his wife in that uneasy scene of explanations with Fräulein. But now, in front of her, in the library, he thought better, that would bring in-

Caceteação! o menino ia fazer barulho naturalmente... E esse malestar que as estreias sempre dão...

— Mas Fräulein, não seria possível acabarmos de outra forma?... mansamente? Meu filho vai sofrer muito, é tão amoroso! Depois... depois eu falo tudo pra ele.

Porém Fräulein já sabe que Sousa Costa promete e não cumpre, insistiu. De mais a mais assim, violentamente, a lição ficava mais viva no espírito, isto é, no corpo de Carlos. O corpo tem muito mais memória que o espírito, não é? É. Além disso, por mais burguês e vulgar que seja um alemão, sempre de quando em quando lhe rebrota no deus encarcerado um desejo de tragédia inútil, esse mesmo que fez a renúncia de Werther e o mais inútil ainda sacrifício de Franz von Moor. Sem confessar isso, Fräulein desejava a tragédia, mesmo com o sacrifício da memória dela na recordação de Carlos.

O que Carlos ficava pensando dela... Porém como que isso lhe nobilitava o trabalho anterior, lhe redimia a profissão. Do quê?! Ah, consciência, consciência... O trabalho e a profissão de Fräulein eram bem nobres, a moça tinha certeza disso. Tinha certeza. Porém. Então ela se falava: Se o senhor Sousa Costa não ensinar agora, não ensina mais. É preciso que ensine. O meu dever é não sair daqui sem que ele primeiro indique a Carlos os perigos. Mesmo com o meu sacrifício.

Por tudo isso insistiu. Assim a consciência adormece. Get *zur Ruhe!* Sousa Costa já amolado, prometeu.

conveniences. Nuisance! the boy was naturally going to make noise… And this uneasiness that debuts always provoke…

"But Fräulein, wouldn't it be possible to end it otherwise?… peacefully? My son will suffer a lot, he's so loving! Then… later I'll tell him everything.

But Fräulein already knows that Sousa Costa promises and doesn't comply; she insisted. Moreover, this way, violently, the lesson would stay more alive in the spirit, that is, in Carlos' body. The body has much more memory than the spirit, doesn't it? It does. Besides, no matter how bourgeois and vulgar a German may be, there is always once in a while a desire for useless tragedy in the imprisoned god here and there, the same which has made Werther's resignation, and the even more useless sacrifice of Franz von Moor. Without confessing this, Fräulein desired the tragedy, even with the sacrifice of her memory in Carlos' memory.

What would Carlos think of her… But as if that made her previous work nobler, it redeemed her profession. From what?! Ah, conscience, conscience… Fräulein's work and profession were very noble, the young woman was sure of it. She was sure. However. Then she would tell herself: If Mr. Sousa Costa doesn't teach now, he won't teach anymore. It's necessary that he teaches. It's my duty not to leave here without him first indicating the dangers to Carlos. Even with my sacrifice.

For all this she insisted. In this way the conscience numbs. *Get zur Ruhe!*[103] Sousa Costa, already annoyed, promised.

Dona Laura avisada, aceitou suspirando. Matutou assim: afinal Fräulein partir... que maçada! Tomara ao menos que eu arranje depressa governanta nova! Até de novo se acostumarem todos juntos... E estavam tão bem assim!... Ninguém desconfiava de nada. As meninas progrediam tanto... Maria Luísa já tocava a "Marcha Turca" bem direita, quase que não parava.

Mas dona Laura teria pensado mesmo tanta coisa! Não pensou. Eu também por mim não pensei. Então quem foi? Volta aqui o limiar da consciência andando que nem badalo, pra cá... pra lá... Inconsciência... Subconsciência... Consciência... Pra cá... pra lá... É aqui! Então é consciência. Juro que não! Então o limiar é jamais é mais pra longe. Será?... Pra cá... pra lá... Dona Laura não falou nada daquilo, nem pensou. Porém aquelas ideias existem. A psicologia também existe. Pra cá... pra lá... E Fräulein partia mesmo, era inútil se lastimar.

— Paciência.

Carlos entrara no quarto de Fräulein. Mal tivera tempo de. Porém já machucara a amante, cruzando as pernas sentado. Tátão, tão, tão!

— Abra!

Meu Deus! entra Sousa Costa.

— Que está fazendo aqui, diga!

— Nada, papai...

Flébil, flébil, nem se ouvia. Sousa Costa acreditou que era um grande artista dramático. Voltou-se pra Fräulein. Por lembranças românticas franziu a testa.

Dona Laura warned, accepted it with a sigh. She mused like this: after all Fräulein leaves… what a bore! I hope I at least get a new governess! By the time they got used to it all again… And they were so good this way!… No one suspected anything. The girls progressed so much… Maria Luísa already played the "Turkish March" right, she almost didn't stop.

But would Dona Laura have thought so much! She wouldn't have. I myself also didn't think so. So who was it? Back here is the threshold of conscience going like a clapper, this way… that way… Unconsciousness… Subconsciousness… Consciousness… This way… that way… It's here! So it is consciousness. I swear it isn't! So the threshold is never it's farther. Is it?… This way… that way… Dona Laura didn't say any of that, nor did she think. But those ideas do exist. Psychology also exists. This way… That way… And Fräulein was leaving, it was useless to mope.

"Patience."

Carlos had entered Fräulein's room. He had barely had time to… But he had already hurt his lover, sitting with his legs crossed. So, so, so!

"Open!"

My God! Sousa Costa enters.

"What are you doing here?"

"Nothing, Daddy…"

Feeble, feeble, couldn't even be heard. Sousa Costa believed he was a great dramatic artist. He turned to Fräulein. For romantic memories, he frowned.

— Ela não tem a culpa!

De pé agora, relampeando em nítida franqueza, heróico.

— O senhor tenha a bondade mas é de ir já pro seu quarto! Já vou lá também!

Carlos baixou a cabeça, partiu. Francamente: não soube que partia. Não soube que chegou no quarto. Não soube que se encostou na guarda da cama, senão caía mesmo, plorúm! desmanchado no chão. Não soube o tempo que passou. Nada. Enxergou a porta se abrindo. Ergueu a cara pro pai:

— Ela não teve a culpa, papai!

Não relumeava mais, mas sem imploração também. Emperrado apenas na própria verdade: quando uma mulher erra, só o homem é que tem a culpa. E, sem nenhuma temeridade, corajoso.

— Você está louco! Você sabe quem é essa mulher! E se ela agora te obriga a casar! Está muito bonito!

Carlos aterrado, casar! Que explosão de luz essa no cérebro! Luz ruim. Mas o apego a Fräulein subjuga todos os preconceitos, sociedade e futuro desaparecem, só Fräulein, o conchego de Fräulein fica. E ainda um pouco de coragem, cabeçudo. Flébil, flébil:

— Eu caso, papai...

— Bobo! Você não está vendo que é uma aventureira!

— Não é uma...

— Cale-se!

— Papai! mas ela não é uma aventureira!

Agora implorava. Que dó fazia na gente!

"She's not to blame!"

Standing now, flaring in clear, heroic frankness.

"Be kind enough to go to your room right now! I'm going there in a minute!"

Carlos lowered his head and left. Frankly: he didn't know he was leaving. He didn't know he was in his room. He didn't know that he leaned against the bed, otherwise he would fall, plonk! broken on the floor. He couldn't know how much time had passed. Nothing. He saw the door opening. He raised his face to his father:

"It wasn't her fault, Daddy!"

He wasn't flaring anymore, but also didn't implore. Stuck only in the truth itself: when a woman makes mistakes, only the man is to blame. And without any temerity, brave.

"You're crazy! Do you know who this woman is! And if she now forces you to marry her! That's great!"

Carlos was aghast, get married! What an explosion of light in the brain! Bad light. But the attachment to Fräulein subjugates all prejudices; society and future disappear, only Fräulein, the warmth of Fräulein stays. And still with a little bravado, stubborn. Feeble, feeble:

"I'll marry her, Daddy…"

"You silly boy! You can't see she's an adventurer!"

"She's not a…"

"Shut up!"

"Daddy! but she isn't an adventurer!"

Now he begged. What pity one feels!

— Carlos, você é uma criança, Carlos! e não sabe nada, ouviu! E agora! E se tiverem um filho, como é! diga!! maluco...

Ah! isso acabou Carlos. Caiu numa cadeira, chorou. Sousa Costa já estava cansado também. Sentou-se e falou manso. Aliás por pouco tempo, nem reparou que não ensinava nada. Viu o filho chorando e teve amor, consolou. Felizmente ele estava ali pra acabar com aquilo. Porém que tivesse cuidado pra outra: não tem tantas mulheres sem perigo por aí, não o obrigasse mais a gastar dinheiro com essas coisas. Carlos tira a cara das mãos, quer ver se o dinheiro é verdade.

— Ela não recebeu dinheiro!

— Ah?! então você pensa que ela partia assim, sem nada, não é!...

— Quando!

Que dinheiro, nem baixezas! Fräulein partia! só isso Carlos escutou.

— Quando?

— Quando?! essa é muito boa! o mais depressa possível amanhã cedo.

— Não! papai! não! Eu não faço mais nada!

— Como é! então você!!! Mas Carlos você está maluco duma vez! Parte! e é pena que não possa partir já, agorinha mesmo!

Perdia terreno. Voltou à ideia do filho, com que vencera de-já-hoje. Carlos recomeçou a chorar. Era horrível! casar

"Carlos, you're a child, Carlos! and know nothing, do you hear! And now! And if you had a child, what of it! tell me!! Crazy boy..."

Ah! that killed Carlos. He fell into a chair and cried. Sousa Costa was already tired too. He sat down and spoke softly. In fact, for a short time, he didn't even notice that he taught nothing. He saw his son crying and had love, consoled him. Luckily he was there to get it over with. But that he be careful of another woman: there aren't so many harmless women out there, that he won't force him to spend money on these things anymore. Carlos takes his face off his hands, he wants to see if the money thing is true.

"She didn't receive money!"

"Ah?! so you think she'd leave like this, with nothing, right!..."

"When!"

Nothing of money, or indignities! Fräulein was leaving! that's all Carlos heard.

"When?"

"When?! that's great! as soon as possible tomorrow morning."

"No! daddy! no! I won't do anything else!"

"What it! so you!!! But Carlos you've gone completely crazy! She leaves! and it's a shame that she can't leave now, right now!"

He was losing ground. He returned to the notion of a son, which he had already defeated today. Carlos began to cry again. That was awful! to get married, but to have a son... A SON! It

ainda, mas ter um filho... UM FILHO! Não era impossível! que medo! E como! Depois! Meu Deus! um filho... Um filho...

— E agora o senhor vai-me deitar e nada de barulhos, ouviu? Eu já falei que arranjo isso. Mas fique aí bem quieto e durma!

Saiu.

Um filho...

Um filho.

Um filho...

Um... filho?

Meu Deus! UM FILHO.

Se atira na cama.

... um filho...

Horroroso! Não raciocinava, não pensava...

... um FILHO...

Nem assombrações amedrontam assim! E Carlos não acredita em assombrações. Carlos espaventado, exausto, antes morrer!... Mas a noção da morte o acalma e retempera. Carlos principia se defendendo, pois não tem a menor intenção de morrer. Um filho?! Mas viria mesmo um filho?... Fräulein teria um fi... Fräulein partia... Vem a figura de Fräulein. Mata o filho. Que filho nem nada! Fräulein! O desejo de Fräulein. O desespero por ela! Não tem nada, tem Fräulein! o corpo dela, o calor dela... Carlos vai. Pra que precauções? Vira o trinco. Porta fechada, naturalmente. Empurra-a. Sacode-a com força. Se lembra de bater e bate.

wasn't impossible! so scary! Very! Then! My God! a son… A son…

"And now you're going to bed and no noise, do you hear me? I already told you I'll take care of this. But stay here quiet and sleep!"

He left.

A son…

A son.

A son…

A son?

My God! A SON.

He throws himself into bed.

… a son…

Horrible! He couldn't reason, couldn't think…

… a SON…

Not even ghosts daunt this way! And Carlos doesn't believe in ghosts. Carlos alarmed, exhausted, better to die!… But the notion of death calms and strengthens him. Carlos starts defending himself, because he has no intention of dying. A son?! But would a son be coming?… Fräulein would have a s… Fräulein would leave… Fräulein's image comes to mind. Kill the son. What of a son! Fräulein! The desire for Fräulein. The despair for her! There is nothing else, there is Fräulein! her body, her warmth… Carlos goes. Precautions for what? He turns the latch. The door is closed, of course. He pushes it. Shakes it hard. Remembers to knock and knocks.

— Fräulein!

Evidentemente ela não dormia.

— Quem é.

— Abra esta porta!

— Carlos, não posso! Vá dormir!

— Abra esta porta, já disse!

— *Mein Gott!* seu pai escuta, Carlos. Vá embora!

— Eu arrebento esta porta! Fräulein! abra a porta!

— Meu filho, que é isso! Não faça assim!

— Mamãe me largue! me largue! eu quero abrir esta porta, já disse!

— Mas meu filho tenha paciênc…

— Abra a porta, Fräulein!!

Clave de fá:

— Ocê está louco, Carlos! Não lhe disse…

— Não sei se estou louco! Abra esta…

— Meu filho você acorda suas…

— … porta!

— … irmãzinhas!

— Vamos embora!

Sousa Costa foi parar na parede.

— Fräulein!

— Carlos! você faz assim pra seu pai!…

Plam! pampam! plam!…

— Este menino… dou nele ainda!…

Sousa Costa apanharia. Isto é: não apanharia mais, Carlos está se cansando. Desilude-se, tudo está perdido mesmo… Não vale a pena lutar, brasileiro… Mãe e pai seguram ele.

"Fräulein!"

Of course she wasn't sleeping.

"Who is it."

"Open this door!"

"Carlos, I can't! Go to sleep!"

"Open this door, I already said!"

"*Mein Gott!* your father will hear, Carlos. Go away!"

"I'll kick this door down! Fräulein! open the door!"

"My son, what is this? Don't do that!"

"Mommy, let go of me! let go of me! I want to open this door, I already said!

"But my son be patien…

"Open the door, Fräulein!!"

Bass clef:

"You're crazy, Carlos! Haven't I told you…"

"I don't know if I'm crazy! Open this…"

"My son, you're going to wake up your…"

"… door!"

"… little sisters!"

"Let's go!"

Sousa Costa was thrown against the wall.

"Fräulein!…"

"Carlos! that's how you treat your father!"

Bam! bambam! Bam!…

"This boy… I'll still spank him!…"

Sousa Costa would get spanked. That is: he wouldn't get spanked anymore, Carlos is getting tired. He's disillusioned, everything is lost indeed… It's not worth fighting, Brazilian…

Nem carecia. Guiam aquelas pernas sem vontade. Isso sim, carecia.

— Fräulein, mamãe...

Nos seios de dona Laura é levado.

— Agora eu vou mas é fechar você a chave aqui!

— Felisberto, tenha um pouco de paciência! Meu filho! não chore assim!

— Vamos embora, Laura, deixe ele aí!

— Felisberto!

Sousa Costa foi pra cama. Ele bem tinha falado que o menino havia de fazer um barulhão. Estas alemãs que vão pro diabo que as carregue!

Dona Laura acalma o filho. Chora o filho, chora a mãe. Os dedos dela alisam os cabelos de Carlos. Ele nos braços maternos, molhando a mãe de lágrimas exasperadas. De quando em quando o soluço:

— Fräulein...

Flébil, flébil.

Aldinha com seis anos dormia. Certos barulhos não acordam as crianças de seis anos. Porém Laurita com oito e Maria Luísa com treze. Esta, assuntando da porta, olhos grudados na escureza, engole com volúpia os barulhos. Aprende. Laurita também escutava. Não entendia nada. Deitadinha, muito reta, com medo, sem falar um isto. Pensava? Laurita pensava que havia uma história triste. Fräulein com Carlos. Talqual na fita da Glória Swanson. Mais atrás papai com mamãe. Depois

Mother and father hold him. It wasn't needed. They guide those unwilling legs. That indeed is necessary.

"Fräulein, Mommy..."

In the breasts of Dona Laura he's taken away.

"Now what I'm going to do is to lock you in here!"

"Felisberto, have a little patience! My son! don't cry like this!"

"Let's go, Laura, leave him there!"

"Felisberto!"

Sousa Costa went to bed. He had indeed said that the boy was to make a lot of noise. The devil with these German women!"

Dona Laura calms her son down. The son cries, the mother cries. Her fingers stroking Carlos's hair. He in the maternal arms, wetting his mother with exasperated tears. From time to time the hiccup:

"Fräulein..."

Feeble, feeble.

Aldinha at six years of age was asleep. Certain noises don't wake six-year-olds up. But Laurita at eight and Maria Luísa at thirteen. This one, squinting from the door, eyes glued to the darkness, swallows the noises in ecstasy. She learns. Laurita listened, too. She didn't understand anything. She was lying quietly, very straight, fearful, without speaking a single word. What was she thinking? Laurita thought that there was a sad story. Fräulein with Carlos. Just like in Gloria Swanson's flick.

vinham elas. Todos chorando. Carlos pagava o automóvel e apareciam as pessoas que costumavam visitar mamãe. Carlos não ia mais no futebol. Elas ficavam com muita vergonha das visitas. Tudo muito embrulhado, vago, com sono. De repente Laurita pensou nítido que se papai pegasse ela acordada e Maria Luísa na porta, tomavam um pito grande. Teve medo e principiou chorando, porque desta vez papai tinha razão. Adormeceu, chorando.

O trem partia às seis e trinta, escolhera Santos. Bem que podia ficar em São Paulo, a cidade era bastante grande pros dois, porém o acaso dum encontro possível, só pensar nisso lhe prolongaria aquela ternura por Carlos. O irremediável consola mais depressa.

Além disso Fräulein se aborrecera de São Paulo. Por causa de Carlos. Não sei, mas tinha um sentimento de humildade diante dele. Lhe parecia muito sério isso. Careciam do irremediável. Pois então Santos. Ao menos pra partir: Santos. Campinas um segundo lhe passou na geografia. Seria possível a profissão dela em Campinas? Talvez voltasse pro Rio. Seis horas no hall, devia partir. Como vencer a ternura! Pediu pra Sousa Costa que lhe deixasse ver Carlos. Como negar? Dona Laura subiu, chorando já.

— Meu filho… acorde, meu filho!

— Que é mamãe…

Se ergueu sobressaltado, ainda sem pensamento.

Behind there was Daddy with Mommy. Then the girls came. All crying. Carlos paid for the car and the people who used to visit Mom showed up. Carlos was no longer in football. They were very ashamed of the visitors. All very wrapped up, vague, sleepy. Suddenly Laurita thought clearly that if Daddy caught her awake and Maria Luísa at the door, they would get a big scolding. She was afraid and started crying because this time Dad was right. She fell asleep, crying.

The train would depart at six-thirty, she had chosen Santos. She could well stay in São Paulo, the city was big enough for the two of them, but the chance of a possible encounter, only thinking about it would prolong that tenderness for Carlos. The irremediable consoles faster.

Besides, Fräulein had got sick of São Paulo. Because of Carlos. I don't know, but she had a sense of humility before him. It seemed very serious to her. They lacked the irremediable. Well then, Santos. At least to leave: Santos. Campinas passed by her geography. Was her profession possible in Campinas? Maybe she would go back to Rio. Six hours in the hall, she should leave. How to overcome tenderness! She asked Sousa Costa to let her see Carlos. How to deny? Dona Laura went upstairs, already crying.

"My son… wake up, my son!"

"What is it Mommy…"

He stood up startled, still without thinking.

— Meu filho, Fräulein vai embora… Você não quer se despedir dela? mas seja homem, Carlos!

Carlos de pé. Mal calçou os chinelos, se arranjar pra que! Sujo de sono se atirou na porta, desceu as escadas, ficaram perdidos no abraço. Chorando ele mergulhava a cara nas roupas desejadas. Nem lhes gozava o cheiro lavado.

Fräulein, entre lágrimas, sorriu assim:

— Meu filho…

Sousa Costa repuxava os bigodes, bolas! Porém lhe doía a dor do filho. Dona Laura descia os últimos degraus. Um dos chinelos de Carlos estava ali.

Era preciso partir.

— Adeus, Carlos. Seja… muito feliz, ouviu? adeus…

Beijou-o na testa. Na testa, tal-e-qual fazem as mães. O beijo foi comprido por demais.

Se desvencilhava. Dona Laura ajudou.

— Filhinho… não faça assim!…

Os braços dele foram ficando vazios. Os braços dele ficaram compridos no ar. Ficaram compridíssimos. Foram descendo cansadíssimos. Teve uma vaga lembrança de que nem a beijara. Não, só um verbo naturalista: não aproveitara. E agora nunca mais. Porta que fecha. Sonolência. Não chorava. Foi andando.

Parou calçando o chinelo. Subia os degraus.

"My son Fräulein is leaving... Don't you want to say goodbye to her? but be a man, Carlos!"

Carlos standing up. Barely slipped on his slippers, get dressed for what! Drowsy with sleep he threw himself through the door, went down the stairs, they got lost in the embrace. Crying he dunked his face in the desired clothes. He didn't even enjoy the washed smell.

Fräulein, in tears, smiled thus:

"My son..."

Sousa Costa was pulling his mustaches, damn! But the pain of his son pained him. Dona Laura went down the last few steps. One of Carlos's slippers was there.

It was necessary to leave.

"Goodbye, Carlos. Be... very happy, you hear? goodbye..."

She kissed him on the forehead. On the forehead, just like mothers do. The kiss was too long.

She was disengaging. Dona Laura helped.

"Little child... don't do this!..."

His arms were getting empty. His arms were lengthy in the air. They were very long. They were coming down very tired. He vaguely remembered that he had not kissed her. No, just a naturalistic verb: he hadn't taken advantage of the change. And now never again. The door that closes. Somnolence. He wasn't crying. He walked. He stopped to put on his slipper.

He climbed the stairs.

Fräulein sacudida pelos soluços nervosos entrou no automóvel. Partiam mesmo. Debruçou-se ainda na portinhola:

— Meu Carlos...

Nada. Só Tanaka fechando o portão, se rindo. E uma casa fechada, toda num amarelo educado, senhorial. VILA LAURA. Quis lutar. Tolice sofrer sem causa. Derrubou-se pra trás largada, desinfeliz. Sousa Costa olhava de soslaio pra ela, sem compreender.

No primeiro andar a janela se abriu, que rompante! Carlos engoliu avenida, buscando ver, querendo ver, vendo, o automóvel que sabia sem saber estava longe nunca mais, deserto só. Não estendeu os braços. Não gritou. Porém o olhar turvo escorreu pela avenida até onde! meu Deus...

Os raros transeuntes da aurora viam na janela um mocinho chorachorando, coitado! decerto perdeu a mãe...

Na estação Sousa Costa foi comprar o bilhete. Fez Fräulein entrar no vagão.

— Muito obrigada, senhor Sousa Costa. E... acredite, oh! acredite... desejo a felicidade de Carlos!

— Acredito, Fräulein. Muito obrigado.

Exausta, meia triste ela olhava sem reparar a carreira das campinas. Estação de São Bernardo? Pensava. Quase sofria. Carlos. Era muito sincero, corajoso. Ora! E a raiva contra todos os homens quase que fez ela se rir, prevendo o desastre.

Fräulein, shaken by nervous sobs, got in the car. They were really leaving. She still leaned forward in the little door:

"My Carlos..."

Nothing. Only Tanaka closing the gate, laughing. And the house all closed, all in an educated yellow, seigniorial. VILA LAURA. She wanted to fight. It was foolish to suffer without cause. She collapsed backwards, unhappy. Sousa Costa looked at her out of the corner of his eye, uncomprehending.

On the first floor the window opened, what a burst! Carlos swallowed the avenue, trying to see, wanting to see, seeing, the car he knew without knowing was far away, never again, only the desert. He didn't hold out his arms. He didn't scream. But the hazy glance ran down the avenue all the way! my God...

The rare bystanders of dawn saw a young man crying, poor fellow! He certainly lost his mother...

At the station Sousa Costa went to buy the ticket. He made Fräulein get into the train wagon.

"Thank you very much, Mr. Sousa Costa. And... believe me, oh! believe me... I wish for Carlos's happiness!"

"I believe you, Fräulein. Thank you very much."

Exhausted, kind of sad she looked without noticing at the rows of the meadows. São Bernardo Station? She thought. She almost suffered. Carlos. He was very sincere, brave. Now! And the rage against all men almost made her laugh, anticipating

Afastou com energia o ódio inútil. Se protegeu contra a imaginação, pensando no dinheiro. Assegurou-se de que a maleta estava ali, estava. Oito contos. Mais dois ou três serviços e descansava. Apesar de tudo, Carlos... que alma bonita, um homem. Tomou-a novo relaxamento de vontades. Doía. Talvez o amasse? Fräulein murmurou severamente o "não", quase que os outros escutaram. Sorriu. Uma ternurinha só. Muito natural: era um bom menino, e não pensemos mais nisso. Estava muito calma.

E o idílio de Fräulein realmente acaba aqui. O idílio dos dois. O livro está acabado.

FIM

the disaster. She brushed away the useless hatred. She shielded herself against the imagination, thinking about the money. She made sure the briefcase was there, it was. Eight *contos*. Two or three more services and she could rest. After all, Carlos… what a beautiful soul, a man. She was taken by a new release of her desires. It hurt. Maybe she loved him? Fräulein whispered the "no," the others almost heard. She smiled. Just one little tenderness. Very natural: he was a good boy, and let's think about it no more. She was very calm.

And Fräulein's idyll really ends here. The idyll of the two. The book is finished.

THE END

Fräulein não age mais e não sentirá mais. Quando muito uma recordação cada vez mais espaçada, o pensamento cada vez mais sintético lhe dirá que viveu ano e pico na casa da família Sousa Costa. Não, isso não lhe dirá. Dirá que teve um Carlos Alberto Sousa Costa em sua vida, rapazola forte, simpático, que se aproxima dela sob a pérgola do jardim. Depois se afasta com a cabeça bem plantada na gola do suéter, vitorioso, sereno, como um jovem Siegfried. E só isso. Já tomou posse de si mesma. As citações lhe voltam à memória. Mais oito contos por colocar. E havia de vencer. Pra isso trabalhava sem férias, basta de reflexões. *Wer zuviel bedenkt, wird wenig leisten*, não dissera Schiller no *Guilherme Tell*? dissera. Pois então? De que vale agora pensar em Carlos?... Ah... Bocejava. A paisagem se esfriava, resvalando entre morros infantis. A chapada começava se arripiando já. Os primeiros cortes escureciam o ambiente do trem. Davam impressão de crepúsculos intermitentes... numa cidade escura na Alemanha. Moço magro, pálido, acurvado pelo trato quotidiano dos manuscritos... Mês de outubro já frio. Ainda frio aqui. Fräulein veste o jérsei verde. Ele voltava da... do estudo. Jantariam... Alto da Serra. Foi tomar café. Sentou-se de novo. Estava tudo arrumado... Guardara a louça... Pusera a toalha... A maleta? Estava ali. Frases espaçadas no vagão. Alguém tosse. Tossia sempre... Resguarde-se, que esta neblina daqui é perigosa. Iremos passar uns dias de férias numa praia... Volta da Tijuca. O guarda vem pedir a passagem. Ela guardava os bilhetes pro

Fräulein acts no more and she will feel no more. At most a memory more and more spaced, the increasingly synthetic thinking will tell you that she lived a year and some at the Sousa Costa's family home. No, it won't tell you that. It will say that she had a Carlos Alberto Sousa Costa in her life, a strong, friendly lad who approaches her under the garden pergola. Then moves away with his head tucked in the collar of his sweater, victorious, serene, like a young Siegfried. That's it. She has already taken possession of herself. The citations come back to her memory. Eight more *contos* to make. And she would succeed. For this she worked without vacations, enough of reflections. *Wer gar zuviel bedenkt, wird wenig leisten,*[104] hadn't Schiller said that in *William Tell?*[105] he did. So? What's the use of thinking about Carlos now? Ah... Yawning. The landscape grew colder, slithering between infant hills. The plateau was already starting to horripilate. The first cuts in light darkened the atmosphere of the train. They gave was an impression of intermittent twilights... in a dark city in Germany. A thin, pale young man, bowed down by daily dealings with manuscripts... October already cold. Still cold here. Fräulein wears the green jersey. He came back from... from the study. They would have dinner... Alto da Serra. He went for breakfast. He sat down again. Everything was tidy... The dishes were put away... he put the tablecloth... The suitcase? It was there. Spaced phrases in the train wagon. Someone coughs. Always coughing... Protect yourself, because the mist here is dangerous. We will spend a few days on a beach... Return from Tijuca. The con-

concerto do dia seguinte... Iria enxugar a louça... Punha a toalha na mesa... Cantarolou.

Am Holderstrauch, am Holderstrauch
Wir sassen Hand in Hand:
Wir waren in der Maienzeit...

Boceja. Aterro Nº 12. Talvez vá pro Rio. Estas montanhas são admiráveis.

... *Maienzeit,*
Die glücklichsten im Land.

O idílio acabou. Porém se quiserem seguir Carlos mais um poucadinho, voltemos pra avenida Higienópolis. Eu volto.

A casa esteve imóvel nesse dia. Todos sofriam. Porque Carlos sofria. O próprio Sousa Costa sofria, porém era homem e voltara a achar certa graça no caso, aquilo passava. Os outros imaginavam que não passava. Isto é: não se preocupavam com esses futuros muito condicionais, o importante era o presente. E no presente pirassunungava a dor macota de um, todos sofriam. Até as meninas que, sem saberem porque, estavam calmas. A própria curiosidade má de Maria Luísa deixara de exercer seus direitos de vida. Uma redoma descera sobre a casa, separando aquela gente da maquinaria da terra.

Carlos não saíra do quarto. Dona Laura deixara o filho com os soluços, ali pelas oito quando o retirou da janela. Mais de hora no mesmo lugar! É o que lhes digo. O almoço foi um pretexto para ela subir de novo. Mas

ductor comes to ask for the ticket. She kept the tickets for the next day's concert... She'd dry the dishes... She'd put the tablecloth over the table... She hummed.

Am Holderstrauch, am Holderstrauch,
wir saßen Hand in Hand:
Wir waren in der Maienzeit...

She yawns. Embankment N. 12. Maybe she goes to Rio. These mountains are admirable.

... Maienzeit
die Glücklichsten im Land. [106]

The idyll is over. But if you want to follow Carlos a little bit more, let's go back to Avenida Higienópolis. I'll come back.

The house was still that day. Everyone suffered. Because Carlos suffered. Sousa Costa himself suffered, but he was a man and he thought the situation a bit funny again, that would pass. The others imagined that it wouldn't. That is: they didn't care about these very conditional futures, the important thing was the present. And at the present, one's great[107] spawning struggle[108] pain is everyone's pain. Even the girls who, not knowing why, were quiet. Maria Luísa's own bad curiosity had ceased to exercise its rights of existence. A dome had descended on the house, separating the people from the machinery of the land.

Carlos hadn't left the room. Dona Laura had left her son with his sobs, around eight o'clock when she took him from the window. More than an hour in the same place! I tell you. Lunch was a pretext for her to go upstairs again. But Carlos

Carlos não tinha fome. Então choraram juntos muito tempo. Depois o choro acabou.

Ele pôde beber o chá que dona Laura preparou.

À noitinha apareceu na mesa da janta, que decepção pras meninas! não se via nada! Comeu pouco é verdade, muito digno, sem fraqueza, sem feminilidade. Não se via nada, porém se percebia que estava outro, estava homem. O, bom homem que tinha de ser, honesto, forte, vulgar. Que seria mesmo sem Fräulein, só que um pouco mais tarde. Secundava com calma ao que lhe perguntavam os outros meio com medo. Lhe espaçava a fala aquele ondular dos vácuos interiores. Num dado momento Maria Luísa distraída botou o cotovelo sobre a toalha. Carlos corrigiu o gesto dela, sem irritação mas com justiça. Maria Luísa voltou-se pra ele assanhada, porém aqueles olhos tão de quem sabe as coisas, serenos. Maria Luísa obedeceu. Que lindo!

Acabada a janta, ele foi buscar o chapéu.

— Vai sair, meu filho!

— Andar um pouco.

Caminhou reto pra frente, pelas ruas desconhecidas, não, pelas ruas inexistentes, se sentindo marchar na alma. Veio a fadiga. Depois veio o sono, e então voltou. Entrando no quarto se fechou por dentro, que a mãe não viesse amolar... Sentou pesado sobre a cama. Quereria andar mais. Não tem sono. Uma desocupação grande. Olhando a luz.

A gente vê uma casa...

Paz.

wasn't hungry. So they cried together a long time. Then the crying was over.

He was able to drink the tea Dona Laura had prepared.

In the evening he showed up at the dinner table, what a disappointment for the girls! nothing to be noticed! He ate little, it's true, very dignified, without weakness, without femininity. You couldn't notice anything, but you could see that he was different, he was a man. The good man he had to be: honest, strong, common. Which he would become even without Fräulein, only a little later. He calmly replied to what the others asked him kind of in fear. He was spacing out his speech through that ripple of inner voids. At one point Maria Luísa distracted put her elbow over the towel. Carlos corrected her gesture, without irritation but with fairness. Maria Luísa turned to him cheeky, but those know-it-all eyes were so serene. Maria Luísa obeyed. How beautiful!

When dinner was over, he went for his hat.

"You're going out, my son!"

"Walk a little."

He walked straight ahead, through the unknown streets, no, through the nonexistent streets, feeling as if walking in the soul. Fatigue came. Then came sleep, and then he came back. Entering the room, he shut himself inside, so that his mother wouldn't come to pester… He sat down heavily on the bed. He would like to walk more. He's not sleepy. A great indolence. Looking at the light.

We see a house…

Peace.

A casa dorme no silêncio.

Sousa Costa seriamente preocupado, uma semana já e nada de melhorar... O rabicho tinha ido longe por demais. Se fossem pra fazenda?... Fossem, mas fossem todos, porque mandar o filho só, não convinha. Sousa Costa nunca abandonará Carlos nesse estado. E muito menos dona Laura. Não adiantavam nada, porém amor brasileiro é assim: puxa-puxa, contrai, estica, mas largar não larga mesmo.

O diabo era aquele fim das águas tão chuvoso... Colheita acabada... Não tinha nada que fazer lá. A chacra não dera nenhum resultado. Foram de automóvel, o caminho era quase que um lamedo só. Nem guiando o carro, Carlos teve a aparência de quem se divertia. Sujaram o automóvel, se sujaram... um desastre! E inda por cima a chuvarada na volta! É: só fazenda mesmo, largueza, cavalos, o rio, as criações... Diverte os rapazes. Mas a fazenda... Não tinha nada que fazer lá. Deixemos de precipitações! Melhor esperar mais um bocadinho, se não mudar mesmo, então vamos todos pra fazenda... paciência.

— Você carece de dinheiro?

— Não, papai.

— Tome.

— Mas pra que, papai!

— Vá no teatro hoje... Divirta-se, que diabo!

Sousa Costa tocara no assunto? Não tocou. Tocou. Assim de esguelha os pais consolam nossos filhos. Carlos indiferente botou a bolada no bolso.

The house sleeps in silence.

Sousa Costa seriously worried: a week already and no improvement… The passion had gone too far. And if they went to the farm?… They go, but all of them, because to send the son alone, wasn't convenient. Sousa Costa will never abandon Carlos in this state. And Dona Laura even less. They were useless, but Brazilian love is like that: pull, contract, stretch, but never let go.

The devil was that end of the wet season, so rainy… Harvest finished… There was nothing to do there. The ranch had yielded no results. They went by car; the road was almost a bog. Not even driving the car did Carlos have the appearance of someone having fun. They got the car dirty; they got dirty… a disaster! And above it all the rain on the way back! Yes: only the farm indeed, wide open spaces, horses, the river, the breeding… It amuses the boys. But the farm… There was nothing to do there. Let's stop rushing! Better to wait a little longer, if it really doesn't change, then we all go to the farm… patience.

"Do you need money?"

"No, Daddy."

"Here."

"But what for, Daddy!"

"Go to the theater today… Have fun, damn it!"

Did Sousa Costa touch on the subject? He didn't. He did. So, slantingly, parents comfort our children. Carlos indifferently put the money in his pocket.

Obedecer... Desobedecer... Obedeceu. Era um sábado, o teatro cheio. A comédia nacional é muito engraçada, aqueles brasileiros gesticulantes que espevitamento! Parece até que se esforçam por falar as palavras com sutac purrtuguêss, não? E que pândegas! O público ria ria. Lhe deu de sopetão uma raiva tal, não devia de estar ali, era traição à saudade dela. Saiu no meio do ato, incomodando os vizinhos, sem pedir desculpa.

A noite de outubro esgotado pingava uma garoa fria na gente. Carlos ao atá. Tomou mesmo o chope? Não sabe mais, andava. Ah, se soubesse aonde ela estava! Cerrava os punhos, batia as pernas um joelho no outro, se machucando. Anúncio luminoso, parou, não podia mais. Jungiu o corpo com os braços ásperos, querendo se partir pelo meio. Aonde ir? Restaurante MEIA-NOITE. Pra casa? Pro inferno? Pro acabar duma vez com aquilo! Apertou mais o corpo, uma palavrinha saltou: Suicídio. O subconsciente, que prestidigitador! Tira da carne as coisas mais inesperadas! A gente não pensa — Jornais do Rio! *Correio da Manhã, País, Gazeta*!... — não quer, bruscamente espirra uma palavra sem razão. Suicídio? Carlos não se suicidará nunca, sosseguem, a palavra pulou sem ser chamada. Pulou. Caiu no chão. Carlos não se abaixa pra erguê-la. Quem passa, enxerga aquele rapaz parado na esquina, se apertando com os braços pelo meio do corpo, que posição esquisita! Foram pensando que era dor de barriga. Não era não. Era jeito de perguntar, taquarambo, uma resposta já sabida:

— Não. Não sabemos aonde Fräulein está.

To obey… To disobey… He obeyed. It was a Saturday, the theater was full. The national comedy is very funny, those gesticulating Brazilians, what pretentiousness! It even seems that they struggle to speak the words with *porrtugueeese aksént*,[109] right? And what folly! The audience laughed and laughed. Suddenly he had a surge of rage, he shouldn't have been there, it was treason to his longing for her. He left in the middle of the act, bothering his neighbors, without apologizing.

The exhausted October evening dripped a cold drizzle on us. Carlos aimlessly. Did he really drink his beer? He doesn't know any more, he walked. Oh, if he knew where she was! He clenched his fists, knocked one knee against the other, hurting himself. Illuminated advertisement, he stopped, he couldn't go on. He yoked his body with his rough arms, wanting to break himself in the middle. Where to go? MIDNIGHT Restaurant. Home? Hell? To get it over with! He tightened his grip on his body, a little word jumped out: Suicide. The subconsciousness, what a conjurer! Gets the most unexpected things out of the flesh! We don't think — Rio's Newspapers! *Correio da Manhã, País, Gazeta!…* — we don't want to, abruptly a word without reason gushes out. Suicide? Carlos will never commit suicide, calm down, the word jumped out without being called. Jumped out. Fell to the floor. Carlos didn't bend down to lift it up. Whoever passes by sees that young man standing on the corner, clutching his arms through the middle of his body, what an odd position! They thought it was stomach ache. It wasn't, no. It was a way of asking, rawly, an answer already known:

"No. We don't know where Fräulein is."

No entanto era tão fácil! Jornais do Rio! *Folha da Noite*!... Ela estava ali mesmo, perto dele, à disposição dele, bastando atravessar a rua mais uns passos e portar na Pensão Mme. Bianca (Familiar). Com cem bagarotes então, a gente caminha mais um pouco e a encontra no largo do Arouche, novinhas, bonitas, ítalo-brasileiras. E se não quer gastar os cem, o cinema AVENIDA cerra aos poucos os olhos elétricos, gente que sai, gente nas portas, bulha de empregados apressados, se não quer gastar nem mesmo cinquenta, ela está ali prontinha-da-silva, por qualquer dez mil-réis, vinte, nas lojas de terceira ordem. Na rua Ipiranga então, ela espera Carlos em pencas de quatro e cinco em cada casa. Está por toda a parte, a gente sabe. Carlos não sabe disso.

— Psiu... Entra mocinho!

Não escuta. Cabeçudo, não quer escutar. Será que cultiva a própria dor? Nunca.

Só que está muito maturrango no amor, inda não sabe. Não sabe que Fräulein não é a governanta alemã que. Nessa idade, bem entendido. O mesmo anúncio luminoso outra vez, LAPA TERRENOS A PRESTAÇÕES, Fräulein são dois braços, duas pernas, tronco, seios, qualquer cara, cabelos compridos. Nem mesmo cabelos compridos carece mais, Carlos ofega. A ladeira ficou cansada, não tem feito esportes. É isso: Carlos se lembra de que não tem feito esportes, fazer esportes, ora pra que!... Banza ainda pelas ruas rarefeitas na neblina, viaduto. AO TATUZINHO. Táxi, patrão? Ali pelas duas horas, fatigado, sem cansaço, ardendo, abre o portão da avenida Higienópolis. Tem que se despir, é fatal.

However it was so easy! Rio's Newspapers! *Folha da Noite*!… She was right there, near him, at his disposal, just to cross the street a few more steps and get to the Mme. Bianca (Family) Boarding House. With a hundred bucks then, we walk a little bit more and find her at Largo do Arouche,[110] young, beautiful, Italian-Brazilians. And if you don't want to spend a hundred, Cine AVENIDA will gradually shut down its electric eyes, people leaving, people at the doors, the sound of employees hurrying, if you don't want to spend even fifty, she is all-ready for any ten, twenty thousand *réis*,[111] in the third-class stores. At Rua Ipiranga, then, she waits for Carlos in bunches of four and five in each house. She's everywhere, we know. Carlos doesn't know that.

"Psst… Come in, young man!"

He doesn't listen. Headstrong, he doesn't want to listen. Is that possible that he cultivates his own pain? Never.

But he is a lousy horseman when it comes to love, he still doesn't know. Doesn't know that Fräulein is not the German governess that… At that age, of course. The same illuminated advertisement again, LAPA PLOTS IN INSTALLMENTS, Fräulein is made of two arms, two legs, torso, breasts, any face, long hair. Not even long hair does she need anymore, Carlos gasps. The slope became tired, he hasn't practiced sports lately. This is it: Carlos remembers that he hasn't practiced sports, to practice sports, now why!… He still mazes through the rarefied streets in the mist, viaduct. TO TATUZINHO. Taxi, boss? At about two o'clock, worn-out, without fatigue, burning, he opens the gate of Avenida Higienópolis. He has to undress, it's fatal.

Escuridão.

A colcha branca ondula toda, insone, por mais de meia hora, ver terremoto de teatro. Gira dum lado pro outro, se contorce. Vai se desarranjando, cai. Carlos principia a correr. Vai correndo cada vez mais rápido, depressa 120 por hora... Pum! caiu. Dá um pulo na cama, respira ofegante, se ergue. Procura a colcha e se cobre outra vez.

Agora está dormindo.

A caridade faz milagres, faz. Aldinha entre as pernas do irmão, puxando a cara dele:

— Carlos! você não foi! Estava tão bonito! que engraçado!...

Ri riso espetaculoso, sem verdade, só pra ver se ele ri também. Carlos sorri. Meia medrosa:

— O palhaço, sabe? veio num automovinho...

— Não é palhaço, Aldinha! é Piolim!...

— Eu que conto! Veio num automovinho, sabe? grande mesmo! Depois pegou na buzina...

— Primeiro ele levou um tombo, Aldinha!

— Um tombão! Engraçado, não? Caiu de perna pra cima... Laurita! como foi que ele falou!

— Viva a República!

— É! Depois ele pegou na buzina, buzinou, buzinou, sabe? e a buzina não buzinava! Então Piolim espiou dentro da buzina...

— Não foi assim!

— Foi!

— Primeiro o dono do circo ficou parado no meio do circo...

Darkness.

The white quilt undulates all over, insomniac, for more than half an hour, to see theatrical earthquake. He turns from side to side, writhes. He gets tangled up, falls. Carlos starts running. He's running faster and faster, fast, 120 kilometers per hour… Bam! fell down. He jumps up on the bed, breathless, stands up. He looks for the quilt and covers himself again.

He's sleeping now.

Kindness works miracles, it does. Aldinha is between her brother's legs, pulling his face:

"Carlos! You didn't go! It was so beautiful! how funny!..."

She giggles spectacularly, without truth, just to see if he also laughs. Carlos smiles. She was kindo f fearful:

"The clown, you know? came in a little car…"

"It's not a clown, Aldinha! It's Piolim!…"[112]

"Let me tell! He came in a little car, you know? really big! Then he got the horn…"

"First he fell off, Aldinha!"

"A big fall! Funny, huh? He fell off with his legs up… Laurita! what did he say!"

"Long live the Republic!

""Yes! Then he got the horn, honked, honked, you know? and the horn didn't honk! Then Piolim peeked into the horn."

"It wasn't that way!"

"It was!"

"First the circus owner stood in the middle of the circus…"

Carlos brinca os beiços vadios na cabeleira de Aldinha. Esta agora escuta, vivendo-o o caso do palhaço. Pronta pra corrigir Laurita que:

— … então Piolom amontou de novo no automovinho…

— Tão bonito, Carlos! Olhe! deste tamanho!

—… e queria passar mas o dono de circo estava parado na frente…

— Ele não via, Laurita!

— Pois é, o…

—… o dono do circo estava olhando do outro lado. Então o palhaço, sabe? apertou assim na buzina e a buzina não buzinava. Então ele foi buscar o anzol e enfiou ele dentro da buzina, imagine o que que ele pescou! um pé de botina! velha mesmo! ihih… Então ele calçou a botina no pé. Tinha uma meia toda escangalhada e… Como é mesmo que ele gritava?…

— Arre, Aldinha! Viva a República!

— Viva a Repúblicaaa…! e saiu no automovinho, sabe?…

— O dono.

— do circo levou um tombo tão engraçado! sujou toda a casaca dele! E Piolim foi-se embora muito contente, dizendo adeus pra gente com o lencinho amarelo, tinha também ih!… um cachorrinho, sabe?…

— Minha filha, você está caceteando seu irmão…

— Não está, mamãe. Deixe ela.

E as meninas contam uma porção de casos engraçados. Carlos sorri. Passeia os beiços desempregados na cabeleira da irmã.

— Não foi assim, Aldinha!

— Foi! Deixe eu contar! A japonesa, Carlos?…

Carlos plays with his lazy lips on Aldinha's hair. This one now listens, living the case of the clown. Ready to fix Laurita, who:

"... then Piolim got back in the little car..."

"So beautiful, Carlos! Look! this size!"

"... and he wanted to go through but the circus owner was standing in the front..."

"He couldn't see him, Laurita!"

"Yeah, the..."

"... the circus owner was looking to the other side. So the clown, you know? so he pressed the horn and the horn didn't honk. Then he went for the hook and shoved it into the horn, imagine what he fished out! a boot leg! really old! hee-hee... Then he put the boot on his foot. He had a stocking, all tatty and... How did he scream?"

"Come on, Aldinha! Long live the Republic!"

"Long live the Republic...! And he left in the car, you know?"

"The owner."

"of the circus took a funny fall! dirtied his whole coat! And Piolim left very happy, saying goodbye to us with his yellow scarf, he also had, hihi!... a puppy, you know..."

"My daughter, you're annoying your brother..."

"She's not, Mommy. Let her."

And the girls tell a lot of funny cases. Carlos smiles. He runs his idle lips over his sister's hair.

"It wasn't like that, Aldinha!"

"It was! Let me tell you! The Japanese woman, Carlos?..."

Quando aquilo acaba, Carlos se ressente. O flautim, o reconto, a anedota. Isso afasta. Afasta o quê? Não sei. Carlos não quer afastar coisa nenhuma. Aceita corajoso toda dor. Porém que pena a pararaca ter parado de falar!... O flautim, o reconto, a anedota... Não tem dúvida: isso afasta. As imagens da saudade entulham tanto o caminho!... Varra isso daí! Tenho pressa e a vida inteira ainda por viver...

Carlos sentiu que já estava de luto aliviado. Ao abatimento surdo e desespero dos primeiros dias, continuara uma tristeza cheia de imagem de Fräulein. Quer dizer que a amante principiava a ser idealizada. Breve se chamaria Nize, Marila, Salutáris, Porta e outros nomes complicados. Não, isso pra Carlos é impossível. Breve Fräulein irá pra esse sótão da vida, quartinho empoeirado, aonde a gente joga os trastes inúteis. Até desagradáveis. Mas por agora ela apenas fora viver num quarto andar. Sem elevador. Carlos já carecia de procurar a imagem dela muito alto.

E vinha sempre acompanhada de qualquer coisa cacete: o horror do filho, a mesquinhez dela, a exigência de casamento, do que escapei! teria mesmo recebido dinheiro?... Não recebeu. Então a imagem longínqua se aproximava apressada. Adquiria mais traços, se corporizava em representação nítida. Belíssima, enriquecida, ai desejo! E não desagradava mais. Fräulein, meu eterno amor!...

When that's over, Carlos resents it. The piccolo, the retelling, the anecdote. That drives things away. Drives what away? I don't know. Carlos doesn't want to drive anything away. He bravely accepts all pain. But what a pity the chatterbox has stopped talking!... The piccolo, the retelling, the anecdote... No doubt about it: that drives things away. The images of yearning clutter the way so much!... Sweep that up! I'm in a hurry and my whole life is still to be lived...

Carlos felt that he was already eased from mourning. To the muffled dejection and despair of the early days, a sadness filled with Fräulein's image followed. It means that the lover began to be idealized. Soon she'd be called Nize, Marila, Salutáris, Porta and other complicated names. No, for Carlos this is impossible. Soon Fräulein will go to this attic of life, dusty little room, where we throw useless junk. Even unpleasant. But for now she'd only gone to live on a fourth floor. With no elevator. Carlos didn't need to look for her image very high up.

And she was always accompanied by something bothersome: the horror of her son, her pettiness, the demand for marriage, from what I've escaped! did she really receive money?... She didn't. Then the distant image approached hurryingly. Acquired more traits, embodied itself in a clear representation. Beautiful, enriched, ah desire! And didn't displease anymore. Fräulein, my eternal love!...

Talvez mesmo até nesses momentos ele intransitivamente pedisse qualquer corpo... Porém só tinha prática dum, não amarei mais ninguém! E o corpo de Fräulein vinha, sem atributos morais, sem exigência de casamento, sem filhos, sublime. Carlos aos poucos se exaltava. O ofego dolorido chamava-o à realidade. Severamente reprimia envergonhado a tendência para as torpezas e procurava de novo a própria tristura, buscando outra vez no quarto andar aquela Fräulein que... já muita coisa de convencional nessa tristura.

E ele sentiu sem se confessar a si mesmo, que chegara o momento de principiar esquecendo. Meteu-se na manhã, procurou companheiro de esporte foram treinar futebol. Na avenida Higienópolis o telefonema avisou que ele almoçava com o Roberto. Mais um companheiro se juntara a eles. Passaram a tarde no cinema. Carlos fumou, pagou o chope, sorriu. Quase riu. De sopetão falou alto. Os amigos namoravam. Carlos por dentro se riu dos platônicos tolos! grelar assim e mais nada!... tolos. Carlos não namorará.

Na avenida Higienópolis não conheceu mais a casa nem ninguém era uma gente antiga que voltava. E porque forte, sem precisão de carinhos, a mãe, as irmãs se tornaram inúteis pra ele. Jantou se esforçando por conservar jeito triste. As conveniências muitas vezes prolongam a infelicidade. Julgou mesmo a propósito recordar a imagem de Fräulein. Teve que subir quatro lances de escadaria interminável, se cansou. Pudera, correra tanto de manhã!... se tivesse avançado um pouco mais, fazia o gol... Tom Mix, que admirável!... O dia já lhe interessava bem mais que o passado.

Maybe even in those moments he intransitively asked for any body… But he only had practice on one, I won't love anyone else! And Fräulein's body would appear, without moral attributes, without marriage, childless, sublime. Carlos was gradually exalted. The painful gasp called him back to reality. Severely embarrassed he repressed the tendency to turpitude, and looked for his own sadness again, searching again on the fourth floor for that Fräulein who… this sadness was already somehow too conventional.

And he felt, without confessing it to himself, that the time had come to begin forgetting. He engaged with the mornings, sought out a sports mate and they went training for soccer. On Avenida Higienópolis, the phone call announced that he'd have lunch with Roberto. Another mate had joined them. They spent the afternoon at the movies. Carlos smoked, paid for the beer, and smiled. He almost laughed. He spoke loudly. His friends were dating. Carlos laughed inside at the foolish Platonists! to ogle like that and nothing else!… fools. Carlos won't date.

At Avenida Higienópolis he didn't know the house or anybody anymore, they were old people returning. And because he was strong, without the need for affection, his mother, his sisters have become useless to him. He dined struggling to keep from showing his sadness. Conveniences very often prolong unhappiness. He even really supposed he could recall Fräulein's image. He had to climb four flights of endless staircase, he got tired. Small wonder! he had run so much in the morning!… if he had gone a little farther, he would have scored a goal… Tom Mix,[113] how admirable!… The day already interested him more than the past.

Vinte e duas horas.

Carlos volta da rua Ipiranga.

— Mamãe! olhe Carlos!...

O corso da Avenida Paulista se esparramava no auge. As quatro filas de automóveis se entrecruzavam de manso, espirravam na tardinha as serpentinas. Luís já abandonara outra vez o lugar junto do motorista.

— Mais uma, Luís!

Passava a serpentina para a irmã.

— Por que você saiu de junto do chauffeur? Você tem alguma coisa?

— ... tenho nada, mamãe! Você sempre pensa que estou doente!...

Estava bem. Benzíssimo. Fräulein entre os dois irmãos, na capota descida da marmon, recebeu nos olhos a cara cheia de confissões medrosas do Luís. Abaixou recatada o olhar.

— Mais uma, Luís! Luís, mais uma! que lerdeza. Me dê um maço logo!

— Também não brinca, Fräulein?

— Não gosto muito desses brinquedos. Prefiro conversar.

Olhou-o sorrindo. Porém como pintara no sorriso quase a máscara do desejo, tornou a baixar as pálpebras serenas. Varreu com elas o impudor e ficou inocente. Luís se chegara um bocadinho mais ou teve a intenção de. Muito feliz por descobrir essa correspondência. Também não gosta desses brinquedos, ásperos, fazem cansaço na gente. É tantas pessoas desconhecidas. E tão melhor dentro de casa, onde a gente se

Ten o'clock in the evening.

Carlos returns from Rua Ipiranga.

"Mommy! look at Carlos!..."

The procession of cars at Avenida Paulista was spreading at its peak. The four rows of cars intersected meekly, squirted the streamers in the late afternoon. Luís had given up the place next to the driver again.

"One more, Luís!"

He passed the streamer to his sister.

"Why did you move away from the chauffeur? Have you got something?"

"... I've got nothing, Mommy! You always think I'm sick!..."

He was fine. Very fine. Fräulein between the two brothers, on the lowered hood of the Marmon,[114] she got Luís's fearful face full confessions in her eyes. She lowered her gaze.

"One more, Luís! Luís, one more! how slow. Give me a packet at once!"

"Don't you play also, Fräulein?"

"I don't really like those toys. I'd rather talk."

She looked at him, smiling. But as she had painted the semi-mask of desire on her smile, she lowered her serene eyelids again. She swept the impudent with them and became innocent. Luís had got a little bit closer or had intended to. Very happy to discover this correspondence. He also doesn't like these toys, rough, they make people tired. And there are so many unknown people. It's so much better in the house, where we know each other well.

conhece bem. Também preferia conversar. Com ela. Porém como não tinha nada que falar, desenrolava envergonhadamente uma serpentina.

Fräulein olhava-o, puxava-lhe da língua, fornecia assuntos, confiança em si mesmo. Luís progredia, porém lentamente, quase nada. E quando ela, no pretexto amoroso, agarrou a mão dele:

— Não estrague assim a serpentina, mau!

Luís já não retirou a mão. Só que ficou branco, trêmulo, se afoitando ao gosto do contacto. Se pusera a espiar muito atento a cadeia dos autos, não via nada, plum! plum! coração pulando no peito. Fräulein retirou a mão. Trouxera consigo a fita desenrolada da serpentina. Luís docemente, que gostosura! puxava. Fräulein puxava. A serpentina se desenrolando. Tão divino o prazer que ele sentiu os olhos úmidos.

Fräulein pensava, relando a vista pela multidão. Luís lhe desagradava. Não era o tipo dela. Nenhum desses brasileiros, aliás... Queria alguém de puro, de humilde, paciente, estudioso, pesquisador. Chegaria da Biblioteca, da Universidade... Qualquer edifício grande de pensamento, cheio de deuses disponíveis. Deporia os livros... cadernos de notas? sobre a toalha de riscado... Lhe dava o beijo na testa... Todo de preto, alfinete de ouro na gravata... Nariz longo, muito fino e bem raçado. Aliás todo ele duma brancura transparente... E a mancha irregular do sangue nas maçãs... Tossiria arranjando os óculos sem aro... Tossia sempre... Jantariam quase sem falar nada... serpentinas paulistas a dois e quinhentos! Dois e quinhentos! A *Pastoral*. Iriam no dia seguinte ouvir a *Pastoral*... Ele se punha no estudo... Ela arranjava de novo

He'd rather talk also. With her. But as he had nothing to say, he unraveled a streamer embarrassedly.

Fräulein looked at him, tried to pull words from him, provided him with topics, with confidence in himself. Luís was progressing, but slowly, almost nothing. And when she, on the pretext of love, took his hand:

"Don't ruin the streamer like that!"

Luís didn't take his hand away. But he turned white, trembling, daring at the pleasure of the contact. He had been watching the chain of cars very closely, I couldn't see anything, thump! thump! heart throbbing in his chest. Fräulein withdrew her hand. She had brought the unrolled ribbon of the streamer with her. Luís sweetly, how delightful! pulled. Fräulein pulled. The streamer unfolding. So divine the pleasure he felt that his eyes got wet.

Fräulein thought, eyeing the crowd. Luís displeased her. He was not her type. None of these Brazilians, incidentally... She wanted someone pure, humble, patient, studious, researcher. He would come from the Library, from the University... Any great building of thought, full of available gods. He would put the books... notebooks? over the striped tablecloth... He would give her the kiss on the forehead... All in black, gold pin on his tie... Long nose, very thin and well-bred. In fact, all of him with a transparent whiteness... And the irregular bloody stain on the apples of his face... He would cough arranging the rimless glasses... He always coughed... They would eat almost without saying anything... Paulista streamers for two thousand and five hundred *réis*! Two thousand and five hundred! The *Pastoral*.[115] They would go the next day to listen to the *Pastoral*... He would put himself

a... alguém lhe chamou os olhos, conhecido, Carlos? era Carlos com as irmãs na Fiat. Instintivamente ela atirou uma serpentina. A fita rebentou.

Deu um gritinho horrorizada, acertara na testa dele, podia tê-lo ferido... Carlos olhou. Mandou-lhe um gesto rápido de cabeça, quase saudação. E continuou brincando com a holandesa. Fräulein se doeu, tomou com o baque seco nas entranhas. O deus soltou um gemido que nem urro. Esses deuses do norte são muito cheios de exageros. Carlos não fez por mal! foi mostrar que reconhecia e machucou. Fräulein virando o rosto pra trás, seguiu-o com os olhos, quase amorosa mas já porém reposta no domínio de si mesma. Estava muito direito assim! E se venceu completamente com o raciocínio, numa espécie de felicidade. Estava muito certo assim. Ele amaria muito aquela moça. Era bonita. Rica, se via. Carlos casaria bem, na mesma classe. Os versos de *Hermann e Dorotéia* lhe confirmaram o pensamento:

Nur wohl ausgestattet möcht' ich im Hause die Braut sehn;
Denn die Arme wird doch nur zulezt vom Manne verachtet,
Und er hält sie als Magd, die als Magd mit dem Bündel hereinkam.

O verso seguinte veio, sem ela querer: *Ungerecht bleiben die Männer*... repeliu-o. O mundo é tal como é. A gente deve aceitar sem revolta. Carlos casará rico. Perfeitamente.

E uma comoção materna se desencadeou no corpo dela, nem via mais Carlos, os olhos batendo de auto em auto pela gente colorida, Carlos... José... Alfredo já casado...

into studying... Again she arranged the... someone called her eyes, someone known, Carlos? it was Carlos with his sisters in the Fiat. Instinctively she threw a streamer. The ribbon broke.

She shrieked horrified, hit him in the forehead, could have injured him... Carlos looked. He gave her a quick nod, almost a greeting. And he kept playing with the Dutch woman. Fräulein ached, took the dry thud in her gut. The god let out a moan like a roar. These northern gods are full of exaggerations. Carlos didn't mean it! he went to show that he recognized her and hurt. Fräulein turned her face back, followed him with her eyes, almost loving but then restored in her own domain. It was quite right that way! And she was completely overcome by reason, in some kind of happiness. It was very right that way! He'd love that girl very much. She was pretty. Rich, one could see. Carlos would marry well, in the same class. The verses of *Hermann and Dorothea* confirmed the thought:

> *Nur wohl ausgestattet möcht' ich im Hause die Braut sehn;*
> *Denn die Arme wird doch nur zulezt vom Manne verachtet,*
> *Und er hält sie als Magd, die als Magd mit dem Bündel hereinkam.*

The next verse came, without her wanting it: *Ungerecht bleiben die Männer...*[116] she repelled him. The world is as it is. We must accept it without struggle. Carlos will marry rich. Perfectly.

And a maternal commotion was unleashed on her body, she couldn't even see Carlos anymore, her eyes blinking from car to

Antoninho também já casado... E, *mein Gott,* tantos!... tomou-a maravilhosa alucinação. Estavam todos por ali amando. Felizes. Habilíssimos. Familiares. Ela era mãe de amor! Estava até bonita. Mãe de amor! Mãe...

Luís muito sozinho nos seus dezessete anos medrosos, esguio pela desilusão, se queixou:

— É Carlos...

... de amor!... Ela abriu os olhos da vida pra aquele. Ininteligente. Sarambé. Batido, sem mesmo vivacidade interior. Decididamente Luís lhe desagradava, e Fräulein não sentiu nenhuma vontade de continuar. Porém como ele apenas esperasse um gesto dela pra recomeçar o aprendizado, Fräulein molemente buscou entre as mãos dele a fita da serpentina. O gesto preparado aproximara os corpos. Ondulação macia de auto é pretexto que amantes não devem perder. Descansando um pouco mais pesadamente o ombro no peito dele, Fräulein se deixou amparar. Ensinava assim o mais doce, mais suave dos gestos de proteção.

NOTA

Este ditado vai ser feito com um *Lied* de Heine, que traduzi também metrificado, me dando por divertimento ver se conseguia incluir o assunto da canção em versos ainda menores e mais sintéticos que os alemães.

Comunicando a tradução a Manuel Bandeira, ele não só me advertiu que esse mesmo *Lied* já fora traduzido por Gonçalves Dias e publicado, como me fez o favor de, por sua vez, traduzir a canção no mesmo ritmo de seis sílabas empregado por Heine. Embora modestamente só pretendesse essa maior identidade

car over the colorful people, Carlos... José... Alfredo already married... Antoninho also already married... And, *mein Gott*,[117] so many!... a wonderful hallucination had taken her. They were all there loving. Happy. Very skilled. Familial. She was the mother of love! She was even pretty. Mother of love! Mother...

Luís, very alone in his seventeen years of fear, slighted by disillusionment, complained:

"It's Carlos...

... of love!... She opened the eyes of life to that one. Unintelligent. Saphead. Beaten, even without inner vivacity. Definitely Luís displeased her, and Fräulein felt no desire to continue. But as if he only waited for a gesture from her to resume his apprenticeship, Fräulein gently reached for the streamer ribbon between his hands. The prepared gesture drew the bodies closer. The soft undulation of a car is a pretext that lovers shouldn't miss. Resting a little more heavily on his shoulder, Fräulein allowed herself to be supported. Thus she taught the sweetest, gentlest gestures of protection.

NOTE

This proverb will be done with a *Lied*[118] by Heine, which I also metrically translated, amusing myself to see if I could include the subject of the song in even smaller and more synthetic verses than the Germans.

When communicating the translation to Manuel Bandeira, he not only warned me that this same *Lied* had already been translated by Gonçalves Dias, and published, as he did me the favor, in turn, to translate the song in the same rhythm of six syllables

rítmica, não há dúvida que a tradução de Manuel Bandeira é a que mais se aproxima do original.

Aqui vão as três traduções:

Peixeira linda,
Do barco vem;
Senta a meu lado,
Chega-te bem.

Ouves meu peito?
Porque assustar!
Pois não te fias
Ao diário mar?

Como ele, eu tenho
Maré e tufão,
Mas fundas pérolas
No coração.

Tradução de Gonçalves Dias:

Vem, ó bela gondoleira!
Ferra a vela, —junto a mim
Te assenta… Quero as mãos dadas.
E conversemos assim.

Põe ao meu peito a cabeça.
Não tens de que recear.
Que sem temor, cada dia,
Te fias do crespo mar!

Minha alma semelha o pego,
Tem maré, tormenta e onda;
Mas finas per'las encontra
Nos seus abismos a sonda.

employed by Heine. Although he modestly only intended this greater rhythmic identity, there is no doubt that Manuel Bandeira's translation is the closest to the original.

Here are the three translations:[119]

Beautiful fishwife,
Come from the boat;
Sit by my side,
Come closer to me.

Do you hear my chest?
Why get scared!
Don't you trust
The daily sea?

Like it, I have
Tide and typhoon,
But deep pearls
In the heart.

Translation by Gonçalves Dias:

Come, O beautiful gondolier!
Cast the sail – close to me
Sit down… I want hand in hand.
And let's talk like this.

Put on my chest your head.
You don't have to be afraid.
Because without fear, every day,
You trust the rough sea!

My soul resembles the ocean,
It has tide, storm and wave;
But fine pearls you can find
In its abysses if you probe.

Tradução de Manuel Bandeira:

Vem, linda peixeirinha,
Trégua aos anzóis e aos remos!
Senta-te aqui comigo,
Mão dadas conversemos.

Inclina a cabecinha
E não temas assim:
Não te fias do oceano?
Pois fia-te de mim!

Minh'alma, como o oceano,
Tem tufões, correntezas,
E muitas lindas pérolas
Jazem nas profundezas.

Translation by Manuel Bandeira:

Come, beautiful little fishwife,
Truce to the hooks and the oars!
Sit here with me,
Hand in hand, let's talk.

Tilt your little head
And don't fear like this:
Don't you trust the ocean?
Well, trust me!

My soul, like the ocean,
Has typhoons, currents,
And many beautiful pearls
Lie in the depths.

Posfácio Inédito (1926?)

A língua que usei. Veio escutar melodia nova. Ser melodia nova não quer dizer feia. Carece primeiro a gente se acostumar. Procurei me afeiçoar ao meu falar e agora que já estou acostumado a tê-lo escrito gosto muito e nada me fere o ouvido já esquecido da toada lusitana. Não quis criar língua nenhuma. Apenas pretendi usar os materiais que a minha terra me dava, minha terra da Amazonas ao Prata. Fugi cuidadosamente de escrever paulista empregando termos usados em diferentes regiões do Brasil e modismos de sintaxe ou de expressão mais ou menos gerais dentro do país. Certamente que muito errei, porém isso não deve ser muito desculpado pra quem se mete num novo roteiro adonde ninguém inda nunca passou! A gente só tem até agora livros regionalistas como linguagem. Quanto aos grandões, os que sabem, não vê que têm coragem de se sacrificar pelos outros, façam o que eu digo vivem a falar, dizendo pros outros abrasileirarem a língua porém eles mesmo vivem na cola de quanto Figueiredino chupamel nos vem da Lisboa gramatical. Eu tenho certeza de conhecer suficientemente a língua portuguesa pra escrever nela sem batatas e um suficiente estilo. Eu desafio quem quer que seja a me mostrar batatas linguísticas na *Escrava*, aonde atingi na prosa portuguesa uma solução que me satisfaz. Pois abandonei tudo e parti ignorante porém com coragem, tropeçando, me atrapalhando, tentando e tentarei sempre até o fim. — A necessidade de empregar os brasileirismos vocabulares não só no seu exato

Unpublished Postface (1926?)

The language I used. Came to listen to a new melody. Being a new melody doesn't mean ugly. We need to get used to it first. I tried to get fond of my manner of speaking, and now that I'm used to having it written, I like it a lot, and nothing hurts my ear already forgotten of the Lusitanian tune. I didn't want to create a language at all. I only intended to use the materials that my land gave me, my land from Amazonas to the Plata. I carefully eluded writing in a Paulista style by employing terms used in different regions of Brazil and fads of syntax or expression more or less widespread within the country. Of course I made a lot of mistakes, but this shouldn't be too much of an apology for anyone who gets into a new route where no one has ever gone! We have so far only regionalist books as language. As for the big ones, those who know, don't you see that they have the courage to sacrifice themselves for others, do what I say they keep saying, telling others to Brazilianize their language, but they themselves live alongside many Figueiredino honeysucker comes to us from grammatical Lisbon. I'm sure I know enough Portuguese language to write it without solecisms and in a good enough style. I challenge anyone to show me any linguistic solecism in *The Female Slave*, where I reached in Portuguese prose a solution that satisfies me. For I have given up everything and have gone ignorant but brave, stumbling, fumbling, trying, and I'll always try to the end. — The need to use Brazilianist vocables, not only in their exact sense but

sentido porém já no sentido translato, metafórico, tal qual eu fiz. A apropriação subconsciente das palavras, pra que elas tenham realmente uma função expressiva caracteristicamente nacional.

— Tem também o sabor inédito que este linguajar traz pro livro. E que fez pensar que com tal maneira qualquer novo livro meu no gênero, e qualquer tentativa de outro que coincidisse com a minha traria a monotonia e mostraria a pobreza e a pequena quantidade relativa dos modismos e brasileirismos vocabulares. Seria um erro pueril de visão crítica. Não tive a mínima intenção de procurar o curioso nem o ineditismo depende de mim. Trata-se mesmo de acabar o mais cedo possível com o ineditismo desses processos e de outros do mesmo gênero pra que todas essas expressões brasileiras, quer vocabulares, quer gramaticais passem a ser de uso comum passem a ser despercebidas na escritura literária pra que então possam ser estudadas, codificadas, catalogadas, escolhidas pra forma futura duma gramática e língua literária brasileiras. Ninguém me tirará a Convicção, arraigada já entre muitos dissabores, brinquedinhos depreciativos de amigos, diz-que e falar mal por trás e injustiças, que se muitos tentarem também o que eu tento (note-se que não digo "como eu tento") muito breve se organizará uma maneira brasileira de expressar, muito pitoresca, psicologiquíssima na sua lentidão, nova doçura e variedade, novas melodias bem nascidas da terra, e da raça do Brasil. Essa expressão é muito provável que talvez ainda passe sem que ela se diferencie suficientemente do português a ponto de se formar uma nova língua. Não sei. E se tivermos uma língua brasileira e provável também que a diferença

already in the figurative, metaphorical sense, as I have done. The subconscious appropriation of words, so that they actually have a characteristically national expressive function.

"There is also the unprecedented flavor that this language brings to the book. And which made me think that in this way any new book of mine in this genre, and any attempt of another that coincided with mine would bring about monotony and would show the poverty and the small relative quantity of the Brazilianist idioms and vocables. It would be a childish error of critical vision. I didn't have the slightest intention of looking for the curious, nor does unprecedentism depend on me. It's really about ending as early as possible the unprecedentism of these processes and others of the same genre so that all these Brazilian expressions, whether vocabulary or grammatical, become common use and unnoticed in literary writing so that they can be studied, codified, cataloged, and chosen for the future formation of a Brazilian grammatical and literary language. No one will take away from me the Conviction, already rooted through many inconveniences, friends' disparaging little games, gossip and ill-speaking behind my back, and injustices, that if many also try what I try (note that I don't say "how I try") very soon a Brazilian way of expressing will be organized, very picturesque, extremely psychological in its slowness, new sweetness and variety, new melodies well-bred from Brazil's land and race. This expression is very likely to still go without it being sufficiently differentiated from Portuguese to the point of forming a new language. I don't know. And if we have a Brazilian language, it's also probable

entre ela e a portuguesa nunca seja maior que a que tem entre esta e a espanhola. O importante, não é aliás a vaidadinha de ter língua diferente, o importante é se adaptar, ser lógico com a sua terra e o seu povo. Falam que pra que tenham literatura diferente carece que tenha língua diferente... É uma semiverdade. Pra que tenha literatura diferente é preciso que ela seja lógica e concordante com terra e povo diferente. O resto sim é literatura importada só com certas variantes fatais. É literatura morta ou pelo menos indiferente pro povo que ela pretendeu representar. — O problema sobre o lugar-comum pra estabelecer formas fixas. Empreguei lugares-comuns propositadamente. Bem entendido: se trata de lugares-comuns modismos brasileiros expressionais, e não lugares-comuns universais, frios polares, amores ardentes e por aí.

that the difference between that and the Portuguese language is never greater than the difference between that and the Spanish language. What is important is not the wicked vanity of having a different language, the important thing is to adapt, to be logical with your land and your people. They say that for literature to be different, it requires that it have a different language... This is a semi-truth. For literature to be different, it must be logical and concordant with the different land and people. The rest is indeed imported literature, only with certain fatal variants. It is dead literature or at least indifferent to the people it intended to represent. — The problem of the commonplace as to establish fixed forms. I purposely used commonplaces. Well understood: these are Brazilian expressionistic commonplace fads, not universal commonplaces, polar colds, fiery loves, and so forth."

A Propósito de *Amar, verbo intransitivo*

Senhor redator:

Agora que as melhores penas da crítica literária já falaram sobre *Amar, verbo intransitivo*, todos pelo Jornal, peço acolhida para certas explicações pessoais.

Eu sempre pus reparo no perigo que os meus prefácios traziam esclarecendo por demais os meus trabalhos. Com o prefácio de *Paulicéia* toda a gente se botou falando em Desvairismo se esquecendo da lição verdadeira do prefácio: aquela advertência de que o Desvairismo se acabara com o livro e nem eu mesmo continuava praticando-o. Como de fato não pratiquei em mais nenhuma das minhas obras.

Porém o que acabou me desgostando mesmo dos prefácios foi o caso do *Losango Cáqui*. Escrevi aquela advertência e em geral os que falaram do livro se limitaram a glosar o que eu falara, quando justamente o papel do crítico é também determinar quanto o artista não fez aquilo que pretendeu e o quanto ele não é aquilo que julga ser. Enfim: o melhor papel do crítico, desde que o artista seja digno deste nome, é repor o pobre do sonhador na consciência de si, mesmo.

Uma vez desgostado dos prefácios, tirei o que estava apenso a *Amar, verbo intransitivo* e me parece que o desastre foi maior.

Apropos of *To Love, intransitive verb*

Mr. Editor:

Now that the best quills of literary review have already spoken about *To Love, intransitive verb*, all through the newspapers, I ask refuge for some personal explanations.

I have always noticed the danger that my prefaces represented by explaining my work too much. With the preface to *Paulicéia*[120] everyone talked about Delusionism forgetting the true lesson of the preface: that warning that Delusionism had ended with the book, and that not even I kept practicing it myself. As a matter of fact I didn't practice in any of my other works.

Nonetheless what ended up in fact displeasing me about prefaces was the case of *O Losango Cáqui*.[121] I wrote that warning and in general those who spoke about the book merely glossed over what I had said, when the critic's role is precisely to determine how much the artist didn't do of what he intended to and how he isn't what he thinks he is. Finally, the best role of the critic, as long as the artist is worthy of this title, is to restore the poor dreamer to his own self-consciousness.

Não posso me queixar de incompreendido não, porém, é certo que fui transcompreendido, se posso falar assim.

O livro está gordo de freudismo, não tem dúvida. E é uma lástima os críticos terem acentuado isso, quando era uma coisa já estigmatizada por mim dentro do próprio livro. Agora o interessante seria estudar a maneira com que transformei em lirismo dramático a máquina fria de um racionalismo científico. Esse jogo estético assume então particular importância na página em que "inventei" o crescimento de Carlos, seguindo passo a passo a doutrina freudiana.

Mas isso inda não é nada. O que eu lastimo de deveras é que pelo menos de igual importância ao freudismo do livro são as doutrinas de neo-vitalismo que estão nele. Pois isso ninguém não viu.

Na própria página do crescimento de Carlos inculco visivelmente que vai ser honesto em vida por causa das reações fisiológicas.

A honestidade dele é uma secreção biológica. Pentear sem espelho na frente faz o repartido sair torto e isso deixa os cabelos doendo.

Carlos carece de espelho e tem vergonha de se olhar nele falo eu no meu jogo de imagens, depois de qualquer ação desonesta. Por isso, se conserva honesto para poder olhar no espelho. Honesto por "reação capilar".

O fenômeno biológico provocando a individualidade psicológica de Carlos é a própria essência do livro.

Tanto assim que eu constato dentro do próprio livro que todo o sucedido para o menino foi absolutamente inútil e que Carlos seria o que vai ser, sucedesse o que sucedesse.

Once displeased with prefaces, I took out what was annexed to *To Love, intransitive verb,* and it seems to me that the disaster was greater.

I can't complain of being misunderstood, no; however, I have been trans-understood, if I may say so.

The book is fat with Freudianism, no doubt about it. And it is a pity that the critics have accentuated this, when it was something already stigmatized by me in the book itself. Now the interesting thing would be to study the way in which I transformed into dramatic lyricism the cold machine of a scientific rationalism. This aesthetic game then becomes particularly important on the page where I "invented" Carlos' development following the Freudian doctrine step by step.

But this is still nothing. What I really lament is that at least of equal importance to the book's Freudianism are the neo-vitalism[122] doctrines that are in it. For this no one has seen.

On the very page of Carlos' development I visibly inculcate that he will be honest in life due to his physiological reactions.

His honesty is a biological secretion. Combing without a mirror in front of him makes the hair split crooked and this leaves the hair aching.

Carlos lacks a mirror and is ashamed of looking at himself in it I say my pictures game, after any dishonest action. That why he keeps himself honest so he can look in the mirror. He's honest by "capillary reaction."

The biological phenomenon provoking the psychological individuality of Carlos is the very essence of the book.

Simplesmente "porque é um indivíduo normal que nem amídalas inchadas não teve em piá".

Porém não me conservei apenas nesse naturalismo que repudio, não. Embora não tenha acentuado o problema da permanência extra-biológica das ideias coordenadoras do fenômeno humano, creio que não é impossível perceber que Carlos se rege por ideais de justiça, de religião, de sociabilidade, de verdade, etc. que não são simples fenomenologia biológica mas transcendem desta. Tanto assim que na convivência de Carlos-corpo com Carlos-espírito, este ensina para o outro conceito permanente de Deus, de Justiça, de Ciência e de Sociedade.

E ainda estava nas minhas intenções fazer uma sátira dolorosa para mim e para todos os filhos do tempo, a essa profundeza e agudeza de observação psicológica dos dias de agora. Aqueles que estão magnetizados pelo "sentimento trágico da vida" e percebem forças exteriores, aqueles que estão representados pelo fatalismo mecânico maquinal do indivíduo moderno, tal como Charles Chaplin, o realiza; aqueles que atravessaram o escalpelo de Freud e se sujeitaram a essa forma dubitativa de auto-análise de Proust; aqueles que por tanta fineza, tanta sutileza, tanta infinidade de reações psicológicas contraditórias não conseguem mais perceber a verdade de si mesmos. Todos esses caem na gargalhada horrível destes dias, caem no diletantismo e nem indagam de mais nada porque "ninguém o saberá jamais". Pois então: sátira pra esses e aqueles! E dando como protótipo de beleza humana o meu inventado Carlos, indivíduo puro, indivíduo que se sujeita às grande normas, eu creio que pude coroar

So much so that I establish in the book itself that everything that happened to the boy was absolutely useless, and that Carlos would be what he will be, whatever happened. Simply "because he is a normal individual who didn't even have swollen tonsils had as a child."

However, I didn't remain only in this naturalism that I repudiate, no. Although I have not accentuated the problem of the extra-biological permanence of the coordinating ideas of the human phenomenon, I believe that it is not impossible to perceive that Carlos is governed by ideals of justice, religion, sociability, truth, etc., which are not merely biological phenomenology but transcend from it. So much so that in the coexistence of Carlos-body with Carlos-spirit, this one teaches the permanent concept of God, Justice, Science and Society to the other.

And it was still my intention to make a painful satire for myself and all the children of time, the depth and sharpness of psychological observation of the present day. Those who are magnetized by the "tragic feeling of life" and perceive external forces; those who are represented by automated mechanical fatalism of the modern individual, like Charles Chaplin does; those who went through Freud's scalpel and subjected themselves to this dubious form of Proust's self-analysis; those who by so much finesse, so much subtlety, so much infinity of contradictory psychological reactions can no longer perceive their own truth. All these people fall into the horrible laughter of these days, they fall into the dilettantism and don't enquire about anything else because "no one will ever know it." So

a sátira com uma evocação que vai além dos simples valores hedonísticos.

Aqui convém maturar numa cousa importante: parece que eu dou para minha arte uma eficiência moral. Não tem dúvida que minha arte é moral no sentido largo em que ela participa do vital e principalmente do vital humano. Porém, estes costumei são "artis-moralista". A arte é sempre moral enquanto lida com os costumes. Porém, estes costumes são "artísticos", quero dizer, são brinquedos puros, desinteressados imediatamente, jogando com os dados vitais: sejam elementos sensoriais, sons, volumes, movimentos, cores, etc.; sejam elementos psíquicos, os sentimentos, o amor, heroísmo, cólera, pavor, paulificação. Até paulificação.

Confesso que com o elemento paulificação inda não publiquei nenhum trabalho "propositalmente". Mas já tenho alguns na gaveta. Porém, é fácil de provar que em várias páginas minhas publicadas procurei despertar nos meus leitores os sentimentos de cólera, de irritação, de impertinência, de mistério, etc. Não sei se consequentemente a boniteza coroou essas brincadeiras, porém, eles é certo que existem.

Mas por outro lado se Carlos conserva os "provérbios de sociedade" e se rege pelas grandes ideias normativas ele não conseguirá ser mais do que uma simples reação fisiológica. Estas darão um São Tomás e um Anchieta? Afirmei que não, no livro. Poderão dar quando muito um Carlos Souza Costa. Foi o que afirmei.

Carlos não passa de um burguês chatíssimo do século passado. Ele é tradicional dentro da única coisa a que se resume até agora a cultura brasileira: educação e modos.

then: satire for these and those! And I give a prototype of human beauty through my invented Carlos, a pure individual, subject to the great norms, I believe that I've managed to crown the satire with an evocation that goes beyond simple hedonistic values.

Here it is necessary to mature in one important thing: it seems that I give my art a moral efficiency. There is no doubt that my art is moral in the broad sense in which it participates in the vital and especially the human vital. However, these customs are "moralist-arts." Art is always moral while dealing with customs. However, these customs are "artistic," I mean, they are pure toys, disinterested immediately, playing with the vital data: be they sensory elements, sounds, volumes, movements, colors, etc.; be they psychic elements, feelings, love, heroism, anger, dread, irksomeness. Even irksomeness.

I confess that I haven't "deliberately" published any work with the irksomeness element yet. But I already have some in the drawer. However, it is easy to prove that in several of my published pages I tried to awaken in my readers the feelings of anger, irritation, impertinence, mystery, etc. I don't know if beauty has consequently crowned these banterings, but they certainly exist.

But on the other hand if Carlos retains the "proverbs of society" and is governed by the great normative ideas, he won't be able to be more than a simple physiological reaction. Will these make a St. Thomas and an Anchieta?[123] I asserted that not, in the book. They'll make at most a Carlos Souza Costa. That's what I said.

Em parte enorme: má educação e mais modos. Carlos está entre nós pelo incomparavelmente mais numeroso que inda tem no Brasil de tradicionalismo "cultural" brasileiro burguês oitocentista. Ele não chega a manifestar o estado bio-psíquico do indivíduo que se pode chamar de moderno. Carlos é apenas uma apresentação, uma constatação da constância cultural brasileira. E se não dei solução é porque meus livros não sabem ser tese. Não se consegue tirar do *Amar, verbo intransitivo*, mais que a constatação de uma infelicidade que independe dos homens.

E basta. Não sou nenhum vaidoso que julgue-me inatingível às críticas. Até sou especialmente grato a Tristão de Athayde por tudo o que é de mim sobre o qual ele chamou a minha atenção consciente. Mas agora senti precisão de evocar certas intenções maiores do meu último trabalho para mostrar quanto eu estou... fora da moda?

MÁRIO DE ANDRADE
Diário Nacional. São Paulo
4 de dezembro de 1927

Carlos is nothing more than an extremely boring bourgeois of the last century. He is traditional within the only things to which the Brazilian culture is summarized so far: education and manners.

To a large extent: bad education and more manners. Carlos is among us through the incomparably more numerous "cultural" Brazilian nineteen century bourgeois traditionalism that is still in Brazil. He fails to manifest the bio-psychic state of the individual who can be called modern. Carlos is only a presentation, a realization of the Brazilian cultural constancy. And if I didn't offer a solution, it's because my books don't know how to be a thesis. One cannot take from *To Love, intransitive verb* more than the realization of an unhappiness that is independent of men.

That's enough. I'm no vain person who thinks I'm unreachable to criticism. I am even more grateful to Tristão of Athayde[123] for all that is of me over which he drew my conscious attention. But now I felt the need to evoke certain major intentions of my last work to show how much I am... out of fashion?

MÁRIO DE ANDRADE
Diário Nacional. São Paulo
December 4, 1927

Notes

1 *Contos de réis*, Brazilian currency of the period, *réis* (plural of *real*). One *conto de réis* was equivalent to 1,000,000 *réis* or 900 grams of gold. Measured against the relative price of gold, one *conto de réis* would be equivalent to approximately USD 35,000 (August 2018).

2 Neighborhood in the city of São Paulo.

3 A municipality of the State of São Paulo.

4 A family name related to the *bandeirantes* (men who captured Indians and runaway slaves, and searched for stones and metals in Brazil, between the 16th and 17th centuries), the Borba Gato family (descending from Manuel de Borba Gato [1649–1718]), together with Paes Lemes, symbolized the wealth of aristocratic families in São Paulo.

5 Andrade takes a poetic license, and uses a Brazilian Modernist style (*Tropicalismo*), to simulate sounds in a musical and onomatopoeic way when he merges the verbs in two different tenses (*fogefugia/fleesfled*) to form a prolonged sound effect. Which I chose to try and replicate in this translation.

6 *Tatu subiu no pau* is a popular Paulista (from São Paulo) samba composed by Eduardo Souto in 1923. See: *A Música Popular no Romance Brasileiro*, José Ramos Tinhorão, 2002, p.155.

7 Phyllis Virginia Daniels (1901–1971) was an American singer, actress, writer, producer and dancer, famed through the silent movies and musicals, such as *42nd Street* (1933).

8 Andrade uses the piccolo (a small high-pitched flute) onomatopoeically, as to make a verb out of a noun in order to name

the sound produced by the little girl's screeching.

9 A native or inhabitant of the State of São Paulo.

10 A municipality of Minas Gerais, a State northwest of São Paulo, renowned for its mineral waters spa.

11 *Mosca azul* (blue fly) is part of a popular expression which states that if someone is bitten by the blue fly he becomes power hungry. The saying is alleged to have Oriental origins.

12 Sylphs or female water spirits described by Paracelsus.

13 *Rhenus Pater* (Latin), or Father Rhine, a personification of the Rhine River in association with Neptune, is the "father of nymphs and rivers" (Martial, 10.7) like the one in *Father Rhine and his daughters* sculpture in Düsseldorf, Germany (by Karl Janssen and Josef Tüshaus, 1897).

14 Luís Vaz de Camões (c. 1524–1580) is considered the greatest Portuguese poet of all times.

15 Brás, one of the districts of the city of São Paulo, is heavily industrialized with factories and warehouses, the great majority are textile manufacturing even today.

16 A breed of cattle, the Caracu can be traced back to the first cattle brought to Brazil by the Portuguese as early as 1553. These cattle were the descendants from the Transtagana, Minhota and Alentejano cattle from Portugal. Today, this "tropical European breed" has the greatest number of head in the world. Approximately 70,000 registered with the Brazilian Association of Caracu Breeders.

17 Vale do Anhangabaú is a public space in the center of São Paulo. In 1911, with the enlargement of the Av. Libero Badaro many prostitutes were expelled, moving to Vale do

Anhangabaú and Avenida Ipiranga, among other places.

18 Commander of the first European fleet to arrive in Brazil, landing in 1500.

19 Santa Cecília is a neighborhood of the district of the same name in the central region of the city of São Paulo.

20 Title conferred upon certain prelates, ecclesiastics of a high order, as an archbishop, bishop, etc.

21 Central character in *O Uraguai* (1769), an epic poem by Basílio da Gama (1741–95). Lindóia is the personification of the beauty and strength of the indigenous Brazilian women.

22 In the Bible's Second Book of Samuel, Bathsheba was the wife of Uriah, the Hittite, and later of David, king of the United Kingdom of Israel and Judah. She is most known for the Bible story in which she was summoned by King David who had seen her bathing and lusted after her.

23 A Rembrandt depicting Bathsheba nude, tempting King David into seduction and subsequent trouble.

24 Andrade is referring to *Bathsheba at Her Bath* or *Bathsheba with King's David's Letter* (1654), by Dutch painter Rembrandt van Rijn (1606–1669).

25 Rembrandt's *The Toilet of Bathsheba* (1643).

26 Scopas (c. 395–350 BC) was a Greek sculptor and architect of the late classical period who was ranked by ancient writers, with Praxiteles (c. 390–320 BC) and Lysippus (c. 370–300 BC), as one of the three major sculptors of the second half of the 4th century BC.

27 Lucas Cranach, the Elder (1472–1553) was a German painter from Saxony, and one of the most influential artist in 16th cen-

tury German art.

28 German for "And so simple."

29 The Tupi people were the people found in Brazil when the first settlers arrived. They're considered one of the most important indigenous peoples in Brazil. Among the many things they cultivated was tobacco, and the way they consumed it was by rolling four or five dry leafs of the plant to smoke as a cigar.

30 The old Cine República was a movie theater in the city of São Paulo considered, at the time of its inauguration (29.12.1921), the best projection room, with the greatest number of seats. Its target audience was the São Paulo aristocracy.

31 Andrade is referring to Socrates's famous mention in Plutarch's (c. 45–120 AD) *Of Banishment, or Flying One's Country* (in Plutarch's *Moralia*): "Socrates… said that he was not an Athenian or a Greek, but a citizen of the world."

32 Walter Rathenau (1867-1922), German Foreign Minister during the Weimar Republic, he was a Jewish industrialist, diplomat and thinker, who built the AEG (Allgemeine Elektricitäts-GesellschaftAG) electronics and engineering conglomerate into becoming a powerhouse for Germany's economy.

33 Andrade may be referring to the rooster in the medieval tale of Chanticleer and the Fox, alluding to the fright of the bird when captured by the fox.

34 *Nibelungenlied.*

35 German for "… the Father… the Mother… How are you?…"

36 An account or description of rivers, the scientific study of rivers: potamology.

36 Characters in *Nibelungenlied* (Song of the Nibelungs), a German epic poem of the Middle Ages (c. 1200 AD) based on Old Norse legends. The Nibelungs in the poem are dark dwarves who lived in the depths of the earth and extracted metals, with rich treasures under the River Rhine.

37 German for "society."

38 Word not found in German dictionaries. Perhaps it is a corruption of *Tanzschule* or "dance school."

39 German for "lento," in a musical sense.

40 Andrade might be referring to Erda, the name of an Earth Goddess in Wagner's tetralogy *The Ring of the Nibelung* (1848–1874), which appears in two parts of it, in The Rhine Gold and Siegfried.

41 German for "song."

42 A reference to Carl Theodor Körner's (1791–1813) lullaby *Gute Nacht* [Good Night] (1811). "Go to sleep!/Close your tired eyes!/Stiller it is on the streets/You only hear the watchman whisling/And the night is telling everyone: Go to sleep!"

43 German for "songs."

44 This song is known as *O Christmas Tree* in English.

45 *Maxixe* is a dance accompanied by music (often played as a subgenre of *choro*), which originated in Rio de Janeiro in 1868, at about the same time tango was developing in Argentina and Uruguay.

46 As in Goethe's *Hemman und Dorothea* (1798, 4. *Euterpe/Mother and Son*). "The waters of the Rhine protect us, but alas! what are waters and mountains to that terrible people, descending like a storm!"

47 Archangel Raphael is known as the angel of healing, working on the healing of people's minds, spirits, and bodies, according to the Abrahamic religions: Judaism, Christianism, and Islamism.

48 Itatiaia is a mountainous municipality of the state of Rio de Janeiro, known for its high peaks, the most famous being *Pico das Agulhas Negras* [Black Needles Peak], 2,878 meters (9,442 feet) high.

49 From German poet, Heinrich Heine's *Buch der Lieder* (1837): "Though fairest fisher maiden,/Row thy boat to the land./Come here and sit beside me,/Whispering, hand in hand./Lay thy head on my bosom,/And have no fear of me;/For carelessly thou trustiest/Daily the savage sea./My heart is like the ocean,/With storms and ebb and flow,/And many a pearl lies hidden,/Within its depths below."

50 Baucis and Philemon were an old married couple in nowadays Turkey, and the only ones in their town to welcome disguised gods Zeus and Hermes (Jupiter and Mercury in Roman mythology), thus embodying the pious exercise of hospitality the ritualized guest-friendship termed *xenia*.

51 German for "What the heck!"

52 German for "the death."

53 German for "mob."

54 German for "I will like it."

55 German for "yearning."

56 Luís Vaz de Camões (c. 1524–1580) is considered the greatest Portuguese poet of all times.

57 Andrade is probably referring to the male protagonist in

Marília de Dirceu (1792), by Luso-Brazilian Neoclassic poet Tomás António Gonzaga (1744–1810).

58 *La Vita Nuova* (1295) is a work by Dante about his feelings for Beatrice, who comes becomes his representation of the ideal woman.

59 Caspar Barlaeus (1584–1648) was a Dutch polymath and Renaissance humanist, theologian, poet, and historian.

60 Johann Moritz Rugendas (1802–1858) was a German painter, famous for his works depicting landscapes and ethnographic subjects in several countries in the Americas in the first half of the 19th century.

61 Andrade is probably referring to *Paul et Virginie* (1788), by French writer Jacques-Henri Bernardin de Saint-Pierre (1737–1814).

62 A person from the State of São Paulo, different from *Paulistano*, which applies for those from the City of São Paulo.

63 A native, inhabitant, or pertaining to the City of São Paulo.

64 A domesticated breed of cattle, *Bos taurus indicus*, from India, which has a large hump over the shoulders and a large dewlap.

65 Antônio Frederico de Castro Alves (1847–1871) was a Brazilian poet and playwright, famous for his abolitionist and republican poems, which won him the epithet of "O Poeta dos Escravos" (*"The Poet of the Slaves"*).

66 A follower of Sebastianism, a Portuguese messianic myth, based on the belief that King Sebastian I (1557–78) of Portugal, who disappeared in the Battle of Alcácer Quibir (1578), will return to save the country. The belief gained momentum in Brazil in the context of the Proclamation of the

Republic (1822). That is considered the most important manifestation of Sebastianism. Its major events occurred around the figure of Antônio Conselheiro (1830–97), who led a movement that defended the return of the monarchy, which led to the notorious and deadliest civil in Brazil, the War of Canudos (1896–97) in the hinterland of the State of Bahia.

67 In this paragraph Andrade plays with mixing Brazilian and foreign names, including Peri, the male protagonist of *O Guarani: Romance Brasileiro* (1857) by Brazilian writer José de Alencar (1829–77).

68 A mix of African and Native Brazilian blood.

69 Tupã (Tupave, or Tenondete; *Tupá* in Spanish) is the supreme god in the Guaraní creation myth. He's considered to be the creator of the universe and, more specifically, the creator of light, who resides in the Sun.

70 Tapuirama is a district of the city of Uberlândia, in the state of Minas Gerais, Brazil.

71 Joseph-Arthur, Comte de Gobineau (1816–1882), was a French diplomat, writer, ethnologist, and social thinker whose theory of racial determinism had an enormous influence on the subsequent development of racist theories and practices in western Europe, such as the Aryan master race.

72 *Saudade* is not like nostalgia, when one remembers happiness but feels sad knowing that that feeling cannot be reenacted. *Saudade* is the knowledge that someone is absent from one's life, but also gives joy for its nostalgic presence in one's absence.

73 A neighborhood of the City of São Paulo, where the Pacaembu Stadium has been located since 1940.

74 Andrade might be referring here to the heroic protagonist of *O Moço Loiro* [The Blond Boy] (1845) by Brazilian Romantic writer and politician Joaquim Manuel de Macedo (1820–1882).

75 A Brazilian musical instrument consisting of a steel string attached to a flexible wood bow and a gourd. The musician raps the wire while sliding a coin or stone up and down it.

76 An Indian flute made of the bones of an enemy or animal.

77 French for "Madam is served."

78 A municipality in the state of São Paulo.

79 German for "Fräulein! Come here!/Why, Karl? I am a little bit tired./Come! It is so strange!"

80 German for "The Way of Love and Death."

81 Neighborhood of Rio de Janeiro, between Botafogo and Copacabana, also by the sea.

82 A neighborhood in the Northern Zone of Rio de Janeiro, where the third-largest urban forest in the world is located.

83 Guiomar Novaes (1895–1979) was a Brazilian pianist noted for her individuality of tone and phrasing, singing line, and a subtle and nuanced approach to her interpretations. She is widely considered one of the greatest pianists of the twentieth century.

84 This notion of *corpo fechado* (closed body) and *corpo aberto* (opened body), is exclusively related to people, chiefly in a supernatural or superstitious way, as referring to the characteristic of being virtually or completely impervious (closed), or not (opened), to any kind of harm.

85 Andrade is probable referring to the Cascatinha Taunay, the tallest waterfall of the Parque Nacional da Tijuca, formed by

the waters of the Tijuca River, Conde River and other tributaries. In 1817, the French painter Nicolas-Antoine Taunay (1755–1830) built a small house near the falls and, enchanted by it, immortalized the beauty of the waters in his paintings.

86 A reference to Alberich (or Oberon in Shakespeare's *A Midsummer Night's Dream*), the sorcerer king of the dwarves in Germany mythology, which Theodor W. Adorno (1903–1969) argues (*In search of Wagner* - 1938) is the negative portrayal of the Jewish stereotype in Wagner's opera cycle *The Ring of the Nibelung* (premiere in 1876).

87 A possible reference to Gerhart Hauptmann (1862–1946), a German dramatist and novelist, counted among the most prominent promoters of literary naturalism.

88 A neologism which combines Brazil and the suffix *–ite* (–itis), giving the country's name a denotation of inflammation, or abnormal state or condition, like in "bronchitis."

89 Any automobile made by the Excelsior Motor Company, in Coventry, England.

90 Corcovado, meaning 'hunchback' in Portuguese, is a mountain in central Rio de Janeiro. The 710-meter (2,329 ft) granite peak is located in the Tijuca Forest, a national park. It is sometimes confused with the nearby Sugarloaf Mountain.

91 Loge is the German name for Loki, a god from Norse mythology, in the operas *Das Rheingold* (*The Rhine Gold*) and *Die Walküre* (*The Valkyrie*) by Richard Wagner.

92 A powerful Amazon-like queen from Germanic heroic legend. Richard Wagner made her (Brünnhilde) an important character in his opera cycle *Der Ring des Nibelungen* (*The Ring of the Nibelung*).

93 A neighborhood in the North Zone of Rio de Janeiro.

94 Here the character misspelled Bangu, a neighborhood in the West Zone of Rio de Janeiro

95 Andrade is referring to Estrada de Ferro Central do Brasil, one of the main train lines connecting Rio de Janeiro (then the capital of the country), São Paulo, and Minas Gerais.

96 The character is reading the first sign she sees at the station as if it were the name of the station itself.

97 The *cateretê* is a Brazilian lively rural folk dance accompanied by songs passed down from distant times. Its name is Tupi and the dance features indigenous and African characteristics.The *cateretê* is danced in two rows, one of men and the other of women, who perform in front of each other to the sound of violas, hand claps and foot tapping.

98 Indigenous villages or settlements.

99 Any of several fibers derived from trees of the *Thymelaeaceae* family, used for making nets, ropes, etc.

100 Enchanted animal that walks in bands through the forests of the Amazon, intoxicating their victims with their stench, to then devour them.

101 The same as *boitatá*, a furious spirit of the forests which protects the forest against fires, and throws fire through its nostrils.

102 The God of love, or Cupid, in the Tupi-Guarani mythology.

103 German for "Don't worry."

104 German for "He who reflects too much will achieve little."

105 *Wilhelm Tell* (1804), a drama by German dramatist Friedrich von Schiller (1759–1805), is tells the story of the legendary

Swiss hero who symbolized the struggle for political and individual freedom.

106 *In the holder bush, in the holder bush, / We sat hand in hand: / We were in the main time / … We were in the Maienzeit / the happiest in the country*. Part of an old folk song, *Im Holderstrauch* [Holder in the bush], by Hermann Kircher (1861–1929).

107 *Makota* is a Kimbundu/Mbundu word which means: great, powerful, a person of great influence.

108 Andrade creates a neologism with the Tupi word *pirassununga* (*pi'ra 'fish'* + *su'nunga 'roar, buzz, noise, din,'* meaning: noisy fish), due to its relation to the phenomenon of *piracema* (pi'ra + sema 'exit,' meaning: fish outlet), a period of the year when fish swim upstream to reproduce, similar to the spawning of salmon. We can understand that he compares Carlos to a 'fish out of the water,' struggling to survive.

109 Imitating the accent of the Portuguese people.

110 A famous square in the center of São Paulo.

111 *Contos de réis,* Brazilian currency of the period, *réis* (plural of *real*). One *conto de réis* was equivalent to 1,000,000 *réis* or 900 grams of gold. Measured against the relative price of gold, one *conto de réis* would be equivalent to approximately USD 35,000 (August 2018).

112 Clown character created by Abelardo Pinto (1897–1974).

113 Referring to himself as an actor, like Tom Mix (1880–1940), an American actor, the star of many Western movies between 1909 and 1935.

114 An American automobile manufactured by Howard Carpenter Marmon between 1851 and 1933.

115 German composer and pianist Ludwig van Beethoven's *Symphony N. 6* in F major, Op. 68, also known as the *Pastoral Symphony* (*Pastorale* in German).

116 "Only well-to-do brides would I like to see in the house;/For the poor one is surely to be despised by the man at last,/And he keeps her as a wench who came in as a wench with the bundle./Men remain unjust, and moments of love aren't much more than transient."

117 German for "my God."

118 German for "song, hymn."

119 Notice that the three translations to follow are a three-way translation from German-Portuguese-English. The original German, and its English translation are as follows: "*Du schönes Fischermädchen,/Treibe den Kahn ans Land;/Komm zu mir und setz dich nieder,/Wir kosen Hand in Hand./Leg an mein Herz dein Köpfchen,/Und fürchte dich nicht zu sehr,/ Vertraust du dich doch sorglos.Täglich dem wilden Meer./Mein Herz gleicht ganz dem Meere,/Hat Sturm und Ebb und Flut,/ Und manche schöne Perle/In seiner Tiefe ruht.*" (My gentle ferry-maiden,/Come, push the boat to land,/And sit thee down beside me,/Caressing with hand in hand./Lay thy head against my bosom,/And have of fear of me./Dost thou not venture boldly/Each day on the roaring sea?/My heart is like the ocean;/It has storm, and ebb, and flow,/And many a pearl is hidden/In its silent depths below.) From *Heine's Book of Songs* translated by Charles G. Leland (1864).

120 *Paulicéia Desvairada* [Hallucinated City] (1922) is a collection of poems by Mário de Andrade.

121 *The Khaki Lozenge* (1926) is a poetry book by Mário de Andrade.

122 A revival of Vitalism, the doctrine which preaches that life involves some immaterial 'vital force,' and cannot be explained scientifically, formulated by German botanist and philosopher Johaness Reinke (1849–1931).

123 Both were religious men. Saint Thomas Aquinas (1225–1274) was an Italian Dominican friar, Catholic priest, and Doctor of the church, an influential philosopher, theologian, jurist, and scholar. Interesting to notice here that the St. Thomas Church (Thomaskirche) in Leipzig, Germany, is home of the famous Thomanerchor boys' choir, and also associated to renowned composers such as Richard Wagner, Felix Mendelssohn Bartholdy, and mostly Johann Sebastian Bach. As for São José de Anchieta (1534–1597), he was a Spanish Jesuit priest and one of the founders of the city of São Paulo, in Brazil.

124 Tristão de Athayde is the pseudonym of Alceu Amoroso Lima (1893–1983) was a Brazilian writer, journalist, and activist. He debuted in literary criticism in 1919, developed in an Expressionist style, and was one of the first to support the Modern Art Week in Brazil (1922). Through letters and columns in the newspapers, he maintained an intense dialogue with intellectuals such as Sérgio Buarque de Holanda, Oswald and Mário de Andrade. He also played an outstanding role behind the scenes of politics during the Vargas Era (a military-led dictatorship in Brazil, between 1930 and 1945)

Agradecimentos e Reconhecimentos

A tradutora e o editor gostariam de agradecer ao Ministério da Cultura e Fundação da Biblioteca Nacional do Brasil pelo apoio que tornou este livro possível. A todas as pessoas que, direta ou indiretamente, colaboraram para a execução e divulgação deste projeto.

Agradecimentos também são devidos à *senior editor* Denise Dembinski que dedicou seus olhos afiados às palavras, estilo e design deste livro.

Os sinceros agradecimentos de Ana Lessa-Schmidt vão também para Helmut Schmidt, Terezinha Maria Moreira, Mauro Alexandre Lessa Lima, André Bordinhon, Gisele Faria, Bruna Ninni Di Napoli, Steve O'Grady, Fernando Loureiro and Glenn Cheney, por sua paciência, apoio e conselhos inestimáveis.

E ainda, Nadia Kerecuk, da Embaixada Brasileira em Londres, por seu impagável suporte às edições da New London Librarium através de sua grande iniciativa: o Brazilian Bilingual Book Club, e e sua ajuda linguística neste volume. E também à Maria Morrás e à Universidade Pompeu Fabra por seu apoio técnico e acadêmico durante a preparação desta tradução. Ainda à Viviane Carvalho da Annunciação por seu criterioso Prefácio.

E finalmente, um agradecimento especial à Leipzig (Alemanha), cidade de Wagner, Leibniz e Beckmann, a qual Mário teria amado, por sua acolhida calorosa e incomensurável inspiração durante a tradução deste trabalho.

Thanks and Acknowledgements

The translator and editor would like to thank the Ministry of Culture and the National Library of Brazil Foundation for the support that made this book possible. To all persons who, directly or indirectly, collaborated in the execution and dissemination of this project.

Acknowledgments are also due to senior editor Denise Dembinski, who dedicated her keen eyes to the words, style, and design of this book.

The sincere thanks of Ana Lessa-Schmidt also go to Helmut Schmidt, Terezinha Maria Moreira, Mauro Alexandre Lessa Lima, André Bordinhon, Gisele Faria, Bruna Ninni Di Napoli, Steve O'Grady, Fernando Loureiro and Glenn Cheney, for their patience, support and invaluable advice.

Also, to Nadia Kerecuk, from the Brazilian Embassy in London, for her priceless support for the New London Librarium's titles through her great initiative: the Brazilian Bilingual Book Club, and her linguistic help in this volume. And also to Maria Morrás and Pompeu Fabra University for their technical and academic support during the preparation of this translation. Also to Viviane Carvalho da Annunciação for her insightful Foreword.

And finally, a special thanks to the city of Leipzig (Germany), the city of Wagner, Leibniz and Beckmann, which Mário would have loved, for its warm welcome and immeasurable inspiration during the translation of this work.

Ana Lessa-Schmidt

Dra. Ana Lessa-Schmidt é bacharel em Literatura Inglesa pela Universidade Federal do Amazonas, e possui mestrado em Sociedade Britânica Contemporânea pela Universidade de Nottingham, onde também obteve seu título de Ph.D. em Estudos Culturais Brasileiros (Música de Protesto durante a ditadura no Brasil). Suas traduções de autores brasileiros com a New London Librarium (NLL) incluem também: João do Rio (*Religiões no Rio,* e *Vida Vertiginosa*); Machado de Assis (*Ex Cathedra, Miss Dollar, Trio in A-Minor,* e *Good Days!*). Ela também traduziu *Suas Mãos na Terra* do inglês para o português.

Ana Lessa-Schmidt

Dr. Ana Lessa-Schmidt holds a bachelor's degree in English Literature from the Federal University of Amazonas, and holds a Master's degree in Contemporary British Society from the University of Nottingham, where she also earned a Ph.D. in Brazilian Cultural Studies (Protest Music during the dictatorship in Brazil). Her translations of Brazilian authors with New London Librarium (NLL) also include: João do Rio (*Religions in Rio,* and *Vertiginous Life*); Machado de Assis (*Ex Cathedra, Miss Dollar, Trio in A-Minor,* and *Good Days!*). She also translated *His Hands on Earth* from English to Portuguese.

Viviane Carvalho da Annunciação

Dra. Viviane Carvalho da Annunciação é professora e tutora de português no Cambridge Language Programme e na Modern and Medieval Languages Faculty, na University of Cambridge. Ela é autora da monografia interdisciplinar *Exile, Home and City: Northern Irish poetry in relation to the architecture of a divided Belfast.* Seus artigos publicados concentram-se principalmente nos produtos artísticos textuo-visuais dos poetas concretos brasileiros e britânicos. Atualmente ela está realizando um segundo doutorado, no St. John's College, em Cambridge, examinando o trabalho de Machado de Assis e seu uso crítico das idéias científicas de seu tempo. Suas publicações recentes incluem a tradução da peça de rádio The Dark Tower, de Louis MacNeice.

Viviane Carvalho da Annunciação

Dr. Viviane Carvalho da Annunciação is a Portuguese teacher and tutor at the Cambridge University Language Programme and the Modern and Medieval Languages Faculty, at the University of Cambridge. She is the author of the interdisciplinary monograph Exile, Home and City: Northern Irish poetry in relation to the architecture of a divided Belfast. Her published articles focus principally on the textuo-visual artistic products of Brazilian and British Concrete poets. Currently, she is undertaking a second Ph.D. at St. John's College, examining the work of Machado de Assis and his critical use of the scientific ideas of his time. Her recent publications include the translation of the radio play "The Dark Tower" by Louis MacNeice.

Printed in the USA
CPSIA information can be obtained
at www.ICGtesting.com
LVHW091039290923
759460LV00010B/131/J